本書で使用する略語や記号について

本書で学習するうえで、次の略語を使用しています。下記の略語は、一般的にも使用されているので、ぜひ覚えてください。

①	B / S	:	貸借対照表(Balance Sheet の略)
②	P / L	:	損益計算書(Profit and Loss statement の略)
③	S / S	:	株主資本等変動計算書(Statements of Shareholders'equity の略)
④	C / F	:	キャッシュ・フロー計算書(Cash Flow statement の略)
			なお C / S (Cash flow Statement)と表記する場合もありますが、本書では C / F で統一しています。
⑤	C / R	:	製造原価報告書(Cost Report の略)
⑥	T / B	:	試算表(Trial Balance の略)
⑦	a / c	:	勘定(account の略)
⑧	@	:	単価や単位(at の略)

なお、本書では勘定科目(表示科目)については、科目名を意識していただく狙いから『 』を使って記載しています。つまり『○○』は、「○○勘定」を意味しています。

(例)投資有価証券勘定に加算するとともに、その他有価証券評価差額金勘定に計上…
　　　→『投資有価証券』に加算するとともに、『その他有価証券評価差額金』に計上…

本書は2024年4月時点の会計基準等にもとづいて作成しています。

答案用紙については、ネットスクールホームページにて
ダウンロードサービスを行っております。
https://www.net-school.co.jp/

JN102311

本書（問題集）の構成・特長

❶ 答案用紙ページ

答案用紙のページ番号を示しています。なお、答案用紙はネットスクールホームページにてダウンロードサービスも行っておりますのでご利用ください。

❷ 解答・解説ページ

解答・解説編のページ番号を示しています。問題（各問題の標準解答時間は、各Chapterの先頭ページに示しています）を解いた後でしっかり確認しましょう。

❸ 重要度ランキング

問題ごとに、A、B、Cで重要度を示しています（Aがもっとも重要度が高いことを表します）。なお、簿記論対策の問題は **簿A**、財務諸表論(計算問題)対策の問題は **類A** と示しています。

❹ 標準時間

問題ごとの標準時間です。時間内で解くことを目標にしてください。

❺ 難易度の区別

問題ごとに、基本問題は **基本**、応用問題は **応用** と難易度を示しています。

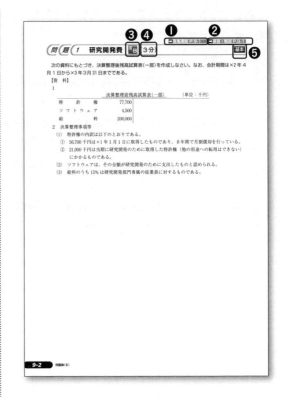

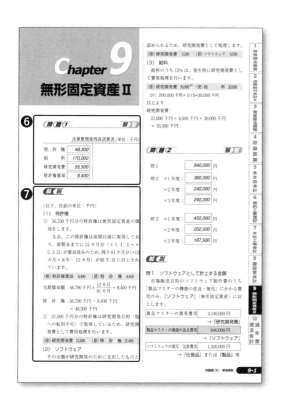

❻ 解答

問題の解答です。しっかり答え合わせをしましょう。

❼ 解説

問題の解説です。間違えた箇所があれば、解説内容と照らし合わせてその誤りの原因をしっかり確認しておきましょう。また、正解できた箇所についても解説内容をしっかり読んで、解答手順を忘れないようにすることが大切です。

講師からのメッセージ

　WEB講座の講師である中村雄行先生、穂坂治宏先生から、本書を学習する前の心構えとしてメッセージがございます。本書を最大限に有効活用するためにも、まずはこのメッセージをお読みください。

プロフィール
講師　中村雄行
（なかむらゆうこう）
講師歴35年。
実務的な話を織り交ぜながら誰もが納得できるように工夫された、わかり易い講義が大好評！
　WEB講座税理士簿記論講義等を担当。

プロフィール
講師　穂坂治宏
（ほさかはるひろ）
講師歴21年、税理士開業（登録平成6年）。「わかればできる」をモットーに、経験に基づく実践的な講義は、楽しみながら学習出来ると大好評！
　WEB講座税理士財務諸表論講義等を担当。

◆応用編の内容について

　教科書と問題集は、「基礎導入編」「基礎完成編」「応用編」の3部構成となっています。

　多くの重要な個別論点は基礎完成編までに取り上げていますが、応用編ではそれに加えて「資産除去債務」「無形固定資産（ソフトウェア）」「組織再編（合併など）」といった内容も取り上げていきます。

　また、応用編では構造的な論点として「特殊商品売買」「本支店会計」「商的工業簿記」「本社工場会計」「建設業会計」「連結会計」「帳簿組織」などが取り上げられています。

◆全体の流れを理解する

　応用編で取り上げる「本支店会計」や「商的工業簿記」といった構造的な論点は、その全体的な流れ（構造）や解法手順をしっかり身につけておかないと、思うように点数が伸びないことになってしまいます。問題集の総合問題を解くことを通じて、その流れをしっかりつかめるようにしましょう。

◆帳簿組織などは簿記論固有

　教科書と問題集は簿財一体型としていますが、応用編では簿財それぞれで固有の内容も出てきます。特に「帳簿組織」や「伝票会計」は簿記論固有の論点であり、また「特殊商品売買」や「本支店会計」といったあたりの内容は、どちらかと言えば簿記論でよく出題される重要論点となっています。

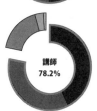

税理士試験合格に向けた学習

教科書／問題集　Ⅰ基礎導入編

　次年度の試験に向けた学習を開始しましょう。まずは日商簿記検定３級・２級の学習内容を含めた基礎的な部分について、教科書でインプット学習をします。その後、教科書に準拠した問題集でアウトプット学習を行い、どれだけ理解できたかを確かめます。教科書には、問題集の問題番号が記載されているので、すぐに学習した内容の問題を解くことができます。

教科書／問題集　Ⅱ基礎完成編

　基礎導入編での学習が終わったら、基礎完成編に移ります。基礎導入編と同様に、税理士試験で頻繁に出題される重要項目ばかりなので、漏れなく学習を進めましょう。

　基礎完成編も基礎導入編と同様に、教科書でインプットしたことを必ず問題集を使ってアウトプットし、学習した知識を定着させましょう。

教科書／問題集　Ⅲ応用編

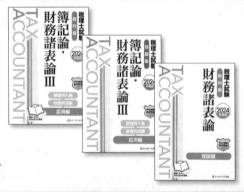

　基礎完成編での学習が終わったら、応用編の学習に移ります。

　また、理論問題対策用の教科書として、「財務諸表論 理論編」も刊行しています。「税理士試験 教科書 簿記論・財務諸表論」シリーズの各編（基礎導入編・基礎完成編・応用編）にある各Chapter名と同じテーマで並行して取り組んでいただくことで、計算対策と理論対策を同時に行うことができるようになっています。

穂坂式つながる会計理論

　「財務諸表論」の"効率的"な理論学習を行なうための問題集で、模範解答を覚えることなく、問題集を「読む」ことで合格する力が付くような構成になっています。

　この問題集を繰り返し解くことで、合格に必要な体系的な理論学習を行うことができます。本試験での応用的な出題にも対応できる力を身に付けましょう。

過去問ヨコ解き問題集

　教科書や問題集を使った学習が一通り終わったら、本試験の過去問題を解きましょう。過去に出題された試験問題を解くことで、出題傾向や本試験のレベルを体験できます。

　また、「ヨコ解き過去問題集」では、試験1回分を通しで解くのではなく項目ごとに解いていくため、苦手な項目をピンポイントで繰り返し解くことができます。苦手克服に繋げましょう。

　解答・解説では解答方法の記載だけではなく、特筆すべき箇所については、各論点が実際に出題された際の考え方を『ポイント』や『参考』としてまとめておりますので、基本テキストを使った復習（今後の学習方法・戦略の立て方）にお役立てください。

ラストスパート模試

　過去問題集での学習が終わったら、本試験形式で構成された模擬試験問題を解きましょう。本シリーズでは、ネットスクールの税理士講師の先生が作成した模擬問題を3回分収載しています。

　試験問題を本体から取り外し、YouTube で配信している「試験タイマー」を流しながら解くことで、試験本番の臨場感の中で解くことができます。学習してきた力を試験本番で十分に発揮できるよう訓練をしましょう。

試験合格！

ネットスクール公式 YouTube チャンネル

試験勉強や合格後の実務に役立つ動画も随時配信中！

☑ 出題予想や本試験の講評・解説

☑ 最新の実務の動向を解説する「ネットスクール学びちゃんねる」

☑ 試験会場の雰囲気を味わえる試験タイマーなど

アカウントをお持ちの方はぜひチャンネル登録のうえ、ご覧ください。

※掲載している書影は、すべて 2024 年 8 月現在の最新版、教科書／問題集シリーズは 2024 年度版のものとなります。
※書籍のお求めは全国の書店・インターネット書店、またはネットスクール WEB-SHOP をご利用ください。

ネットスクールWEB講座 合格者の声

ネットスクールで見事！合格を勝ち取った受講生様からのお言葉を紹介いたします。

takk 様（40 代男性、簿記論・財務諸表論合格）

簿記1級より引き続き、ネットスクールで簿記論・財務諸表論を受講し、合格をすることができました。ネットスクールの皆様には感謝の言葉しかありません。

　1級合格後、簿記論と財務諸表論のテキストを購入しましたが、独学が非効率だと感じ、簿記論・財務諸表論上級コースを受講することにしました。1級と勝手が違うこと、既に講義が始まっていたこと、財務諸表論の理論は馴染みがなかったことから混乱しましたが、疑問点やスケジューリングなど、ことあるごとに先生に相談をしていました。

　直前期はとにかく問題を解きました。総合問題を主軸に、理論は講義を受けつつアウトプットとして穂坂先生のつながる会計理論を周回していました。おかげで平均点はじりじりと上がっていきましたが、ときにはひどい点数の時もあり、何度先生に泣きついたか。陰鬱な内容を送ってしまうこともありましたが、聞き入れてくださり、気持ちを前向きにする助けとなりました。メンタルコントロールにとても配慮していただいたように思います。

　試験当日は平常心を心掛け、ベストを尽くしてきました。ケアレスミスが若干あり、自己採点では合否どちらにも転がりうるという感じでしたが、結果は合格でした。ほっと胸を撫で下ろすとともに、合格の旨を報告させていただきました。

M.K. 様（30 代女性、医療従事者、財務諸表論合格）

簿記とは全く縁のない職種で働いておりますが、第一子の出産を機に、税理士を目指して簿記論と財務諸表論を独学で勉強しておりました。試験について無知であったため、直前対策コースを受講しましたが、学び足りないことを痛感して1年目の試験を受け、不合格でした。2年目は標準コースで学びなおそうと思い、受講したことが今回の財務諸表論の合格につながったと思っています。

　本年は、育休から復帰し、仕事と家事と第一子の育児、また第二子の出産 (11 月) とイベントが多く、勉強する時間が限られておりました。しかし、講師の方々のわかりやすく丁寧な講義を早朝や通勤時間にダウンロードして見ることができたこと、再生スピードを調整することができたこと、また、試験までの見通しを把握して勉強できたことが合格につながったと思います。

　簿記論は合格できませんでしたので、また来年度の試験に挑もうと思っております。税法にも挑戦できればいいなと思っているところです。

　財務諸表論に合格できたのはひとえにネットスクール講師の先生のおかげだと思っております。本当にありがとうございました。

中井　優様（40代男性、会計事務所勤務、財務諸表論・官報合格）

所長税理士の引退が現実味を帯び、事務所内に有資格者がいない中、会計2科目を残す自分が合格を目指すしかない状況となった。2021年1月より簿記論・財務諸表論の学習を他校で開始した。第71回本試験では、両科目とも合格ボーダーに全く届かず。しかし、不十分ながらも最後まで学習を継続したことで、簿記の「歩留まり」が自分に発生する。

　学習を継続して挑んだ第72回本試験では、簿記論は合格。財務諸表論は53点（理論18点、計算35点）で惜しくも不合格となった。時間的な余裕もないので、穂坂先生の講義を受けるべく、ネットスクールの門を叩いた。

　答練期より、自身の学習スタイルが確立する。5時起床からの2時間の早朝学習。21時から23時までの2時間の夜学習の計4時間／日の学習の習慣化、学習時間の確保である。基本、この学習スタイルを継続した。休日はこの学習に数時間を加算した。通勤移動のスキマ時間には、スマートフォンなどを用いた理論の学習をした。答練期の一例では、早朝の2時間で過去問や答練の解答。夜に採点と間違いノートへの書き出しと復習を行った。答練の成績は大原で上位20%程度（上位40%位までが合格圏内）であった。

　財務諸表論の理論学習については、つながる会計理論の知識を定着させること意識して、基本センテンスの書き出しや音読、デジタルアプリ「ノウン」の問題編をタブレットやスマートフォンで繰り返し回答した。

　結果、合格確実ラインを超える点数（理論29点計算41点の計70点）を得て、官報合格を勝ち取ることができた。

C．T様（女性、財務諸表論合格）

以前は他社の通信講座で2年程学習していましたが、全く結果が出せなかったので、思い切ってネットスクールに乗り換えました。

　そこでまず驚いたのが、手厚いサポートでした。最初のZoomカウンセリングにて、これまでの状況を手短に説明しただけで、熊取谷先生に「財務諸表論は計算問題から取り掛かるようにしたらどうですか」というアドバイスをもらいました。私にとってはすごく参考になりました。

　講義もとにかく面白く分かり易かったです。ライブ授業の日は、毎回朝から楽しみでした。そして、ひたすら苦行だった理論の勉強が、穂坂先生の講義のお陰で、めちゃくちゃ楽しい時間に変わった事にも驚きました。試験対策だけではなく、背景にあるものや作問に関わっている先生方がどういう考えでいるかなど、とても興味深い話が聞けて、飽きることなく学べました。

　現在、3人の子供達の子育てをしながら勉強しておりますが、今年は結果が届いてすぐ、子供達に「合格したよ！」と知らせる事ができ、心の底から嬉しかったです。子供達も一緒に喜んでくれました。毎年、子供達に少し寂しい思いをさせてしまいますが、今年は結果が出せて本当に良かったです。

税理士WEB講座の詳細はホームページへ　**ネットスクール株式会社 税理士WEB講座**

https://www.net-school.co.jp/　　ネットスクール 税理士講座　検索

ネットスクールが自信をもって提唱する

簿財一体型の学習法

【税理士受験を始めた人に共通する最大の悩み】
⇒簿財の会計2科目のボリュームが多くて心が折れそう……

しかし、実は簿財の学習内容は**50%重複**しています。

※ （　）内の時間は1年間での標準学習時間となりますが、日商簿記検定などの学習経験や学習時期
　 などの相違により個人差があります。

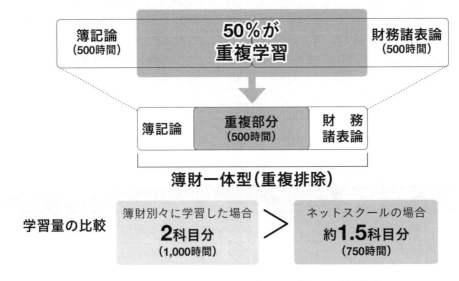

⇒悩みをスッキリ解決する新学習法が、<u>**簿財一体型の学習法**</u>です！

【参考】簿記論・財務諸表論の重複学習項目一覧

貸借対照表の作成	現金預金	金銭債権	棚卸資産	金融商品
有形固定資産	無形固定資産	繰延資産	営業費	負債会計
退職給付会計	純資産会計	外貨換算会計	リース会計	減損会計

　なお、簿記論は基本的にはすべて計算問題として出題されますが、**財務諸表論では100点満点中50点までが理論問題の出題**となり、その出題量は相当なものとなりますので、**十分な理論対策が必要**となります。理論学習は日商簿記検定試験では1級会計学の出題内容となるため、特に3〜2級までの学習修了者にとってはその理論対策が重要となってきます。

　基礎導入編、基礎完成編、応用編の教科書・問題集は主に簿記論・財務諸表論の計算問題対策の教材となっていますので、財務諸表論の理論対策については別冊の**「財務諸表論教科書・理論編」**をご利用ください。

プロの会計人を目指すチャンス到来

今こそ税理士試験にチャレンジしよう！

簿記論および財務諸表論の受験資格が不要となったことに伴い、日商簿記の学習経験者にとってはこれまでよりも税理士試験（簿・財）にチャレンジしやすい環境になるものと考えられます。

これまで多くの税理士受験生が日商簿記検定の学習からスタートし、学習の進捗度合いや各級の合格を機に、簿記論や財務諸表論へステップアップしています。

そこで、以下の日商簿記検定試験の学習範囲との関連性（重複学習の度合い）をご参照いただき、今後における税理士試験へのチャレンジに向けて、学習開始の目安としていただきたいと思います。

なお、税理士試験では原価計算の出題はありません。また、工業簿記についても原価計算を行わない簡便的な工業簿記（商的工業簿記）の出題に限られています。

◆　日商簿記検定試験の学習範囲との関連性

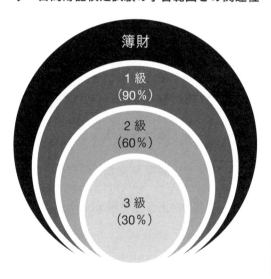

日商簿記1級
・ほとんどの内容は学習済みであり、復習もかねて学習を開始することができます。
・11月の検定試験後～年明けからのスタートが可能です。

日商簿記2級
・学習済みの内容も多く、比較的余裕をもって学習を開始することができます。
・理想は9月からですが、11月前後からのスタートも可能です。

日商簿記3級
・新規の学習項目も多くなりますが、基礎固めをしながら学習を進めていくことになります。
・9月から約1年をかけての学習をおススメします。

税理士試験（簿記論・財務諸表論）の学習については、これまででしたら日商簿記検定2級（商業簿記）の学習修了者が主な対象と考えられてきていたのですが、近年の日商簿記検定試験の出題範囲の改正等も考慮すると、**今後は日商簿記検定3級の学習修了者でも税理士試験（簿記論・財務諸表論）の学習開始は十分可能**であると考えられます。

さあ、今こそ税理士試験にチャレンジしましょう！

税理士試験は難易度の高い試験ではありますが、科目合格制度を採用しており、コツコツと努力を続ければ必ず合格できる可能性がある試験です。そして、税理士の資格は様々な分野で活躍できる魅力にあふれています。この魅力あふれる資格に今こそチャレンジしてみてください！

税理士試験の2大特徴

特徴その1 科目選択制度

　以下の試験科目全11科目から5科目を選択して受験する制度です。会計科目の2科目と選択必須科目1科目以上を含む税法科目3科目の合計5科目に合格する必要があります。

会計科目	**必須の2科目**	簿記論
		財務諸表論
税法科目	選択必須の1科目 ※法人税法または所得税法のいずれか	法人税法
		所得税法
	選択科目 [2科目または1科目選択]	相続税法
		消費税法または酒税法のいずれか
		国税徴収法
		固定資産税
		事業税または住民税のいずれか

特徴その2 科目合格制度

　1度の受験で5科目全てに合格する必要はなく、1科目ずつ受験することができます。
　なお、1度合格した科目は生涯有効となります。

税理士試験の受験資格及び試験日程については、国税庁ホームページをご覧下さい。

https://www.nta.go.jp/index.htm

国税庁ホームページ ▶ 税の情報・手続・用紙 ▶ 税理士に関する情報 ▶ 税理士試験

Chapter 1
特殊商品売買

No	内　　　容	標準時間	重要度	難易度
問題1	割賦販売1	5分	簿B	基本
問題2	割賦販売2	8分	簿B	基本
問題3	割賦販売3	8分	簿B	基本
問題4	割賦販売4	10分	簿B	応用
問題5	試用販売1	5分	簿B	基本
問題6	試用販売2	10分	簿B	基本
問題7	試用販売3	3分	財C	基本
問題8	試用販売4	5分	財C	基本
問題9	委託販売1	15分	簿B	基本
問題10	委託販売2	12分	簿B	基本
問題11	委託販売3	10分	財C	基本
問題12	受託販売	3分	簿C	基本
問題13	未着品売買1	5分	簿B	基本
問題14	未着品売買2	10分	簿B	応用
問題15	未着品売買3	10分	簿B	応用
問題16	委託・受託・試用の複合問題（本試験問題改題）	15分	簿B	応用
問題17	一般・委託・試用の複合問題	12分	簿B	応用
問題18	一般・試用・未着の複合問題	12分	簿B	応用
問題19	一般・試用・委託の複合問題	10分	簿B	応用

問題 1　割賦販売 1　薄B（5分）　基本

次の資料にもとづいて、損益計算書を完成させなさい。なお、割賦販売は販売基準を採用している。

【資料1】　決算整理前残高試算表（一部）

決算整理前残高試算表　（単位：千円）

勘　定　科　目	金　　額	勘　定　科　目	金　　額
割　賦　売　掛　金	125,000	一　　般　　売　　上	850,000
繰　越　商　品	185,000	割　　賦　　売　　上	375,000
仕　　　　　　　入	957,500		

【資料2】　決算整理事項

1　期末商品棚卸高　？千円

2　当期の一般販売は利益加算率25％であり、割賦販売は利益率30％である。

3　契約における重要な金融要素については考慮不要である。

問題 2　割賦販売 2　[簿 B]（8分）　　　　　　　　　[基本]

　次の資料にもとづき、以下の問いに答えなさい。なお、計算の過程で千円未満の端数が生じた場合には、千円未満を四捨五入すること。なお、金額がゼロの場合には、「0」と記入すること。

【資料】
　1．当社は×1年4月1日に得意先甲社に商品を3回の分割払い（毎年3月末払い）の契約で販売し、甲社に商品を引き渡した。販売した商品の原価は5,076千円、現金正価は6,345千円、割賦売価は6,600千円である。割賦売価と現金正価との差額は利息として計上する。
　2．×2年3月31日に甲社より2,200千円を回収し、代金は当座預金口座に振り込まれた。
　3．×3年3月31日に甲社より2,200千円を回収し、代金は当座預金口座に振り込まれた。
　4．×4年3月31日に甲社より2,200千円を回収し、代金は当座預金口座に振り込まれた。

問1　利息の配分方法を定額法によった場合の各期の以下の金額を答えなさい。
問2　利息の配分方法を利息法によった場合の各期の以下の金額を答えなさい。
　　　なお、利息法による場合の利子率は年2％である。
　⑴　割賦売上
　⑵　売上原価
　⑶　受取利息
　⑷　割賦売掛金

問題 3　割賦販売 3　簿B（8分）　　　　基本

　次の資料にもとづき、以下の問いに答えなさい。なお、計算の過程で千円未満の端数が生じた場合には、千円未満を四捨五入すること。なお、金額がゼロの場合には、「0」と記入すること。

【資料】

1. 当社は×1年4月1日に得意先甲社に商品を3回の分割払い（毎年3月末払い）の契約で販売し、甲社に商品を引き渡した。販売した商品の原価は5,076千円、現金正価は6,345千円、割賦売価は6,600千円である。割賦売価と現金正価との差額は利息調整勘定として処理した上で、受取利息に振り替える。
2. ×2年3月31日に甲社より2,200千円を回収し、代金は当座預金口座に振り込まれた。
3. ×3年3月31日に甲社より2,200千円を回収し、代金は当座預金口座に振り込まれた。
4. ×4年3月31日に甲社より2,200千円を回収し、代金は当座預金口座に振り込まれた。

問1　利息の配分方法を定額法によった場合の各期の以下の金額を答えなさい。
　(1) 割賦売上
　(2) 売上原価
　(3) 受取利息
　(4) 割賦売掛金
　(5) 利息調整勘定

問2　利息の配分方法を利息法によった場合の問1の各科目の金額を答えなさい。
　　なお、利息法による場合の利子率は年2％である。

問題 4　**割賦販売4**　簿B（10分）　応用

次の資料にもとづいて、損益計算書を完成させなさい。割賦販売の金利部分については、利息調整勘定で処理し、定額法により受取利息に振り替える。

【資料1】　決算整理前残高試算表

決算整理前残高試算表　（単位：円）

勘　定　科　目	金　　額	勘　定　科　目	金　　額
割　賦　売　掛　金	352,000	利　息　調　整　勘　定	32,000
繰　越　商　品	150,000	貸　倒　引　当　金	10,000
仕　　　　　入	800,000	一　　般　　売　　上	537,500
		割　　賦　　売　　上	500,000
		受　　取　　利　　息	18,000

【資料2】　決算整理事項等

(1)　当期中に以下の割賦売掛金が貸し倒れたが未処理である。

① 当期販売分

当期に商品（原価40,000円、現金正価50,000円、割賦売価55,000円）を5回の分割払い契約で販売したものである。

期中に1回分11,000円を回収しその後、44,000円が貸し倒れたが、割賦代金の回収および貸倒れの処理が未処理である。戻り商品の評価額は10,000円である。

② 前期販売分

前期に商品（原価80,000円、現金正価100,000円、割賦売価110,000円）を5回の分割払い契約で販売したものである。

前期中に1回分22,000円を回収し当期首に88,000円が貸し倒れたが、貸倒れの処理が未処理である。戻り商品の評価額は15,000円である。

(2)　期末商品帳簿棚卸高は120,000円（戻り商品評価額を含まない）である。
棚卸減耗と商品の収益性の低下は生じていない。戻り商品は期末において未販売である。

(3)　割賦売掛金残高に対して2％の貸倒引当金を差額補充法により設定する。

問題 5 　試用販売 1 　簿B （5分） 基本

次の資料にもとづいて、損益計算書を完成させなさい。

【資料1】 決算整理前残高試算表（一部）

決算整理前残高試算表 （単位：千円）

勘 定 科 目	金 額	勘 定 科 目	金 額
繰 越 商 品	7,000	試 用 仮 売 上	1,100
試 用 販 売 契 約	1,100	一 般 売 上	40,000
仕 　 入	42,000	試 用 品 売 上	11,000

【資料2】 決算整理事項等

1 　一般販売の原価率は80％であり、試用販売は一般販売の10％増しの売価を設定しており、これらは毎期一定である。

2 　繰越商品のうち手許商品は5,400千円、試用品は1,600千円である。

3 　試用販売に係る対照勘定の期首残高は2,200千円である。

問題 6 　試用販売 2 　簿B （10分） 基本

次の一連の取引について、各問いに答えなさい。

(1) 　商品60,000円を掛けで仕入れた。

(2) 　仕入れた商品のうち試用売価40,000円（原価32,000円）の商品を試送した。

(3) 　試送した商品のうち試用売価30,000円（原価24,000円）について、買取りの意思表示を受けた。

(4) 　試送した商品のうち試用売価4,000円（原価3,200円）について、買わない意思表示があり返品された。

(5) 　決算をむかえた（期首手許商品残高および期首試用品残高はない。また、当期において手許商品の販売は行っていない）。

問1 　対照勘定法により仕訳を示しなさい。なお、備忘仕訳は『試用販売契約』、『試用仮売上』を使うこと。

問2 　手許商品区分法（期末一括法）により仕訳を示しなさい。

問3 　手許商品区分法（売上の都度、仕入に売上原価を振替える方法（その都度法））により仕訳を示しなさい。

問題 7　試用販売3 （3分）

基本

次の資料にもとづいて、損益計算書(一部)を完成させなさい。当社は3月決算である。

【資料1】　決算整理前残高試算表(一部)

決算整理前残高試算表　　　（単位：千円）

勘 定 科 目	金 額	勘 定 科 目	金 額
繰 越 商 品	98,000	試 用 仮 売 上	107,000
試 用 未 収 金	107,000	一 般 売 上	2,000,000
仕　　　　　入	850,000	試 用 品 売 上	350,000

【資料2】　その他の資料

1　試用販売は、当期から開始したものであり、原価率は70%である。

2　期末手許商品棚卸高は80,000千円であった。なお、棚卸減耗は生じていない。

問題 8　試用販売4 （5分）

基本

次の資料にもとづいて、損益計算書(一部)を完成させなさい。当社は3月決算である。

【資料1】　決算整理前残高試算表(一部)

決算整理前残高試算表　　　（単位：千円）

勘 定 科 目	金 額	勘 定 科 目	金 額
繰 越 商 品	154,000	試 用 仮 売 上	107,000
試 用 未 収 金	107,000	一 般 売 上	2,000,000
仕　　　　　入	850,000	試 用 品 売 上	350,000

【資料2】　試用販売等について

1　(1)試用販売は、前期から開始したものであり、原価率は前期・当期ともに70%である。
　　(2)試用未収金の明細は、以下のとおりである。

	期 首 残 高	当 期 試 送 高	買 取 高	期 末 残 高
前期試送分	80,000千円	—	80,000千円	—
当期試送分	—	377,000千円	?	?

2　期首手許商品は98,000千円、期末手許商品棚卸高は80,000千円であった。

1 特殊商品売買　2 退職給付会計Ⅱ　3 資産除去債務　4 収益認識　5 本支店会計　6 商的工業簿記　7 本社工場会計　8 建設業会計　9 無形固定資産Ⅱ　10 過年度遡及会計

問題 ⑨ 委託販売１ 簿B（15分） 基本

　次の資料にもとづいて、委託販売について(A)手許商品区分法・売上の都度、仕入に売上原価を振替える方法（その都度法）によって処理する場合、(B)手許商品区分法・期末一括法によって処理する場合、それぞれについて各問いに答えなさい。

　なお、積送品売上は委託者の手取金額で計上することとし、発送諸掛は積送品原価に含めて処理すること。また、仕訳に用いる勘定科目は期首繰越試算表及び問２の決算整理前残高試算表（一部）に表示されているものを用いること。

問１　【資料２】の取引①～⑤の仕訳を示しなさい。
問２　問１の仕訳をもとに、決算整理前残高試算表（一部）を作成しなさい。
問３　【資料３】をもとに、決算整理仕訳を示しなさい。
問４　決算整理後残高試算表（一部）を作成しなさい。

【資料１】　期首繰越試算表

期首繰越試算表（一部）　　　　（単位：千円）

勘　定　科　目	金　　額	勘　定　科　目	金　　額
現　金　預　金	8,000	買　　掛　　金	10,000
売　　掛　　金	15,000		
委　託　販　売	2,000		
繰　越　商　品	11,000		
積　　送　　品	6,000		

　(注)期首の積送品は、新宿商店に委託しているＡ商品50個（@120千円）のみである。

【資料２】　当期中の一連の取引（以下に示したもののみである）
　①　掛けでＢ商品100個（@150千円）を仕入れた。
　②　渋谷商店にＢ商品60個（原価@150千円）を積送した。積送にかかる発送費300千円は現金で支払った。
　③　委託先新宿商店から、前期に積送したＡ商品50個に関する以下の内容の仕切精算書が届いた。
　　　　売上高：9,000千円
　　　　諸　掛：　800千円（うち、販売諸掛：80千円、受託者手数料：720千円）
　④　得意先小倉商事にＡ商品50個とＢ商品10個を9,000千円で販売し、代金は掛けとした。
　⑤　委託先渋谷商店から、②で積送したＢ商品20個に関する以下の内容の仕切精算書が届いた。
　　　　売上高：5,500千円
　　　　諸　掛：　500千円（うち、販売諸掛：60千円、受託者手数料：440千円）

【資料３】　決算整理事項（商品についてのみ）
　1　手許商品　8,000千円
　2　【資料２】の②で渋谷商店に積送したＢ商品のうち、40個が期末現在未販売である。

➡答案用紙 P.1-9　➡解答・解説 P.1-12

1 特殊商品売買
2 退職給付会計Ⅱ
3 資産除去債務
4 収益認識
5 本支店会計
6 商的工業簿記
7 本社工場会計
8 建設業会計
9 無形固定資産Ⅱ
10 過年度遡及会計

問 題 10　**委託販売2**　簿 B （12分）　　　　　　　基本

　当社の第7期事業年度(自07年4月1日　至08年3月31日)に関する下記の資料に基づいて、損益計算書を作成し、整理後残高試算表を作成しなさい。

【資料1】　決算整理前残高試算表

残 高 試 算 表　　　　　（単位：千円）

委 託 売 掛 金	85,000	一 　般 　売 　上	1,094,000
繰 越 商 品	176,000	積 送 品 売 上	552,000
積 　送 　品	437,000		
仕 　　入	829,500		
積 送 諸 掛 費	2,622		
営 　業 　費	106,000		

【資料2】　参照事項

　委託販売について

1．売上高は、委託先から送付された売上計算書記載の売上高に基づいて計上する。

2．商品積送の際に生じた諸掛費は、別に積送諸掛費勘定に記入している。

【資料3】　決算整理事項等

1．期末手許商品棚卸高

(1)　帳簿棚卸高　185,000千円

(2)　実地棚卸高　183,500千円

　　　棚卸減耗損は販売費として計上する。

2．委託販売に係る事項

(1)　決算手続中(4月2日)に委託先A商店より下記の売上計算書を受け取ったが、未処理である。諸掛は営業費勘定で処理する。

売 上 計 算 書

08年3月28日

売 上 高		18,000 千円
諸 　掛		
倉 庫 料	200 千円	
販売手数料	1,800 千円	2,000 千円
正味手取額		16,000 千円

(2)　積送品期首有高は32,000千円、期末有高は38,000千円である。

(3)　積送品の未販売高に対応する積送諸掛費を次期に繰延べる(平均法)。

問題 11 委託販売3 難C (10分) 基本

次の資料にもとづいて、損益計算書(一部)を完成させなさい。当社は3月決算である。

【資料1】 決算整理前残高試算表(一部)

決算整理前残高試算表 (単位：千円)

勘 定 科 目	金 額	勘 定 科 目	金 額
繰 越 商 品	34,000	一 般 売 上	830,000
積 送 品	59,000	積 送 品 売 上	120,000
仕 入	820,000		

【資料2】 仕切精算書について

決算整理中に、以下の仕切精算書が到達した。

仕 切 精 算 書 (単位：千円)
（3月30日販売）

売 上 高	5,000
販売手数料	300
差引手取金	4,700

【資料3】 その他の資料

1 (1)当社は以前から委託販売を行っており、記帳方法は手許商品区分法(その都度法)による。

(2)期首における積送品原価は34,100千円である。当期積送高は112,500千円である。

(3)当社は、収益認識基準として受託者販売日基準を採用しており、売上収益は受託者売上高をもって計上している。

2 期末一般商品の手許有高は108,000千円である。なお、棚卸減耗などは生じていない。

問題 12 受託販売 簿C（3分）　　基本

A社では受託販売を行っている。A社の行った以下の取引の仕訳を示しなさい。

なお、仕訳を示すにあたって使用する勘定科目名は以下の枠内から選ぶこと。

受 託 販 売	委 託 販 売	現 金 預 金	売 掛 金	買 掛 金
売　　　上	仕　　　入	引 取 費	発 送 費	受取手数料

(1) 受託品7,000千円（売価）を引き取り、引取費用200千円を現金で立て替えた。

(2) 上記受託品をすべて販売し、代金は現金で受取った。なお、発送諸掛300千円を立替払いとした。

(3) A社は仕切精算書を作成し、委託者に送付した。

仕切精算書 　（単位：千円）

売上高			7,000
諸　掛：	引取費	200	
	発送費	300	
	手数料	500	1,000
手取金：			6,000

(4) 委託者に対し、販売代金から諸掛を差し引いた残額6,000千円を小切手を振り出して支払った。

問題 13 未着品売買 1 簿B（5分）　　基本

次の資料にもとづいて、各問いに答えなさい。なお、一般商品売買は三分法によって処理する。

(1) 未着品売買を期末一括法によって処理する場合の決算整理仕訳を示しなさい。

(2) 未着品売買をその都度法によって処理する場合の決算整理後残高試算表を示しなさい。

【資料1】 一般商品販売についてのデータ

1 期首手許商品 5,500千円

2 当期商品仕入高 115,500千円（現品引取高を除く）

3 一般売上高 160,000千円（原価率80％）

4 期末手許商品 6,000千円

【資料2】 未着品売買についてのデータ

1 期首貨物引換証保有高 4,000千円

2 当期貨物引換証購入高 55,000千円

　 うち現品引取高 12,000千円（別途引取費用1,000千円）

3 貨物引換証転売高 50,000千円（原価率85％）

4 期末貨物引換証保有高 4,500千円

1 特殊商品売買
2 退職給付会計Ⅱ
3 資産除去債務
4 収益認識
5 本支店会計
6 商的工業簿記
7 本社工場会計
8 建設業会計
9 無形固定資産Ⅱ
10 過年度遡及会計

問題 14 未着品売買 2 簿B (10分) 応用

次の資料にもとづいて、各問いに答えなさい。

(1) 一般商品販売の原価率を求めなさい。

(2) 決算整理後残高試算表を完成させなさい。

【資料1】 決算整理前残高試算表(一部)

決算整理前残高試算表 (単位:千円)

勘 定 科 目	金 額	勘 定 科 目	金 額
繰 越 商 品	35,000	一 般 売 上	800,000
未 着 品	65,000	未 着 品 売 上	400,000
仕 入	785,000		

【資料2】 決算整理事項等

1 期末手許商品の帳簿棚卸高は45,000千円、実地棚卸高44,000千円である。

2 未着品売買にかかる事項は以下のとおりである。

① 期首の貨物代表証券保有高は70,000千円である。

② 現品265,000千円分が到着したので、貨物代表証券と引き換えた。そのさい、引取費用10,000千円を小切手を振り出して支払った。

③ 未着品売買については、その都度法によって処理している。

④ 未着品転売の原価率は65％である。

1 特殊商品売買

2 退職給付会計II

3 資産除去債務

4 収益認識

5 本支店会計

6 商的工業簿記

7 本社工場会計

8 建設業会計

9 無形固定資産II

10 過年度遡及会計

問題 15 未着品売買 3 簿B (10分) 応用

　NS社の決算(×8年3月期)に関する資料は、次のとおりである。これらの資料にもとづいて、決算整理後の残高試算表を作成しなさい。なお、千円未満の端数は四捨五入することとし、棚卸減耗損は販売費として処理をすること。

【資料1】 決算整理前残高試算表(一部)

決算整理前残高試算表　　　(単位：千円)

勘 定 科 目	金　　額	勘 定 科 目	金　　額
繰 越 商 品	18,150	売　　　　　上	172,240
未 着 品	24,500	未 着 品 売 上	23,000
仕　　　　　入	123,874	仕 入 割 引	450
売 上 値 引	500	仕 入 値 引	210
売 上 戻 り	240	仕 入 戻 し	274

【資料2】 修正および決算整理事項等

1　3月1日に船荷証券を5,650千円で入手し代金は掛けとしたが、未処理であった。

2　未着品売買にかかる売上原価の算定は、期末に一括して仕入勘定で行っているが、その原価率は一般商品販売と同じであった。

3　期末手許商品の帳簿棚卸高は17,700千円、実地棚卸高は17,110千円であった。

4　売上値引、売上戻りは一般販売に関するものである。帳簿棚卸高と実地棚卸高との差額は減耗により生じたものである。

問題 16 委託・受託・試用の複合問題 簿B (15分)（本試験問題改題）応用

A株式会社(以下「当社」という)の前期末の残高勘定(【資料1】)、当期の営業取引および決算整理事項等(【資料2】)、期末の損益勘定および残高勘定(【資料3】)は次のとおりである。これらの資料にもとづいて空欄①〜④をうめなさい。

なお、資料の(　　　)に該当する金額は各自推定しなさい。

期首、期末ともに手許商品はゼロとする。

【資料1】　前期末の残高勘定(一部)

残　高　勘　定　　　　　　(単位：千円)

試 用 未 収 金	(　　　)	受 託 販 売	③
積　送　品	①	試 用 仮 売 上	(　　　)
繰 越 試 用 品	②		
繰 延 積 送 諸 掛	120		

【資料2】　営業取引および決算整理事項等

1　委託販売に関する事項

(1)　当期の商品積送高は26,000千円である。

(2)　積送品の売上原価率は80％である。

(3)　当期中に支払った積送諸掛費は　④　千円である。このうちで、期末積送品棚卸高に対応する部分については繰延積送諸掛として処理する。

2　試用販売に関する事項

(1)　試用販売については対照勘定法で処理している。

(2)　期首の試用品の売上原価率は70％であり、この期首の試用品はすべて当期中に買取りの意思表示があった。

(3)　当期試送品(売価)は15,000千円であり、その売上原価率は75％である。

3　受託販売に関する事項

(1)　当期の受託販売による売上高は7,800千円であり、現金で受け取っている。

(2)　受託販売にともなう引取費300千円は当期に支払済みである。

【資料3】　当期末の損益勘定と残高勘定(一部)

損　益　勘　定　　　　　　(単位：千円)

積 送 諸 掛 費	300	積 送 品 売 上	25,000
		試 用 品 売 上	13,800
		受 託 販 売 手 数 料	200

残　高　勘　定　　　　　　(単位：千円)

試 用 未 収 金	(　　　)	受 託 販 売	9,800
積　送　品	10,000	試 用 仮 売 上	(　　　)
繰 越 試 用 品	5,400		
繰 延 積 送 諸 掛	150		

問題 17 一般・委託・試用の複合問題 薄B （12分） 応用

　当社は甲商品(仕入原価は一定)を仕入れ、一般販売、委託販売、および試用販売を行っている。よって下記の資料に基づいて、報告式損益計算書(売上総利益まで)および決算整理後残高試算表を作成しなさい。

　会計期間：01年4月1日から02年3月31日まで。

【資料1】　決算整理前残高試算表(必要な部分のみ)

残　高　試　算　表 （単位：円）

売　　掛　　金	45,000	貸　倒　引　当　金	1,000
委　託　売　掛　金	15,000	試　用　仮　売　上	10,000
試　用　未　収　金	10,000	一　　般　　売　　上	150,000
繰　越　商　品(注)	37,500	積　送　品　売　上	84,000
積　　送　　品	78,000	試　用　売　上	80,000
仕　　　　　入	179,000		

（注）　手許商品 25,500円、試用品 12,000円である。

【資料2】　決算整理事項等

(1)　期末手許商品有高　　　　17,000円

(2)　委託販売(期末一括法で処理)の原価率は当初より75％で一定である。なお、期首積送品有高は9,000円である。

(3)　試用販売の原価率は当初より80％で一定である。

(4)　貸倒引当金を売上債権の期末残高に対し2％設定する(差額補充法)。

問題 18　一般・試用・未着の複合問題　簿B（12分）　応用

　当社は一般販売と試用販売を行うとともに、商品の一部については貨物代表証券の購入及び転売（未着品売買）を行っている。よって、下記の資料に基づき、問1から問3に答えなさい。

問1　試用販売と未着品売買の売上原価算定に係る決算整理仕訳を示しなさい。
問2　決算整理後残高試算表（一部）の空欄に適切な金額を記入しなさい。
問3　損益計算書に記入される売上原価の内訳科目の空欄に適切な金額を記入しなさい。

【留意事項】
1　原価率は一般販売が80％、試用販売が60％、未着品売買が90％である（毎期一定）。
2　試用販売の会計処理は対照勘定法によっている。
3　一般販売と試用販売の売上原価は仕入勘定で算定するものとする。
4　未着品売買の会計処理は手許商品区分法によっており、未着品売上原価については期末に一括して仕入勘定で算定するものとする。

【資料1】　決算整理前残高試算表（一部）

残 高 試 算 表　（単位：円）

繰 越 商 品	56,000	試 用 仮 売 上	30,000
繰 越 試 用 品	16,800	一 般 売 上	800,000
未 着 品	187,000	試 用 売 上	398,000
試 用 未 収 金	30,000	未 着 品 売 上	200,000
仕 入	876,000		

【資料2】　決算整理事項等
1　期末手許商品残高：52,000円
2　期首貨物代表証券有高：6,000円
3　当期貨物代表証券購入高：331,000円
4　期末貨物代表証券有高：各自推定
5　値引・返品等は一切行われていない。
6　商品棚卸減耗損及び商品評価損は生じていない。

1 特殊商品売買
2 退職給付会計Ⅱ
3 資産除去債務
4 収益認識
5 本支店会計
6 商的工業簿記
7 本社工場会計
8 建設業会計
9 無形固定資産Ⅱ
10 過年度遡及会計

問題 19 一般・試用・委託の複合問題 簿B (10分) 応用

下記の資料に基づいて、決算整理仕訳を示しなさい。

【資料1】 決算整理前試算表

残 高 試 算 表 （単位：千円）

繰 越 商 品	975		
繰 越 試 用 品	650		
積 送 品	1,950		
試 用 未 収 金	800	試 用 仮 売 上	800
仕 入	5,655	一 般 売 上	5,000
		試 用 売 上	3,200
		積 送 品 売 上	2,500

【資料2】 決算整理事項

1. 期末商品手許有高　　780千円
2. 一般販売について
   　原価率は78％（毎期一定）である。
3. 試用販売について
   　売価は、従来より一般売価の2割増しである。
4. 委託販売について
   ⑴ 売上原価の算定は、期末一括法による。
   ⑵ 売価は、従来より一般売価の25％増しである。

········ *Memorandum Sheet* ········

Chapter 2

退職給付会計Ⅱ

No	内　　　容	標準時間	重要度	難易度
問題 1	退職給付引当金と前払年金費用	5分	簿 B	基本

問題 1　退職給付引当金と前払年金費用　簿B（5分）　基本

問1　次の資料にもとづいて、(1)当期の退職給付費用および(2)期末の退職給付引当金（前払年金費用となる場合には金額の前に「△」を付すこと）を答えなさい。

【資　料】

1　期首退職給付引当金の内訳
退職給付債務：120,000千円　　　　年金資産：115,000千円

2　当期勤務費用：15,000千円　　　割引率：5.0%　　　長期期待運用収益率：4.0%

3　期中の年金掛金への拠出額：20,000千円

4　退職給付債務、年金資産ともに予測額と実績額は一致していた。

問2　さらに次の追加資料を考慮し、(1)当期の退職給付費用および(2)期末の退職給付引当金（前払年金費用となる場合には金額の前に「△」を付すこと）を答えなさい。

【資　料】

期中の退職一時金支払額：7,000千円

Chapter 3
資産除去債務

問題 1　資産除去債務1　薄 A （5分）　　基本

　　NS工業株式会社は、×1年4月1日に機械装置Xを40,000千円で購入し、据付・試運転に要した費用2,000千円とともに小切手を振り出して支払い、同日より使用を開始した。なお、当該機械装置は、使用後の除去にあたって法令により2,700千円を支出しなければならない義務がある。当該機械装置の耐用年数は3年、残存価額は0円、定額法（記帳は間接法）により減価償却を行う。

　　以上をふまえて、次の(1)〜(4)の日付におけるNS工業株式会社の仕訳を示しなさい。ただし、同社の決算日は毎年3月31日とし、千円未満の端数が生じた場合は千円未満を四捨五入すること。また、割引率は4%とする。

(1) ×1年4月1日　取得時における必要な仕訳を行う。
(2) ×2年3月31日　決算につき、必要な仕訳を行う。
(3) ×3年3月31日　決算につき、必要な仕訳を行う。
(4) ×4年3月31日　機械装置Xを除去した。除去にかかる支出は2,750千円であり、小切手を振り出して支払った。

問題 2　資産除去債務2　財計 A （5分）　　基本

　　次の取引の仕訳を示しなさい。なお、決算日は毎年3月31日とし、千円未満の端数が生じた場合は、千円未満を四捨五入すること。

(1) ×1年4月1日
　　NS社は、×1年4月1日に機械装置Aを取得（代金は小切手により支払い）し、使用を開始した。当該機械装置の取得原価は30,000千円、残存価額0円、耐用年数は5年であり、定額法、間接法により減価償却を行う。NS社には当該機械装置を使用後に除去する法的義務がある。NS社が当該機械装置を除去するときの支出は3,478千円と見積もられており、割引率は3.0%とする。

(2) ×2年3月31日
　　決算につき、必要な仕訳を行う。

(3) ×3年3月31日
　　決算につき、必要な仕訳を行う。

(4) ×6年3月31日
　　×6年3月31日に機械装置Aが除去された。当該機械装置の除去にかかる現金支出は3,500千円であった。

Chapter 4

収益認識

問題 1　空欄補充　時計A（5分）　　　　　　　　　　基本

「収益認識に関する会計基準」にもとづく次の　　　　の空欄に適切な語句を記入しなさい。なお、同じ語句を複数回用いてもよい。

1　基本原則

(1)　「収益認識に関する会計基準」における基本となる原則は、約束した財またはサービスの顧客への移転を当該財またはサービスと交換に企業が権利を得ると見込む対価の額で描写するように、収益を認識することである。この基本原則に従って収益を認識するために、次のステップ1からステップ5を適用する。

ステップ1　顧客との契約を識別する。

ステップ2　契約における　①　を識別する。

ステップ3　②　を算定する。

ステップ4　契約における　①　に　②　を配分する。

ステップ5　③　を充足した時にまたは充足するにつれて収益を認識する。

2　収益の額の算定

(1)　④　とは、財またはサービスの顧客への移転と交換に企業が権利を得ると見込む対価の額（ただし、第三者のために回収する額を除く。）をいう。

(2)　④　を算定する際には、次のiからivのすべての影響を考慮する。

i　⑤

ii　契約における重要な金融要素

iii　現金以外の対価

iv　顧客に支払われる対価

3　⑥

(1)　顧客と約束した対価のうち変動する可能性のある部分を「　⑥　」という。契約において、顧客と約束した対価に　⑥　が含まれる場合、財またはサービスの顧客への移転と交換に企業が権利を得ることとなる対価の額を見積る。

(2)　顧客から受け取ったまたは受け取る対価の一部あるいは全部を顧客に返金すると見込む場合、受け取ったまたは受け取る対価の額のうち、企業が権利を得ると見込まない額について、　⑦　を認識する。

　　　⑦　の額は、各決算日に見直す。

(3)　見積られた　⑥　の額については、　⑥　の額に関する不確実性が事後的に解消される際に、解消される時点までに計上された収益の著しい減額が発生しない可能性が高い部分に限り、取引価格に含める。見積った取引価格は、各決算日に見直す。

4　⑧　、　⑨　及び顧客との契約から生じた債権

(1)　顧客から対価を受け取る前または対価を受け取る期限が到来する前に、財またはサービスを顧客に移転した場合は、収益を認識し、　⑧　または顧客との契約から生じた債権を貸借対照表に計上する。

(2) 財またはサービスを顧客に移転する前に顧客から対価を受け取る場合、顧客から対価を受け取った時または対価を受け取る期限が到来した時のいずれか早い時点で、顧客から受け取る対価について ⑨ を貸借対照表に計上する。

➡答案用紙 P.4-1　　➡解答・解説 P.4-3

問題 2　収益認識の基本問題　薄B（5分）　基本

当期の会計期間は、×2年4月1日から×3年3月31日までの1年である。当期末の貸借対照表および損益計算書を作成しなさい。

【資料1】決算整理前残高試算表（一部）

決算整理前残高試算表
×3年3月31日　　　　　　（単位：円）

売　　掛　　金	120,000	貸　倒　引　当　金	1,000
		売　　　　　上	800,000

【資料2】決算整理事項

1．以下の保守サービス付き商品の販売の処理が未処理である。

当社は、A社と商品の販売と保守サービスの提供の契約を締結し、代金を掛けとした。なお、契約上、商品をA社に移転したときにA社に支払義務が発生する。

(1) 商品の販売と2年間の保守サービスの提供の対価：30,000円

(2) 独立販売価格

商品：28,000円　　2年間の保守サービス：7,000円

(3) ×3年2月1日に商品をA社に引き渡し、A社では検収を完了し使用可能となり、代金は×3年4月末払いとしたが、未処理である。

(4) 期末において、保守サービスのうち当期分について売上として収益計上を月割計算で行う。

2．売掛金期末残高に対して2％の貸倒引当金を差額補充法により計上する。

1 特殊商品売買
2 退職給付会計Ⅱ
3 資産除去債務
4 収益認識
5 本支店会計
6 商的工業簿記
7 本社工場会計
8 建設業会計
9 無形固定資産Ⅱ
10 過年度遡及会計

問 題 3　変動対価（リベート）　簿B　（4分）　基本

当期の会計期間は、×2年4月1日から×3年3月31日までの1年である。当期末の貸借対照表および損益計算書を作成しなさい。

【資料1】　決算整理前残高試算表（一部）

決算整理前残高試算表

×3年3月31日　　　　　　　　（単位：円）

売　　掛　　金	130,000	貸 倒 引 当 金	1,000
		売　　　　　上	800,000

【資料2】　決算整理事項

1. 以下の商品の販売の処理が未処理である

　　当社は、得意先B社に商品を20,000円で掛け販売した。B社に対する過去の販売実績より、当期の販売金額のうちB社に返金する可能性が高いリベートを1,000円と見積もった。この1,000円について、取引価格に含めないものとする。

2. 売掛金期末残高に対して2％の貸倒引当金を差額補充法により計上する。

問 題 4　返品権付き販売　簿B　（4分）　応用

当期の会計期間は、×2年4月1日から×3年3月31日までの1年である。当期末の貸借対照表および損益計算書を作成しなさい。商品の記帳方法は売上原価対立法による。

【資料1】　決算整理前残高試算表（一部）

決算整理前残高試算表

×3年3月31日　　　　　　　　（単位：円）

売　　掛　　金	130,000	貸 倒 引 当 金	1,000
商　　　　　品	120,000	売　　　　　上	800,000
売　上　原　価	480,000		

【資料2】　決算整理事項

1. 以下の商品の販売の処理が未処理である

(1) ×3年3月30日に商品を20,000円で得意先甲社に掛け販売した。なお、顧客が未使用の商品を30日以内に返品する場合、全額、返金に応じる契約となっている。

(2) これまでの販売実績よりこのうち4,000円の返品が見込まれた。商品の原価率は60％である。

2. 売掛金期末残高に対して2％の貸倒引当金を差額補充法により計上する。

3. 期末商品について棚卸減耗および収益性の低下は生じていない。

問題 5　重要な金融要素　簿B（4分）　基本

当期の会計期間は、×2年4月1日から×3年3月31日までの1年である。当期末の貸借対照表および損益計算書を作成しなさい。

【資料1】　決算整理前残高試算表（一部）

決算整理前残高試算表
×3年3月31日　　　　　　（単位：円）

| 売　掛　金 | 500,000 | 貸　倒　引　当　金 | 70,000 |
| | | 売　　上 | 5,000,000 |

【資料2】　決算整理事項

1．以下の取引の処理が未処理である。

当社は×2年4月1日にB社に機械装置を納入し、代金を2年後の決済とした。B社への販売価格は、現金販売価格1,000,000円に金利（年2%）を含んだ1,040,400円である。当社では取引価格に重要な金融要素が含まれていると判断し、利息法により利息を配分することとした。

2．×3年3月31日に金利部分のうち当期分について利息を計上する。

3．上記決算整理前残高試算表の売掛金残高と、B社への販売価格1,040,400円に対して5%の貸倒引当金を差額補充法により計上する。

問題 6　代理人取引　簿B（4分）　応用

　当期の会計期間は、×2年4月1日から×3年3月31日までの1年である。当期末の貸借対照表および損益計算書を作成しなさい。

【資料1】　決算整理前残高試算表（一部）

決算整理前残高試算表
×3年3月31日　　　　　　　　　（単位：円）

現 金 預 金	100,000	買 掛 金	220,000
売 掛 金	500,000	貸 倒 引 当 金	7,000
繰 越 商 品	220,000	売 上	500,000
仕 入	380,000		

【資料2】　決算整理事項

1．以下の商品売買の取引の処理が未処理である。
　（1）　当社は、乙社から商品Cの販売を請け負っており、当社の店舗で商品Cの販売を行っている。
　　　　商品Cが当社に納品された時に当社は商品の検収を行っておらず、商品の所有権および保管責任は乙社が有している。そのため、商品C納品時に、当社では仕入計上を行っていない。
　（2）　当社は、顧客に商品Cを50,000円で販売し、代金は現金で受取った。販売した商品の当社の仕入値は35,000円であり、乙社に後日支払う。
2．期末商品帳簿棚卸高は250,000円である。期末商品について棚卸減耗および収益性の低下は生じていない。
3．売掛金期末残高に対して2％の貸倒引当金を差額補充法により計上する。

➡ 答案用紙 P.4-3　　➡ 解答・解説 P.4-8

1 特殊商品売買
2 退職給付会計Ⅱ
3 資産除去債務
4 収益認識
5 本支店会計
6 商的工業簿記
7 本社工場会計
8 建設業会計
9 無形固定資産Ⅱ
10 遡及会計 過年度

問題 7 契約資産が計上される場合 B（4分） 基本

当期の会計期間は、×2年4月1日から×3年3月31日までの1年である。当期末の貸借対照表および損益計算書を作成しなさい。

【資料1】 決算整理前残高試算表（一部）

決算整理前残高試算表
×3年3月31日 （単位：円）

売 掛 金	100,000	貸 倒 引 当 金	2,000
		売 上	500,000

【資料2】 決算整理事項

1．以下の商品販売の処理が未処理である。
　(1) 当社は、甲社と商品A及び商品Bを合わせて20,000円で販売する契約を締結した。20,000円の対価は、当社が商品Aと商品Bの両方を甲社に移転した後にはじめて支払われる契約となっている。
　(2) 商品Aの独立販売価格は8,400円、商品Bの独立販売価格は12,600円である。
　(3) 当社は×3年3月1日に商品Aを甲社に引き渡した。
　(4) 商品Bは翌期の×3年5月1日に引き渡す予定である。

2．売掛金と契約資産の期末残高に対して2％の貸倒引当金を差額補充法により計上する。

.... *Memorandum Sheet* ....

Chapter 5
本支店会計

問題 1　本支店間取引1　簿A（5分）　基本

次の(1)～(4)の各取引について、本店および支店の仕訳を示しなさい。なお、仕訳が不要な場合は、借方科目欄に「仕訳なし」と記入すること。

(1)　支店は、本店の得意先より売掛金3,136,000円を得意先振出の小切手を受け取ることで回収した。

(2)　本店は、支店に商品（原価1,357,000円）を送付した。なお、本店は支店に商品を発送するさい、振替価格を仕入原価の12％増しに設定している。

(3)　支店は、支店の得意先に対して本店から仕入れた商品（振替価格1,785,000円）を原価率85％で売り上げ、代金として得意先振出の約束手形を受け取った。

(4)　支店は、本店の仕入先から、商品（本店の仕入原価2,093,750円）を直接仕入れ、代金は掛けとした。支店はただちに本店に連絡し、取引内容を伝えた。なお、本店は支店に商品を発送するさい、振替価格を原価の12％増しに設定している。

問題 2　支店間取引　簿B（5分）　基本

次の(1)および(2)の各取引について、①支店分散計算制度および②本店集中計算制度によった場合の、本店、A支店、B支店の仕訳を示しなさい。仕訳が不要な場合は、借方科目欄に「仕訳なし」と記入すること。

(1)　A支店は、B支店に商品（仕入代価120,000円、仕入付随費用6,000円）を売り上げた。なお、A支店はB支店に商品を発送するさい、振替価格を仕入原価の5％増しに設定している。

(2)　B支店は、A支店の得意先より売掛金150,000円を現金で回収した。

問 題 ③　決算整理後残高試算表の作成　簿B（20分）　応用

当社は本店のほかに、名古屋支店および大阪支店を開設しており、本店集中計算制度を採用している。次の資料にもとづいて、本店の決算整理後残高試算表（一部）を完成させなさい。

【資料1】　本支店間取引に関する事項

1　本店は外部の仕入先から甲商品を1個あたり10千円で仕入れ、各支店に対し1個あたり12千円で発送している。甲商品の外部販売価格は1個あたり20千円である。

2　名古屋支店は外部仕入先から乙商品を1個あたり30千円で仕入れ、本店および大阪支店へ1個あたり35千円で発送している。乙商品の外部販売価格は1個あたり50千円である。

3　本店の取引（4および5から判明する事項を除く）

(1)　外部仕入先から仕入れた甲商品を、名古屋支店に13,500個、大阪支店に14,800個発送した。

(2)　名古屋支店の営業費1,200千円および大阪支店の営業費1,700千円を立替払いした。

(3)　大阪支店の得意先に甲商品500個を直接掛けで売り上げた。

(4)　名古屋支店に10,000千円を送金した。

4　名古屋支店の取引（3および5から判明する事項を除く）

(1)　外部仕入先から仕入れた乙商品を、本店に2,000個、大阪支店に1,300個発送した。

(2)　本店に7,000千円を送金した。

5　大阪支店の取引（3および4から判明する事項を除く）

(1)　名古屋支店の外部仕入先から直接乙商品を掛けで500個仕入れた。

(2)　名古屋支店の売掛金41,000千円を、名古屋支店の得意先から直接現金で回収した。

【資料2】　決算整理事項等

1　建物は本店が一括して管理しており、定額法により減価償却している（残存価額なし、耐用年数30年）。建物の減価償却費のうち40％は名古屋支店、20％は大阪支店の負担分であり、各支店に割り当てる。

2　未達事項はなかった。

【資料3】　決算整理後残高試算表（一部）

決算整理後残高試算表　　　　　（単位：千円）

勘 定 科 目	金 額	勘 定 科 目	金 額
建　　　　　　　物	600,000	建物減価償却累計額	140,000
名 古 屋 支 店	①	名 古 屋 支 店 売 上	④
大 阪 支 店	②	大 阪 支 店 売 上	⑤
名 古 屋 支 店 仕 入	③		

問題 4　勘定記入 [簿A] (12分)　　基本

　下記の資料に基づいて、答案用紙に示した勘定記入を完成させなさい。なお、売上原価は仕入勘定で算定(本店仕入は仕入勘定に振り替えない。)すること。また、本店から支店への商品送付の際には、原価の10%に相当する利益が付加されている(毎期同様)。

【資料1】　決算整理前残高試算表

残 高 試 算 表　　　　　　　　　　　(単位：千円)

借　方　科　目	本　店	支　店	貸　方　科　目	本　店	支　店
現　金　預　金	800	9,950	買　　掛　　金	3,500	700
売　　掛　　金	1,000	8,700	繰 延 内 部 利 益		－
繰　越　商　品	2,500	3,600	本　　　　　店	－	26,150
備　　　　　品	1,800	4,300	資　　本　　金		－
支　　　　　店	26,400	－	利　益　準　備　金	1,550	－
仕　　　　　入	37,800	12,600	繰越利益剰余金	2,650	－
本　店　仕　入	－	32,450	売　　　　　上	10,000	50,000
営　　業　　費	3,750	5,550	支　店　売　上	33,000	－
雑　　損　　失	250	－	雑　　収　　入	400	300
合　　　　　計	74,300	77,150	合　　　　　計	74,300	77,150

【資料2】　未達事項

1．本店から支店へ送付した商品　　　　千円が、支店に未達である。
2．支店の売掛金　　　　千円を本店が回収したが、支店に未達である。

【資料3】　決算整理事項等

1．支店の期首商品のうち外部仕入分は1,400千円である。
2．本店の期末商品は2,300千円である。
3．支店の期末商品は外部仕入分が1,800千円であり、本店仕入分が3,300千円(未達考慮前)である。
4．支店の未払営業費は100千円である。

問題 5　決算手続・帳簿の締切り　簿A（20分）　応用

1 特殊商品売買
2 退職給付会計Ⅱ
3 資産除去債務
4 収益認識
5 本支店会計
6 商的工業簿記
7 本社工場会計
8 建設業会計
9 無形固定資産Ⅱ
10 過年度遡及会計

当社は本店のほか、支店を有している。次に示す当期（×2年4月1日〜×3年3月31日）の資料にもとづいて、各問いに答えなさい。なお、税効果会計については考慮しなくてよい。

【資料1】　本支店決算整理前残高試算表

本支店決算整理前残高試算表
×3年3月31日　　　　　　　　（単位：千円）

勘定科目	本店	支店	勘定科目	本店	支店
現金預金	28,540	6,530	買掛金	15,000	8,500
売掛金	21,000	14,000	貸倒引当金	380	170
繰越商品	11,000	（　）	繰延内部利益	（　）	—
有価証券	（　）	（　）	減価償却累計額	12,600	6,750
備品	70,000	20,000	本店	—	32,060
投資有価証券	（　）	—	資本金	170,000	—
支店	32,060	—	繰越利益剰余金	2,000	—
仕入	46,600	14,190	売上	（　）	42,000
本店仕入	—	22,050	支店売上	（　）	—
販売費	13,200	2,560	受取配当金	7,200	—
			有価証券売却益	—	420
	（　）	89,900		（　）	89,900

【資料2】　決算整理事項等

1　本店の期末商品棚卸高は9,000千円（帳簿）、8,900千円（実地）、支店の期末商品棚卸高は6,810千円（うち本店仕入分2,310千円）である。支店の期首商品棚卸高のうち本店仕入分は3,570千円である。

本店は支店に商品を送付するさい、振替価格を仕入原価の5％増しに設定している（毎期一定）。

2　一般債権につき、2％の貸倒引当金を設定する（差額補充法）。なお、上記売掛金はすべて一般債権である。

3　本店が所有する有価証券の内訳は次のとおりであり、部分純資産直入法を採用する。なお、当該有価証券はすべて当期中に取得したものである。

銘柄	所有目的	取得原価	当期末時価
A社株式	売買目的	24,000千円	20,000千円
B社株式	売買目的	18,000千円	18,200千円
C社株式	その他	17,000千円	16,000千円

4　支店が所有する有価証券（当期取得）は、次のとおりである。

銘柄	所有目的	数量	1株あたり取得原価	1株あたり当期末時価
D社株式	売買目的	80株	62.5千円	63千円

5　減価償却（備品）
①本店　償却方法：定額法　耐用年数：15年　残存価額：10％
②支店　償却方法：定額法　耐用年数：20年　残存価額：10％

6　税引前当期純利益に対して、50％の法人税等を計上する。

問1　支店損益勘定を完成させなさい。
問2　次期に繰り越すべき、本店勘定および支店勘定の金額を示しなさい。
問3　総合損益勘定を完成させなさい。

問題 6　本支店合併財務諸表1　簿A（12分）　基本

　下記の資料に基づいて、以下の問1と問2に答えなさい。なお、本店から支店への商品送付の際には、原価の10%に相当する利益が付加されている（毎期同様）。

問1　答案用紙に示した合併損益計算書及び合併貸借対照表を完成させなさい。なお、内部利益は直接控除して示すこと。

問2　合併貸借対照表を作成する際に必要とされる、照合勘定（本店勘定と支店勘定）の相殺消去に関する合併整理仕訳を答えなさい。

【資料1】　決算整理前残高試算表

残 高 試 算 表　　　　　　　　　　　　　　　（単位：千円）

借　方　科　目	本　店	支　店	貸　方　科　目	本　店	支　店
現　金　預　金	800	9,950	買　掛　金	3,500	700
売　掛　金	1,000	8,700	繰 延 内 部 利 益	200	－
繰　越　商　品	2,500	3,600	本　店	－	26,150
備　品	1,800	4,300	資　本　金	23,000	－
支　店	26,400	－	利 益 準 備 金	1,550	－
仕　入	37,800	12,600	繰 越 利 益 剰 余 金	2,650	－
本　店　仕　入	－	32,450	売　上	10,000	50,000
営　業　費	3,750	5,550	支　店　売　上	33,000	－
雑　損　失	250	－	雑　収　入	400	300
合　計	74,300	77,150	合　計	74,300	77,150

【資料2】　未達事項
1．本店から支店へ送付した商品550千円が、支店に未達である。
2．支店の売掛金300千円を本店が回収したが、支店に未達である

【資料3】　決算整理事項等
1．支店の期首商品のうち外部仕入分は1,400千円である。
2．本店の期末商品は2,300千円である。
3．支店の期末商品は外部仕入分が1,800千円であり、本店仕入分が3,300千円（未達考慮前）である。
4．支店の未払営業費は100千円である。

→ 答案用紙 P.5-6　　→ 解答・解説 P.5-9

問題 7　本支店合併財務諸表2　簿A（20分）　応用

　NS株式会社は、東京に本店、京都に支店を置き、商品売買業を営んでいる（当期×2年4月1日～×3年3月31日）。次の資料にもとづいて各問いに答えなさい。

【資料1】 本支店決算整理前残高試算表

本支店決算整理前残高試算表
×3年3月31日 （単位：千円）

勘 定 科 目	本 店	支 店	勘 定 科 目	本 店	支 店
現 金 預 金	94,050	11,810	買 掛 金	54,000	18,000
売 掛 金	72,000	21,000	貸 倒 引 当 金	1,050	210
繰 越 商 品	63,500	36,650※	繰 延 内 部 利 益	（ ）	—
建 物	120,000	50,000	減 価 償 却 累 計 額	40,500	11,250
土 地	500,000	（ ）	借 入 金	65,000	20,000
支 店	45,500	—	本 店	—	（ ）
仕 入	654,000	291,250	資 本 金	（ ）	—
本 店 仕 入	—	（ ）	繰 越 利 益 剰 余 金	120,000	—
販 売 費	13,400	6,200	売 上	（ ）	（ ）
支 払 利 息	2,500	300	支 店 売 上	53,550	—
	1,564,950	（ ）		1,564,950	（ ）

※13,650千円は本店仕入分である。

【資料2】 未達取引

1 本店から支店に送付した商品9,450千円（振替価格）が支店に未達である。
2 支店は、本店の販売費500千円を小切手を振り出して支払っていたが、本店に未達であった。
3 本店から支店に送金した1,200千円が支店に未達である。

【資料3】 決算整理事項等

1 本店は支店に商品を送付するさい、原価の5％増し（毎期一定）を振替価格とし、支店以外に商品を販売するさいには原価の20％増しを売価としている。支店は、原価の25％増を売価としている。ただし、本店からの仕入分については、振替価格を原価とする。
2 期末商品棚卸高（未達商品を除く）
   (1) 本店 58,000千円（帳簿棚卸高） 57,000千円（実地棚卸高）
   (2) 支店 38,000千円（うち本店仕入分 15,750千円） なお、棚卸減耗はなかった。
3 一般債権につき、2％の貸倒引当金を設定する（差額補充法）。なお、上記の売掛金はすべて一般債権である。
4 減価償却
   (1) 本店 建物：取得原価 120,000千円、耐用年数40年、残存価額10％、定額法
   (2) 支店 建物：取得原価 50,000千円、耐用年数30年、残存価額10％、定額法
5 税引前当期純利益に対して50％の法人税等を計上する。

問1 未達取引整理後における支店勘定・支店売上勘定および未達取引整理前における本店勘定・本店仕入勘定の金額を示しなさい。
問2 合併損益計算書・合併貸借対照表を作成しなさい。

1 特殊商品売買
2 退職給付会計II
3 資産除去債務
4 収益認識
5 本支店会計
6 商的工業簿記
7 本社工場会計
8 建設業会計
9 無形固定資産II
10 過年度遡及会計

問 題 8　総合問題　簿C　(30分)　　　　　　　　（本試験問題改題）応用

　当社は、東京本店および大阪支店の2店舗で商品売買業を営んでいる。東京本店は特注品を一括して仕入れ、仕入原価に10%の利益を加算して大阪支店に送付しているが、その他の商品については大阪支店が独自に仕入れている。

問1　当社は本支店独立会計制度を採用しており、それぞれ独自に決算を行っている。そのさい、未達事項は整理しない。【資料1】、【資料2】および【資料3】にもとづいて、【資料4】に示されている大阪支店損益計算書の空欄(a)(b)の金額を求めなさい。

【資料1】　決算整理前の東京本店および大阪支店の残高試算表

東京本店決算整理前残高試算表　　　　　　（単位：千円）

勘 定 科 目	金 額	勘 定 科 目	金 額
現 金 預 金	3,000	買 掛 金	7,200
受 取 手 形	6,000	未 払 金	990
売 掛 金	4,800	内 部 利 益	80
未 収 金	400	貸 倒 引 当 金	60
仮 払 金	290	建物減価償却累計額	8,000
繰 越 商 品	2,000	備品減価償却累計額	2,000
建 物	60,000	資 本 金	60,000
備 品	7,500	剰 余 金	13,820
支 店	12,510	売 上	135,000
仕 入	112,900	支 店 売 上	14,850
営 業 費	22,600		
一 般 管 理 費	10,000		
合 計	242,000	合 計	242,000

大阪支店決算整理前残高試算表　　　　　　（単位：千円）

勘 定 科 目	金 額	勘 定 科 目	金 額
現 金 預 金	1,200	買 掛 金	2,230
売 掛 金	3,000	未 払 金	660
未 収 金	200	貸 倒 引 当 金	10
立 替 金	150	備品減価償却累計額	1,470
仮 払 金	60	本 店	12,130
繰 越 商 品	1,640	売 上	36,500
備 品	13,200		
仕 入	9,280		
本 店 仕 入	14,520		
営 業 費	8,750		
一 般 管 理 費	1,000		
合 計	53,000	合 計	53,000

1 特殊商品売買

2 退職給付会計Ⅱ

3 資産除去債務

4 収益認識

5 本支店会計

6 商的工業簿記

7 本社工場会計

8 建設業会計

9 無形固定資産Ⅱ

10 過年度遡及会計

【資料2】 東京本店の決算整理事項

1 建物減価償却費1,000千円、備品減価償却費250千円、いずれも営業費に含める。

2 売掛金および受取手形の期末残高に対して2％の貸倒れを見積もる。差額補充法によって引当金を計上し、繰入額は営業費に含める。

3 商品実地棚卸高　3,900千円。

4 一般管理費のうち、1,000千円を支店の負担とする。

【資料3】 大阪支店の決算整理事項

1 備品減価償却費150千円。営業費に含める。

2 売掛金の期末残高に対して2％の貸倒れを見積もる。差額補充法によって引当金を計上し、繰入額は営業費に含める。

3 本店からの特注品仕入記録

	単価（単位：円）	数　量	金額（単位：千円）
期首在庫	880	1,000	880
仕　　入	902	4,000	3,608
仕　　入	968	3,000	2,904
仕　　入	1,012	3,500	3,542
仕　　入	1,100	4,060	4,466
合　　計		15,560	15,400

4 特注品の実地棚卸数量は1,300個である。この商品の期末棚卸高は期別先入先出法により計算している。

5 その他の商品の実地棚卸高は340千円である。

6 本店の一般管理費のうち、1,000千円を支店の負担とする。（【資料2】4参照）

【資料4】 大阪支店の損益計算書

大阪支店損益計算書　　　　　　　　　（単位：千円）

勘　定　科　目	金　　額	勘　定　科　目	金　　額
売　上　原　価	（　　a　　）	売　　　　上	
営　　業　　費			
一　般　管　理　費			
当　期　純　利　益	（　　b　　）		

問2　東京本店は、自店および大阪支店の決算資料にもとづいて全社の決算を行っている。【資料5】の未達事項に関するデータにもとづいて必要な仕訳を示しなさい。なお、答案用紙には【資料5】5の仕訳を記入すること。

【資料5】 決算日における未達事項

1 東京本店が大阪支店に送付した仕入原価300千円（本店仕入単価1,000円×300個）の商品が未達である。

2 東京本店が大阪支店に送付した現金200千円が未達である。

3 大阪支店が東京本店の売掛金300千円を回収したが、まだ本店に連絡していない。

4 東京本店は大阪支店の運送費50千円を立て替えたが、まだ支店に連絡していない。

5 東京本店は、事務所に立ち寄った大阪支店の従業員に対し、出張旅費の不足分を概算額で立て替えた。金額は100千円である。ただし、本店は支店に連絡していない。

問3　次の留意事項にもとづいて次の本支店合併精算表を作成しなさい。なお、解答は答案用紙に
　　　指定されている（a）～（g）の金額を記入しなさい。

【留意事項】
1　東京本店の内部利益勘定残高は、期首繰越商品に含まれていた内部利益の金額である。
2　内部利益は間接控除法（内部利益勘定を用いる方法）によって処理する。
3　商品期末棚卸高の評価は期別先入先出法による。
4　期末売上債権に対して2％の貸倒れを見積もる。差額補充法によって引当金を計上し、繰
　　入額は営業費に含める。
5　減価償却費は、東京本店および大阪支店の決算数値を用いる。
6　売上原価は売上原価勘定によって計算する。

（単位：千円）

	本店試算表 借方	本店試算表 貸方	支店試算表 借方	支店試算表 貸方	未達整理記入 借方	未達整理記入 貸方	合併・決算整理記入 借方	合併・決算整理記入 貸方	損益計算書 借方	損益計算書 貸方	貸借対照表 借方	貸借対照表 貸方
現　金　預　金	3,000		1,200									
受　取　手　形	6,000											
売　　掛　　金	4,800		3,000									
未　　収　　金	400		200									
立　　替　　金			150									
仮　　払　　金	290		60									
繰　越　商　品	2,000		1,640				（a）					
建　　　　　物	60,000											
備　　　　　品	7,500		13,200									
買　　掛　　金		7,200		2,230								
未　　払　　金		990		660								
貸　倒　引　当　金		60		10								（f）
建物減価償却累計額		8,000										
備品減価償却累計額		2,000		1,470								
支　　　　　店	12,510											
本　　　　　店				12,130			（b）					
内　部　利　益		80										
資　　本　　金		60,000										
剰　　余　　金		13,820										
売　　　　　上		135,000		36,500								
支　店　売　上		14,850										
仕　　　　　入	112,900		9,280									
本　店　仕　入			14,520									
売　上　原　価									（c）			
営　　業　　費	22,600		8,750						（d）			
一　般　管　理　費	10,000		1,000				1,000					
内　部　利　益　控　除									（e）			
内　部　利　益　戻　入												
当　期　純　利　益												（g）
合　　　　　計	242,000	242,000	53,000	53,000								

問題 ⑨ **本支店間取引２** 時計C （３分） 基本

次の(1)～(3)の各取引について、本店および支店の仕訳を示しなさい。なお、仕訳が不要な場合は借方科目欄に「仕訳なし」と記入すること。

(1) 本店は、支店の得意先より売掛金250,000千円を回収し、先方振出しの小切手を受け取った。

(2) 本店は、支店に商品（原価160,000千円）を送付した。ただし、本店は支店に商品を発送するさい、原価の５％増しを振替価格としている。

(3) 支店は、得意先に対して、本店から仕入れた商品（振替価格126,000千円）を原価率80％として売り上げ、代金は掛けとした。

問題 ⑩ **本支店合併財務諸表３** 時計C （30分） 応用

以下の資料にもとづいて、答案用紙に示したＮＳ株式会社（以下、「当社」）の本支店合併後の貸借対照表および損益計算書を会社法および会社計算規則に準拠して作成し、必要な注記（貸借対照表等に関する事項のみ）を示しなさい。

【留意事項】
1 本支店合併の財務諸表は、未達取引を考慮したあとに決算整理を行い作成すること。
2 本店は支店に商品を送付するさい、仕入原価に10％の利益（毎期一定）を加算している。
3 当期は×22年３月31日を決算日とする１年間である。
4 減価償却は月割りにより行うこと。
5 １年以内に返済する長期借入金は、短期借入金に含めて表示すること。

【資料１】 決算整理前の本店および支店の残高試算表（×22年３月31日現在）

残 高 試 算 表 （単位：千円）

勘 定 科 目	本 店	支 店	勘 定 科 目	本 店	支 店
現 金 預 金	188,163	76,400	支 払 手 形	219,363	100,450
受 取 手 形	203,000	130,000	買 掛 金	145,000	79,500
売 掛 金	137,400	102,400	借 入 金	300,000	―
有 価 証 券	90,000	―	預 り 金	1,000	―
繰 越 商 品	83,350	24,890	貸 倒 引 当 金	5,550	3,707
貸 付 金	35,000	―	退 職 給 付 引 当 金	87,000	―
仮 払 金	40,200	―	減 価 償 却 累 計 額	304,500	22,200
建 物	800,000	―	繰 延 内 部 利 益	1,650	―
器 具 備 品	120,000	88,800	本 店	―	339,143
土 地	409,000	250,000	資 本 金	1,000,000	―
商 標 権	6,305	―	資 本 準 備 金	80,000	―
繰 延 税 金 資 産	27,000	―	利 益 準 備 金	15,000	―
支 店	362,417	―	繰 越 利 益 剰 余 金	19,100	―
仕 入	1,010,100	298,700	売 上	1,450,000	750,000
本 店 仕 入	―	209,143	支 店 売 上	220,000	―
販売費及び一般管理費	345,678	114,667	受 取 利 息 配 当 金	7,000	―
支 払 利 息	8,000	―	受 取 地 代	13,100	―
雑 損 失	4,387	―	雑 収 入	1,737	―
合 計	3,870,000	1,295,000	合 計	3,870,000	1,295,000

【資料2】 未達取引に関する事項

1 支店は、本店の仕入先に買掛金12,340千円を支払っていたが、本店に未達である。

2 支店は、本店社員の出張旅費77千円を現金で立て替えていたが、本店に未達である。

3 本店は、支店に本店仕入原価9,870千円の商品を送付したが、支店に未達である。

【資料3】 決算整理の未了事項および参考事項等

1 現金預金

(1) 本店の現金預金には、満期日が×23年9月30日の定期預金100,000千円が含まれている。なお、この定期預金の全額を長期借入金(下記9参照)の担保に供している。

(2) 支店の現金預金の実際有高は79,735千円であり、以下の事項が判明した。

① 販売費及び一般管理費29,215千円が預金口座より引き落とされていたが、未記帳であった。

② 支店の得意先より売掛代金として32,400千円が預金口座に振り込まれていたが、未記帳であった。

③ その他の差異については原因が不明であるため、雑損失または雑収入として処理する。

2 受取手形

本店の受取手形のうち2,400千円は取引先A社が当期に振り出した約束手形であるが、A社は当期に業績が悪化し民事再生法の適用申請を行ったため、その回収は長期にわたると見込まれる。なお、残高試算表の預り金はA社からの営業保証金(短期性)である。

3 貸付金

貸付金は、当期首に期間3年間で取引先B社に対し貸し付けたものである。

4 貸倒引当金

一般債権に該当する受取手形、売掛金、貸付金については、過去の貸倒実績率にもとづき本支店とも期末残高の2.0%を引当計上する(残高試算表の貸倒引当金は、全額が一般債権の受取手形および売掛金に対するものである)。破産更生債権等に該当するものについては、債権金額から営業保証金を控除した残額を引当計上する。

なお、繰入額のうち、貸付金に対するものは営業外費用に、破産更生債権等に対するものは特別損失に計上すること。

5 棚卸資産

期末商品棚卸高(未達取引は含まない)は以下のとおりである。

本店:92,170千円

支店:13,720千円(うち本店仕入分は4,070千円)

なお、支店の期首商品棚卸高のうち18,150千円は本店から仕入れたものである。

6 有価証券

当社の保有する有価証券の内訳は以下のとおりである。なお、その他有価証券の評価差額の処理は全部純資産直入法により、税効果会計を適用する。

銘 柄	帳簿価額	期末時価	保有目的	備 考
C 社 株 式	15,000千円	17,310千円	売 買	
D 社 社 債	35,000千円	34,942千円	満 期	額面金額で取得(注)
E 社 社 債	40,000千円	43,000千円	その他	額面金額で取得(注)

(注)満期日は翌々期以後である。

7 有形固定資産

(1)減価償却

　減価償却については、以下の条件で行う。なお、いずれも残存価額は取得原価の10%であり、当期に増減はなかった。

種　　類	取得原価	期首減価償却累計額	償却方法	償　却　率
建　　物（本店）	800,000千円	252,000千円	定額法	0.050
器具備品（本店）	120,000千円	52,500千円	定率法	0.250
器具備品（支店）	88,800千円	22,200千円	定率法	0.250

(2)土地

　本店の土地の一部（200,000千円）については、当期より他社に賃貸を開始したものである。なお、受取地代のうち1,100千円は前受分である。

8 無形固定資産

　商標権は×19年5月1日に取得したものであり、定額法により10年間で償却している。

9 借入金

　借入金の内訳は以下のとおりである。なお、利息については適正に処理されている。

借　入　先	期末残高	借　入　日	返　済　日
F　　銀　　行	50,000千円	×20年8月1日	×22年7月31日
G　　銀　　行	240,000千円	×19年4月1日	×24年3月31日
当　社　取　締　役	10,000千円	×22年3月1日	×22年5月31日

10 退職給付

　当社は、確定給付型の企業年金制度を採用しており、退職給付に関する会計基準を適用している。当期の退職給付費用は5,555千円と計算されたが、会計上は未処理である。なお、当期中に支払った企業年金拠出額1,000千円と退職一時金1,700千円は仮払金として処理している。

11 法人税等

　当期の法人税、住民税及び事業税の確定年税額は92,040千円である。なお、中間納付額37,500千円は仮払金として処理している。

12 税効果会計

　その他有価証券の評価差額を除く前期末および当期末における一時差異は、以下のとおりである。なお、法定実効税率は前期および当期とも30%とすること。

　将来減算一時差異：91,100千円（前期末：90,000千円）

1 特殊商品売買
2 退職給付会計Ⅱ
3 資産除去債務
4 収益認識
5 本支店会計
6 商的工業簿記
7 本社工場会計
8 建設業会計
9 無形固定資産Ⅱ
10 過年度遡及会計

········ *Memorandum Sheet* ········

Chapter 6

商的工業簿記

問題 1　製造勘定の作成　簿B（10分）　基本

次の資料にもとづいて、製造勘定を完成させなさい。

【資料1】　決算整理前残高試算表（一部）

決算整理前残高試算表

（単位：千円）

勘　定　科　目	金　　額	勘　定　科　目	金　　額
仕　　掛　　品	64,728		
繰　越　材　料	25,000		
材　料　仕　入	465,000		
賃　　　　　金	175,992		
製　造　経　費	210,160		

【資料2】　生産データ

期 首 仕 掛 品	120 個	（加工進捗度80％）
当 期 投 入	1,550	
合　　計	1,670 個	
仕　　　　損	50	（加工進捗度20％）
期 末 仕 掛 品	180	（加工進捗度50％）
当 期 完 成 品	1,440 個	

【資料3】　計算条件

1　材料はすべて工程始点で投入している。なお、期末材料棚卸高は22,000千円である。

2　期末、賃金の未払額12,500千円を見越計上する。

3　期末仕掛品の評価は先入先出法によること。

4　仕損の処理は度外視法によること。

1 特殊商品売買

2 退職給付会計Ⅱ

3 資産除去債務

4 収益認識

5 本支店会計

6 商的工業簿記

7 本社工場会計

8 建設業会計

9 無形固定資産Ⅱ

10 過去年度遡及会計

問題 2　勘定記入　簿B （12分）　基本

甲工業株式会社（原価計算制度は採用していない。）の下記【資料1】及び【資料2】に基づいて、答案用紙に示した製造勘定と損益勘定の記入を行いなさい。

【資料1】　決算整理前残高試算表（一部）

残　高　試　算　表　　　（単位：千円）

製　　　　　品	46,000	製　品　売　上		500,000
仕　　掛　　品	35,000	受　取　利　息		840
繰　越　材　料	21,200			
材　料　仕　入	242,900			
賃　　　　　金	96,500			
給　　　　　料	52,100			
従　業　員　賞　与	18,600			
外　注　加　工　賃	4,510			
水　道　光　熱　費	4,600			
保　　険　　料	8,400			
支　払　利　息	140			

【資料2】　決算整理事項等

1　期末棚卸資産

(1)　期末材料棚卸高：帳簿19,700千円、実地19,500千円（差額には原価性がある。）

(2)　期末仕掛品棚卸高：31,000千円

(3)　期末製品棚卸高：52,000千円

2　費用・収益の見越・繰延

(1)　見越：賃金4,400千円、給料1,700千円、水道光熱費400千円、支払利息20千円

(2)　繰延：保険料2,100千円、受取利息160千円

3　減価償却費

機械12,000千円（製造100％）、備品10,000千円（製造60％）

4　引当金繰入額

貸倒引当金繰入610千円、賞与引当金繰入6,200千円

5　製造原価算入割合（減価償却費以外で按分が必要となるもの。）

給料30％、従業員賞与30％、賞与引当金繰入30％、水道光熱費80％、保険料70％

問題 3　期末仕掛品の評価　簿 B （10分）　　　　　　　基本

以下の資料により下記の設問に答えなさい。

期首仕掛品数量	600 個	（加工進捗度20％）
当 期 投 入 量	3,000 個	
合　　計	3,600 個	
期末仕掛品数量	480 個	（加工進捗度50％）
完 成 品 数 量	3,120 個	

期首仕掛品原価	材料費	3,600 円
	加工費	6,360 円
当期総製造費用	材料費	97,200 円
	労務費	45,000 円
	経 費	36,000 円

（設問1）　材料を加工に応じて投入する場合の期末仕掛品原価および完成品原価を、①平均法、②先入先出法の各方法により計算しなさい。

（設問2）　材料を工程始点で投入する場合の期末仕掛品原価および完成品原価を、①平均法、②先入先出法の各方法により計算しなさい。

問題 4　総合問題 1　簿 A　（15分）　　　（本試験問題改題）応用

　当社は、単一製品を単一工程で製造し、当該製品を販売しているが、原価計算制度を採用していない。そのため、期末において当期製造原価を一括算出する方法を採っている。

　次の資料にもとづいて、当期（自×21年4月1日　至×22年3月31日）の決算整理前残高試算表のうち、① ～ ④ の金額を求めなさい。

【留意事項】

　消費税および地方消費税（以下「消費税等」という）の会計処理は税抜方式を採用している。資料中（税込み）とある取引は消費税等10％を考慮して処理し、それ以外の取引は消費税等を考慮しないものとする。

【資料1】　×22年3月中の取引

　1　製品の売上は、掛売上（税込み）19,030千円、現金売上（税込み）9,350千円であった。

　2　材料の仕入は、現金仕入（税込み）5,720千円、掛仕入（税込み）6,270千円であった。

　3　得意先M社に対して、期末に売掛金の残高確認を行ったところ、先方の買掛金残高は3,552千円、当方の売掛金残高は5,799千円であった。双方の差異を調査したところ、以下のような内容が判明した。

(1) 当社営業担当者がM社に対して製品売上値引440千円(税込み)を行い、M社は会計処理を行っているにもかかわらず、当社では営業担当者から経理担当者への通知がなされておらず、会計処理を行っていなかった。

(2) 3月29日に当社は製品1,807千円(税込み)を出荷し、M社の倉庫に搬入した。当社は売上高を出荷基準で計上しているが、M社は仕入について検収基準を採用しており、期末時点で検収作業が未了であった。

4 製造に関する労務費2,864千円、製造経費7,315千円(税込み)が預金から支払われている。

【資料2】 ×22年2月28日現在残高試算表(一部)

残 高 試 算 表　　　　(単位：千円)

勘 定 科 目	金 額	勘 定 科 目	金 額
製　　　　　品	75,600	製 品 売 上	783,501
仕 掛 品	28,036		
繰 越 材 料	46,804		
材 料 仕 入	125,470		
労 務 費	128,120		
製 造 経 費	334,500		

【資料3】 ×22年3月31日現在決算整理前残高試算表(一部)

決算整理前残高試算表　　　　(単位：千円)

勘 定 科 目	金 額	勘 定 科 目	金 額
製　　　　　品	75,600	製 品 売 上	④
仕 掛 品	28,036		
繰 越 材 料	46,804		
材 料 仕 入	①		
労 務 費	②		
製 造 経 費	③		

1 特殊商品売買
2 退職給付会計II
3 資産除去債務
4 収益認識
5 本支店会計
6 商的工業簿記
7 本社工場会計
8 建設業会計
9 無形固定資産II
10 過年度遡及会計

問題 5　総合問題2　簿B（30分）　　（本試験問題改題）応用

　当社は、単一製品を単一工程で製造し、当該製品を販売しているが、原価計算制度を採用していない。そのため、期末において当期製造原価を一括算出する方法を採っている。

　次の資料にもとづいて、当期（自×21年4月1日　至×22年3月31日）について【資料4】に示す財務諸表のうち、①～⑥の金額を求めなさい。

【留意事項】

1　消費税および地方消費税（以下「消費税等」という）の会計処理は税抜方式を採用している。資料中（税込み）とある取引は消費税等10％を考慮して処理し、それ以外の取引は消費税等を考慮しないものとする。

2　経過勘定項目の設定および減価償却額の計算は月割り（1カ月未満の端数切上げ）で行うこと。

3　計算の途中で千円未満の端数が出た場合、そのつど四捨五入すること。

4　税効果会計については考慮しなくてよい。

【資料1】　決算整理前残高試算表（一部）

決算整理前残高試算表　　（単位：千円）

勘定科目	金額	勘定科目	金額
製品	75,600	製品売上	808,901
仕掛品	28,036		
繰越材料	46,804		
材料仕入	136,370		
労務費	130,984		
製造経費	341,150		

【資料2】　製造に関する資料

1　材料

　製品は一種類の材料をすべて工程始点で投入し、その後は加工を行い完成させる。材料の期首棚卸高4,402kg、当期購入高11,360kg、期末棚卸高2,552kgである。期末材料の評価は先入先出法による。

2　仕掛品

　期末仕掛品の評価は先入先出法により、（　）内は加工進捗度を示すものとする。仕損は正常であり、工程の始点で発生した。なお、仕損品の評価額はないものとする。

　期首棚卸高1,350kg（20％）、当期投入高 各自推計 、仕損発生高310kg、期末棚卸高1,032kg（50％）である。

3　製品

　期首棚卸高2,463kg、当期完成高13,218kg、期末棚卸高1,473kg。なお、当期の完成品から27kgを見本品として得意先に対して無償で払い出した。期末製品の評価は先入先出法による。

【資料3】 修正および決算整理事項

1 銀行勘定の調整に関する事項

当社は経理担当者が不慣れなため、十分に検討しないで期中の経理処理を行っているものがあり、決算において適正な処理に修正する。

(1) 製造機械の修繕費は27千円であるが、誤って72千円と記載していた。

(2) 仕入先より当期の材料仕入に対する値引き55千円(税込み)が振り込まれていたが、当社に連絡がされていなかった。

(3) 工場動力代165千円(税込み)が自動引落しされていたが、当社は認識していなかった。

2 賞与引当金に関する事項

当社は従業員賞与を6月と12月の年2回支給している。支給対象期間はそれぞれ12月から5月、6月から11月である。×22年6月の支給予定額は7,521千円であり、当期負担額を引当金計上する。

なお、繰入額の計算は月割りで期間配分する。また、当期繰入額の40%は製造に関するものである。

3 減価償却に関する事項

下表の金額は、×22年3月31日現在の残高である。なお、当期において固定資産の増加および減少はない。

(単位：千円)

	取得価額	期首帳簿価額	償却方法	耐用年数	償却率	摘　　要
建物附属設備	80,000	18,760	定率法	15年	0.142	工場専用
機　　械	150,200	48,865	定額法	20年	0.050	製造設備
車両運搬具	9,500	1,064	定率法	6年	0.319	工場構内専用
	8,800	1,987	定率法	6年	0.319	営業用
器具備品	6,000	997	定額法	5年	0.200	工場で使用

(注) 残存価額はすべて取得価額の10%とする。しかし、減価償却費の計上は取得価額の5％まで行うことが認められる。

1 特殊商品売買
2 退職給付会計Ⅱ
3 資産除去債務
4 収益認識
5 本支店会計
6 商的工業簿記
7 本社工場会計
8 建設業会計
9 無形固定資産Ⅱ
10 過年度遡及会計

【資料4】　×22年3月31日現在の財務諸表

<u>損 益 計 算 書</u>

（自×21年4月1日　至×22年3月31日）（単位：千円）

Ⅰ　売　　上　　高
　　　製 品 売 上 高　　　　　　　　　　　　　　　　　　　　　808,901
Ⅱ　売　上　原　価
　　1　期首製品棚卸高　　　　　　　75,600
　　2　当期製品製造原価　　　　　　　①
　　　　　合　　　計　　　　　（　　　　　　　）
　　3　期末製品棚卸高　　　　　（　　　　　　　）
　　4　（　　　　　　　）　　　　　　②　　　　（　　　　　　　）
　　　　　売　上　総　利　益　　　　　　　　　　（　　　　　　　）
Ⅲ　販売費及び一般管理費
　　　見　本　品　費　　　　　（　　　　　　　）
　　　（　　　　　　　）　　　（　　　　　　　）
　　　（　　　　　　　）　　　（　　　　　　　）

<u>製 造 原 価 報 告 書</u>

（自×21年4月1日　至×22年3月31日）（単位：千円）

Ⅰ　材　　料　　費
　　1　期首材料棚卸高　　　　　　　46,804
　　2　当期材料仕入高　　　　　　　③
　　　　　合　　　計　　　　　（　　　　　　　）
　　3　期末材料棚卸高　　　　　（　　　　　　　）　（　　　　　　　）
Ⅱ　労　　務　　費
　　1　労　　務　　費　　　　　（　　　　　　　）
　　2　賞与引当金繰入額　　　　（　　　　　　　）　　　　④
Ⅲ　経　　　　費
　　1　減 価 償 却 費　　　　　　　⑤
　　2　その他製造経費　　　　　（　　　　　　　）　（　　　　　　　）
　　　　　当期総製造費用　　　　　　　　　　　　（　　　　　　　）
　　　　　期首仕掛品棚卸高　　　　　　　　　　　　28,036
　　　　　合　　　計　　　　　　　　　　　　　　（　　　　　　　）
　　　　　期末仕掛品棚卸高　　　　　　　　　　　　⑥
　　　　　当期製品製造原価　　　　　　　　　　　（　　　　　　　）

1 特殊商品売買

2 退職給付会計Ⅱ

3 資産除去債務

4 収益認識

5 本支店会計

6 商的工業簿記

7 本社工場会計

8 建設業会計

9 無形固定資産Ⅱ

10 過年度遡及会計

問題 6　製造原価報告書の作成 1　〔計A〕（8分）　基本

次の資料にもとづいて、答案用紙に示した製造原価報告書を作成しなさい。

【資 料】

1　材　料

当期材料仕入　150,000千円

期首帳簿棚卸高	期末帳簿棚卸高	期末実地棚卸高
20,000千円	30,000千円	29,000千円

※当期末の帳簿棚卸高と実地棚卸高との差額は、原価性を有している。

2　人件費

当期の賃金・給料の支払額　120,000千円

当期の法定福利費の支払額　　5,000千円

※賃金・給料、法定福利費の支払額のうち40%は営業部門に関する支出である。

3　経費および営業費

工場の減価償却費　　　　　　15,000千円

当期の水道光熱費の支払額　25,000千円

※水道光熱費の支払額のうち40%は営業部門に関する支出である。

※減価償却費は工場の使用面積（営業部門100㎡、製造部門400㎡）の割合で配分する。

4　仕掛品

期首仕掛品棚卸高　35,000千円

期末仕掛品棚卸高　42,000千円

問題 7　製造原価報告書の作成2 （10分）　　　　　基本

次の資料にもとづいて、答案用紙に示した製造原価報告書を作成しなさい。

【資 料】

1　決算整理前残高試算表の金額（一部）

繰 越 材 料	18,000千円	繰 越 製 品	35,000千円
繰 越 仕 掛 品	30,000千円	賃 金 給 料	90,000千円
退 職 給 付 費 用	20,000千円	賞 与 引 当 金 繰 入	8,000千円
材 料 仕 入	120,000千円	減 価 償 却 費	5,000千円
火 災 損 失	3,000千円	福 利 厚 生 費	1,000千円

2　材料の期末帳簿棚卸高と期末実地棚卸高の差額は、原価性のない棚卸減耗損として処理する。また、これとは別に、当期に発生した火災により材料3,000千円が焼失しており、その全額を火災損失として材料仕入勘定から控除している。

	期末帳簿棚卸高	期末実地棚卸高
材　　　料	20,000千円	16,000千円
仕 掛 品	20,000千円	—
製　　　品	40,000千円	—

3　賃金給料、退職給付費用、賞与引当金繰入にかかわるものは一括して本社が支払っており、営業部門および製造部門の配分は従業員数を基準に行っている。

4　福利厚生費の配分は、賃金給料の配分と同様の配分の基準を用いている。

5　減価償却費は、工場の敷地面積の割合により、営業部門と製造部門とに配分する。

	製 造 部 門	営 業 部 門	合 　 計
従 業 員 数	350人	150人	500人
工 場 の 敷 地 面 積	800㎡	200㎡	1,000㎡

問題 8　製造原価報告書の作成3　難A（15分）　応用

次の資料にもとづいて、製造原価報告書および損益計算書(一部)を作成するとともに、答案用紙に示した貸借対照表の各科目に記載される金額を答えなさい。

【資料1】　生産データ

期 首 仕 掛 品	250 個	（加工進捗度60％）
当 期 投 入	1,250	
合　　計	1,500 個	
期 末 仕 掛 品	150	（加工進捗度40％）
当 期 完 成 品	1,350 個	

【資料2】　決算整理前残高試算表の金額(一部)

繰 越 製 品	7,470千円	繰 越 仕 掛 品	3,350千円
繰 越 材 料	5,000千円	材 料 仕 入	50,000千円
賃 金 給 料	29,850千円	退 職 給 付 費 用	5,550千円
法 定 福 利 費	2,600千円	福 利 厚 生 費	4,000千円
水 道 光 熱 費	2,500千円	売　　　　上	150,000千円

【資料3】　決算整理の未了事項および参考事項

1　材料に関する事項

　　期末における材料の帳簿棚卸高3,000千円と実地棚卸高2,100千円の差額は、材料の減耗によるものであるが、このうち600千円は原価性を有しないものであり、特別損失に計上する。なお、材料は工程の始点においてすべて投入されている。

2　労務費および経費に関する事項

　　賃金給料、退職給付費用、法定福利費、福利厚生費のうち、60％は工場の工具に対するものであり、残額は管理部門に対するものである。

　　また、当期において減価償却費8,700千円が計上された。なお、減価償却費、水道光熱費のうち製造部門に対するものは75％、管理部門に対するものは25％である。

3　仕掛品に関する事項

　　繰越仕掛品(期首仕掛品)の内訳は材料費2,000千円、加工費1,350千円である。また、期末仕掛品は平均法にて評価し、減耗や評価損は生じていない。

4　製品に関する事項

　　期末における製品の帳簿棚卸高は7,320千円であり、減耗や評価損は生じていない。

········ *Memorandum Sheet* ········

Chapter 7

本社工場会計

No	内　　　容	標準時間	重要度	難易度
問題1	本社と工場の期中取引1	8分	簿B	基本
問題2	本社と工場の未達取引1	5分	簿B	基本
問題3	決算整理仕訳・決算振替仕訳	12分	簿C	基本
問題4	内部利益の算定	5分	簿C	基本
問題5	合併財務諸表の作成1	12分	簿B	応用
問題6	合併財務諸表の作成2	20分	簿B	応用
問題7	本社と工場の期中取引2	5分	会計C	基本
問題8	本社と工場の未達取引2	5分	会計C	基本
問題9	合併財務諸表の作成3	30分	会計C	応用

問 題 1　本社と工場の期中取引1　簿B（8分）　基本

次の(1)～(7)の期中取引にかかる仕訳を、本社および工場のそれぞれについて示しなさい。なお、仕訳の必要がない場合は、借方科目欄に「仕訳なし」と記入し、使用する勘定科目は下記から選択すること。

> 現金預金、 売 掛 金、 買 掛 金、 本 　 社、 工 　 場、 材料仕入
> 工場仕入、 本社仕入、 工場売上、 本社売上、 賃 　 金

(1)　本社は、仕入先から材料125,000千円を掛けで購入した。

(2)　本社は、(1)で仕入れた材料に20％の利益を付加して工場に送付した。

(3)　工場は、(2)で仕入れた材料6,000千円（振替価格）が品違いであったため、本社に返送した。

(4)　工場は、賃金200,000千円を現金で支払った。

(5)　工場は、本社の買掛金50,000千円を現金で支払った。

(6)　工場は、完成した製品（振替価格395,600千円）を本社に送付した。

(7)　本社は、工場に現金70,000千円を送付した。

問 題 2　本社と工場の未達取引1　簿B（5分）　基本

次の(1)～(5)の未達取引にかかる仕訳を、本社および工場のそれぞれについて示しなさい。なお、仕訳の必要がない場合は、借方科目欄に「仕訳なし」と記入し、使用する勘定科目は下記から選択すること。

> 現 金 預 金、 売 掛 金、 買 掛 金、 本 　 社、 工 　 場、 材 料 仕 入
> 工 場 仕 入、 本 社 仕 入、 工 場 売 上、 本 社 売 上、 一 般 管 理 費

(1)　本社は、工場の管理費75,000千円を現金で立替払いしたが、当該通知が工場に未達である。

(2)　工場は、本社に製品250,000千円（振替価格）を送付したが、本社に未達である。

(3)　本社は、工場に材料50,000千円（仕入原価）を送付したが、工場に未達である。なお、本社は工場に材料を送付するさい、仕入原価に20％の利益を付加している。

(4)　工場は、本社の仕入先に材料36,000千円（振替価格）を直接返送したが、本社に未達である。本社は当該材料の仕入原価につき、掛けにより取引している。なお、工場が本社の仕入先に直接返送した場合、いったん本社に返送したとみなして処理する。

(5)　工場は、本社の売掛金15,000千円を回収したが、本社に未達である。

1 特殊商品売買

2 退職給付会計Ⅱ

3 資産除去債務

4 収益認識

5 本支店会計

6 商的工業簿記

7 本社工場会計

8 建設業会計

9 無形固定資産Ⅱ

10 過年度遡及会計

問題 3　決算整理仕訳・決算振替仕訳　簿C（12分）　基本

　次の資料にもとづいて、(1)～(9)の決算整理仕訳および決算振替仕訳を示しなさい。なお、使用する勘定科目は下記から選択すること。

| 工　　　場、本　　　社、工場仕入、本社仕入、工場売上 |
| 本社売上、繰越材料、賃　　　金、製造経費、仕掛品 |
| 製　　　造、製　　　品、繰延内部利益、繰延内部利益戻入、繰延内部利益控除 |
| 売上原価、繰越利益剰余金、総合損益、損　　　益 |

【資　料】

1　工場に関する資料

　　期首材料棚卸高：50,000千円　　本社仕入：590,000千円

　　当期賃金：320,000千円　　当期製造経費：710,000千円

　　期首仕掛品棚卸高：215,000千円　　期末仕掛品棚卸高：190,000千円

　　期首製品棚卸高：345,000千円　　期末製品棚卸高：360,000千円

　　本社売上：2,500,000千円　　期末材料棚卸高：70,000千円

2　本社に関する資料

　　当期純利益：1,500,000千円　　期首内部利益：65,000千円　　期末内部利益：80,000千円

・工場における処理

　(1)　当期材料費の算定仕訳（材料費の算定は本社仕入勘定で行う）

　(2)　当期製造費用の製造勘定への振替仕訳

　(3)　当期製品製造原価の算定仕訳

　(4)　当期製品製造原価の製品勘定への振替仕訳

　(5)　本社売上の原価算定仕訳

　(6)　損益勘定への振替仕訳

　(7)　損益（工場純利益）の本社への振替仕訳

・本社における処理

　(8)　期首および期末の棚卸資産に含まれる内部利益の処理に関する仕訳

　(9)　総合損益勘定への振替仕訳（繰越利益剰余金への振替えを含める）

問題 4　内部利益の算定　簿C（5分）　基本

次の資料にもとづいて、当社の期首棚卸資産に含まれる内部利益の額を材料、仕掛品、製品それぞれについて示しなさい。なお、当社は原価計算制度を採用していない。

【資料1】　決算整理前残高試算表（一部）

決算整理前残高試算表

（単位：千円）

勘 定 科 目	本 社	工 場	勘 定 科 目	本 社	工 場
繰 越 材 料	27,000	310,500	繰 延 内 部 利 益	545,605	—
仕 掛 品	—	821,400			
製　　　　品	1,622,400	669,405			

※1：工場の仕掛品には、材料費609,500千円が含まれている。

※2：工場の製品には材料費394,105千円が含まれている。

※3：本社の製品には材料費795,800千円が含まれている。

【資料2】　内部利益について

1　材料

　　材料はすべて本社で仕入れ、仕入原価に15％（毎期一定）の利益を付加して工場に送付している。

2　製品

　　工場で材料を加工し、製品を製造している。また、完成した製品は、毎期一定の利益を付加して本社に送付している。

問題 5　合併財務諸表の作成1　簿B（12分）　応用

当社は工場独立会計制度を採用している。よって、下記の資料に基づいて、合併財務諸表のうち製造原価報告書及び損益計算書(売上総利益まで)を作成しなさい。

【資料1】　決算整理前残高試算表(単位：千円)

借　方　科　目	本　社	工　場	貸　方　科　目	本　社	工　場
製　　　　　　品	12,500	4,600	繰 延 内 部 利 益	1,590	730
仕　　掛　　品	—	4,295	そ の 他 負 債	675	2,830
繰 越 材 料	1,400	1,955	本　　　　社	—	5,300
そ の 他 資 産	2,350	1,375	資　　本　　金	10,000	—
工　　　　場	5,300	—	繰 越 利 益 剰 余 金	500	—
材　料　仕　入	19,000	—	製　品　売　上	64,000	—
本　社　仕　入	—	21,735	工　場　売　上	21,735	—
工　場　仕　入	47,500	—	本　社　売　上	—	47,500
労　　務　　費	—	13,700	そ の 他 収 益	500	—
製　造　経　費	—	8,700			
営　　業　　費	10,650	—			
そ の 他 費 用	300	—			
合　　　　　計	99,000	56,360	合　　　　　計	99,000	56,360

【資料2】　決算整理事項等

1　期末材料：本社 1,500 千円、工場 1,840 千円
2　期首棚卸資産の材料費：仕掛品 2,185 千円、工場製品 2,530 千円、本社製品 5,520 千円
　　期首棚卸資産の加工費：各自算定
3　期末棚卸資産の材料費：仕掛品 2,415 千円、工場製品 2,300 千円、本社製品 4,600 千円
　　期末棚卸資産の加工費：仕掛品 1,840 千円、工場製品 1,940 千円、本社製品 4,800 千円
4　本社の製品：期首50個、当期受入190個、期末40個
5　材料は本社が仕入れ、原価の15％増しの振替価格で工場へ送付している(毎期一定)。
6　工場で製造した製品は、1個250千円の振替価格で本社へ送付している(毎期一定)。
7　帳簿上、内部利益は付加した側が整理を行っている。

問題 6　合併財務諸表の作成2　簿B （20分）　応用

次の資料にもとづいて、(1)～(3)の各問いに答えなさい。なお、当社は原価計算制度を採用していない。

(1)　未達事項修正後の①本社仕入勘定、②工場仕入勘定、③工場勘定の各残高を答えなさい。

(2)　外部報告用の製造原価報告書を完成させなさい。

(3)　外部報告用の損益計算書(一部)を完成させなさい。

【資料1】　決算整理前残高試算表(一部)

決算整理前残高試算表　　　　　　　(単位：千円)

勘 定 科 目	本 社	工 場	勘 定 科 目	本 社	工 場
製　　　　　品	396,000	220,000	繰 延 内 部 利 益	113,900	—
仕　　掛　　品	—	275,000	本　　　　　社	—	332,850
繰 越 材 料	51,000	86,900	売　　　　　上	9,302,000	
工　　　　　場	564,220	—	工 場 売 上	2,553,870	
材 料 仕 入	2,310,700	—	本 社 売 上	—	7,613,100
本 社 仕 入	—	2,538,800			
工 場 仕 入	7,396,800	—			

※1：工場の仕掛品には、材料費220,000千円が含まれている。

※2：工場の製品には、材料費88,000千円が含まれている。

※3：本社の製品には、材料費132,000千円が含まれている。

【資料2】　内部利益について

1　材料はすべて本社で仕入れ、仕入原価に10%(毎期一定)の利益を付加して工場に送付している。

2　工場で材料を加工し、製品を製造している。また、完成した製品は、毎期一定の利益を付加して本社に送付している。

【資料3】　未達事項(なお、前期末に未達事項はない)

1　本社は、工場に材料6,500千円(仕入原価)を送付したが、工場に未達である。

2　工場は、本社に製品168,300千円(振替価格)を送付したが、本社に未達である。

3　工場は、本社の仕入先に材料7,920千円(振替価格)を直接返送したが、本社に未達である。

4　工場は、本社の得意先に製品(振替価格48,000千円、販売価額70,000千円)を直接送付したが、本社に未達である。

【資料4】　決算整理事項(下記の金額は未達事項考慮後の金額である)

1　期末材料棚卸高

本社：40,000千円　　工場：95,150千円

2　期末仕掛品棚卸高

工場：460,000千円(うち、材料費253,000千円)

3 期末製品棚卸高

本社：485,100千円（うち、材料費161,700千円）　工場：137,500千円（うち、材料費55,000千円）

なお、本社期末製品のうち、工場が付加した内部利益は80,850千円である。

4 その他

材料費以外の当期製造費用は、労務費1,563,620千円、製造経費2,345,430千円である。

➡答案用紙 P.7-5　➡解答・解説 P.7-9

問題 7　本社と工場の期中取引2 （5分）　基本

次の(1)〜(4)の期中取引にかかる仕訳を、本社および工場それぞれについて示しなさい。なお、使用する勘定科目は下記から選択すること。

現 金 預 金	売 掛 金	買 掛 金	本 社	工 場
給 料	一般管理費	材 料 仕 入	賃 金	経 費

(1)　本社は、工場の工員賃金8,880千円を預金口座から振り込んだ。

(2)　本社は、工場の水道光熱費5,250千円を現金で支払った。なお、工場の水道光熱費のうち90%は製造にかかるものであり、残りは工場の管理部門にかかるものである。

(3)　工場は、仕入先から原価21,000千円の材料を掛けで購入した。なお、材料仕入による買掛金は本社が一括して支払っており、材料は本社を経由せずに直接工場が仕入れたものとして処理している。

(4)　工場は、本社の買掛金13,200千円を現金で支払った。

➡答案用紙 P.7-5　➡解答・解説 P.7-9

問題 8　本社と工場の未達取引2 （5分）　基本

次の(1)〜(4)の未達取引にかかる仕訳を、本社および工場それぞれについて示しなさい。なお、仕訳の必要がない場合には、借方科目欄に「仕訳なし」と記入し、使用する勘定科目は下記から選択すること。

現 金 預 金	売 掛 金	買 掛 金	本 社	工 場
一般管理費	工 場 仕 入	本 社 売 上	工 場 売 上	本 社 仕 入

(1)　本社で立替払いした工場の管理費30,000千円の通知が工場に未達である。

(2)　工場は本社に製品25,000千円を発送したが、本社に未達である。

(3)　本社は工場に材料10,000千円（購入原価）を発送したが、工場に未達である。なお、本社は工場に材料を送付するさい、購入原価に20%の利益を付加している。

(4)　工場は本社の売掛金1,500千円を回収したが、本社に未達である。

1 特殊商品売買
2 退職給付会計II
3 資産除去債務
4 収益認識
5 本支店会計
6 商的工業簿記
7 本社工場会計
8 建設業会計
9 無形固定資産II
10 過年度遡及会計

問題 9　合併財務諸表の作成3　 （30分）　応用

以下の資料にもとづいて、答案用紙に示したＮＳ工業株式会社（以下、「当社」）の本社工場合併の貸借対照表、損益計算書および製造原価報告書を会社法および会社計算規則に準拠して作成し、必要な注記（貸借対照表等および損益計算書に関する事項のみ）を示しなさい。

【留意事項】

1　本社工場合併の財務諸表は、未達取引を考慮した後に決算整理を行い作成すること。

2　当期は×22年3月31日を決算日とする1年間である。

3　当社はA製品の製造・販売を行っており、材料の仕入および製品の販売はすべて本社で行っている。本社は工場に材料を送付するさいに仕入原価の10%の利益（毎期一定）を加算しており、工場は製造した製品を本社に送付するさいに一定の利益を加算している。

4　減価償却は月割りにより行うこと（有形固定資産の減価償却累計額は一括して注記する方法による）。

5　×22年3月31日における為替相場は1ドル118円であった。

【資料1】　決算整理前の本社および工場の残高試算表（×22年3月31日現在）

残 高 試 算 表　　　　　　　　　　　　　　　　（単位：千円）

勘 定 科 目	本 社	工 場	勘 定 科 目	本 社	工 場
現 金 預 金	85,670	73,800	支 払 手 形	35,000	—
受 取 手 形	66,000	—	買 掛 金	31,200	—
売 掛 金	44,000	—	短 期 借 入 金	33,520	—
有 価 証 券	21,500	—	繰 延 内 部 利 益	4,600	—
繰 越 製 品	19,800	7,620	貸 倒 引 当 金	460	—
繰 越 材 料	4,240	6,270	退 職 給 付 引 当 金	21,750	—
短 期 貸 付 金	18,000	—	減 価 償 却 累 計 額	67,500	65,000
仮 払 金	9,600	—	本 社	—	236,794
工 場	252,694		資 本 金	300,000	—
建 物	120,000	80,000	資 本 準 備 金	38,480	—
器 具 備 品	—	30,000	利 益 準 備 金	28,200	—
機 械	—	200,000	繰 越 利 益 剰 余 金	38,890	—
車 両 運 搬 具	—	50,000	売 上	350,000	—
特 許 権	13,000	—	工 場 売 上	83,600	—
繰 延 税 金 資 産	6,300	—	本 社 売 上	—	285,996
材 料 仕 入	75,500	—	受 取 利 息 配 当 金	860	—
製 造 労 務 費	—	39,000	仕 入 割 引	600	—
製 造 経 費	—	13,000	雑 収 入	500	—
本 社 仕 入	—	80,300			
工 場 仕 入	273,396	—			
販売費及び一般管理費	22,250	7,800			
支 払 利 息	3,210	—			
合 計	1,035,160	587,790	合 計	1,035,160	587,790

1 特殊商品売買

2 退職給付会計Ⅱ

3 資産除去債務

4 収益認識

5 本支店会計

6 商的工業簿記

7 本社工場会計

8 建設業会計

9 無形固定資産Ⅱ

10 過年度遡及会計

【資料2】 未達取引に関する事項

1 本社は工場に材料3,300千円(振替価額)を送付していたが、工場に未達である。

2 工場は本社に製品12,600千円(振替価額)を送付していたが、本社に未達である。

【資料3】 決算整理の未了事項および参考事項等

1 現金預金

本店の現金預金には、米国通貨115千ドルが含まれており、取得時の為替相場1ドル122円で記帳されている。

2 貸倒引当金

一般債権に該当する受取手形、売掛金、貸付金については、過去の貸倒実績率にもとづき期末残高の2.0%を引当計上する。なお、残高試算表の貸倒引当金は、全額が前期末における一般債権(受取手形および売掛金)に対するものである。

3 有価証券

当社の保有する有価証券の内訳は以下のとおりである。なお、その他有価証券の評価差額の処理は全部純資産直入法により、税効果会計を適用する。

銘　　柄	帳簿価額	期末時価	保有目的	備　　考
甲 社 株 式	13,000千円	11,500千円	影 響 力 行 使	関連会社に該当する
乙 社 社 債	8,500千円	8,000千円	そ　　の　　他	額面金額で取得

4 棚卸資産

期末における材料および製品の棚卸高(未達取引は含まない)は以下のとおりである。

なお、仕掛品については期首および期末の在庫はなく、棚卸資産の減耗および評価損はなかった。また、期末製品に含まれている内部利益は未達製品にかかるものも含めて4,000千円である。

	期末材料棚卸高	期末製品棚卸高
本　　　社	3,740千円	6,900千円
工　　　場	2,200千円	8,200千円

5 有形固定資産

減価償却については、以下の条件で行う。なお、機械以外は当期に増減はなかった。

種　　類	取得原価	期首減価償却累計額	償却方法	償 却 率	残存価額
本 社 建 物	120,000千円	67,500千円	定額法	0.050	10%
工 場 建 物	80,000千円	45,000千円	定額法	0.050	10%
器 具 備 品	30,000千円	7,500千円	定率法	0.250	10%
機　　　械	200,000千円	0千円	定率法	0.417	ゼロ
車 両 運 搬 具	50,000千円	12,500千円	定率法	0.250	10%

※ 工場建物、器具備品、車両運搬具は、製造部門と事務部門が8：2の割合で使用しているものとして減価償却費を配分する。機械は当期首に取得したものであり、製造部門のみが使用している。

6 無形固定資産

特許権は、×18年9月に製造活動に関連して取得したものであり、定額法により8年で月割償却している。

7　法定福利費

　　当期に発生した社会保険料等3,000千円は、本社または工場の販売費及び一般管理費に計上しているが、このうち1,200千円は工場製造部門の工員に対するものであるため、修正を行う。

8　退職給付

　　当社は、確定給付型の企業年金制度を採用しており、退職給付に関する会計基準を適用している。当期の退職給付費用は1,650千円と計算されたが、会計上は未処理である。なお、退職給付費用のうち、40％は工場製造部門の工員に対するものである。

9　法人税等

　　当期の法人税等（法人税、住民税及び事業税）の確定年税額は23,550千円である。なお、残高試算表の仮払金は、法人税等の中間納付額である。

10　税効果会計

　　その他有価証券の評価差額を除く前期末および当期末における一時差異は、以下のとおりである。なお、法定実効税率は前期および当期とも30％とすること。

　　　将来減算一時差異：22,500千円（前期末：21,000千円）

11　その他の事項

（1）　雑収入500千円は作業屑の売却収入であるが、当該売却は経常的に発生し売上高に算入すべきであるため、修正する。

（2）　売上高のうち7,800千円は甲社に対する売上であり、甲社に対する売上債権（売掛金）が期末現在600千円ある。なお、関係会社に対する金銭債権債務については、科目別による注記によること。

Chapter 8

建設業会計

問題 1　工事収益の認識1　薄A（5分）　基本

　以下の資料にもとづき、甲建設会社(会計期間は1年、決算日は3月31日)の各年度の工事収益、工事原価および工事利益の額を、次のそれぞれの場合において計算しなさい。

(1)　工事の進捗度を合理的に見積もることができ、進捗度にもとづいて収益を認識する場合
　　　進捗度の見積り方法は原価比例法による。なお、工事原価総額の見積額は5,000万円である。

(2)　工事の進捗度を合理的に見積もることができず、原価回収基準により収益を認識する場合
　　　なお、金額がゼロの場合には、「0」と記入すること。

【資料】
　(1)　工事請負金額は 6,500万円。工事契約は、×1年5月10日に着工し、×3年6月12日に完成、引渡しの約束。
　(2)　工事原価の実際発生額は、×1年度が3,000万円、×2年度が1,200万円、×3年度が800万円。
　(3)　この工事について、一定期間にわたり充足される履行義務と判断した。

問 題 2　工事収益の認識2　簿B（8分）　基本

　以下の資料にもとづき、A建設㈱（会計期間は1年、決算日は3月31日）の×1年度、×2年度、×3年度の各工事利益を、次のそれぞれの場合において計算しなさい。なお、工事進捗度の計算上、端数が生じたときは、小数点第3位を四捨五入すること。

⑴　進捗度を合理的に見積もることができ、進捗度にもとづいて原価比例法により収益を認識する場合

　　工事開始時および×1年度末における工事原価総額の見積額は180,000千円であったが、×2年度末に工事原価総額を186,000千円に変更した。

⑵　×1年度に進捗度を合理的に見積もることができず、原価回収基準により収益を認識する場合

　　なお、×2年度に工事原価総額を186,000千円と見積もることができたため、×2年度より進捗度にもとづき原価比例法により収益を認識する。また、金額がゼロの場合には、「0」と記入すること。

【資料】

⑴　工事請負金額は270,000千円。工事契約は、×1年5月14日に着工し、×4年1月30日に完成、引渡しの約束。

⑵　工事原価の実際発生額は、×1年度が 60,000千円、×2年度が 75,000千円、×3年度が 54,000千円であった。

⑶　この工事について、一定期間にわたり充足される履行義務と判断した。

1 特殊商品売買

2 退職給付会計Ⅱ

3 資産除去債務

4 収益認識

5 本支店会計

6 商的工業簿記

7 本社工場会計

8 建設業会計

9 無形固定資産Ⅱ

10 過年度遡及会計

問題 3　工事収益の認識3　簿A（8分）　基本

次の資料にもとづいて、工事契約ごとの当期の完成工事高の金額を答えなさい。当期は×3年3月31日を決算日とする1年間である。

【資料1】

	A工事	B工事	C工事
工事収益総額	1,800千円	2,500千円	320千円
工事原価総額の見積額	1,600千円	2,000千円	270千円
過年度に発生した工事原価の累計	1,120千円	800千円	135千円
当期に発生した工事原価	480千円	880千円	140千円
着工日	×1年4月8日	×1年5月1日	×2年3月2日
引渡日	×2年5月28日	×5年7月7日	×2年5月15日

【資料2】

1　A工事およびB工事は一定期間にわたり充足される履行義務と判断し、進捗度を合理的に見積ることができるため一定期間にわたり収益を認識する。工事進捗度の見積方法は原価比例法により行う。

2　C工事は一定の期間にわたり収益を認識せず、完全に履行義務を充足した時点で収益を認識する。

3　顧客からB工事の契約について内容変更の申し出があり、当期末に工事収益総額は2,600千円に修正された。これにともない、工事原価総額は100千円増加すると見積もられた。

問題 4　工事損失引当金1　薄B（10分）　基本

　NS建設株式会社はビル建設についての契約を締結した。次の資料にもとづいて、×2年度の貸借対照表に計上される工事損失引当金の額と、×3年度の損益計算書に計上される工事利益の額を答えなさい。

【資料1】

(単位：千円)

	×1年度	×2年度	×3年度
工事収益総額	1,600,000	1,600,000	1,600,000
過年度に発生した工事原価の累計	—	420,000	1,200,000
当期に発生した工事原価	420,000	780,000	800,000
見積工事原価総額(見積変更を含む)	1,400,000	2,000,000	2,000,000
工事利益(損失)	200,000	△400,000	△400,000

【資料2】

1　ビルの建設は3年で完了する予定である。

2　NS建設は当初、工事原価総額の見積額を1,200,000千円としていたが、×1年度末に1,400,000千円に変更した。

3　×2年度末に工事原価総額の見積額を2,000,000千円に変更した。

4　当該工事は一定期間にわたり充足される履行義務であり、進捗度の見積り方法は原価比例法を適用する。

問題 5　建設業会計の処理　薄 B （12分）　応用

　以下の資料にもとづき、北海建設株式会社（会計期間は１年、決算日は３月31日）の財務諸表計上額について、以下の問いに答えなさい。

問１　各年度の完成工事高、完成工事原価、完成工事総利益の金額を答えなさい。

問２　各年度末の未成工事受入金（契約負債）、完成工事未収入金（契約資産となる金額を含む）の金額を答えなさい。
　　　金額がゼロの場合には、「０」と記入すること。

【資料】
　⑴　工事請負金額は900,000千円。この工事契約は、×１年４月１日に着工され、×４年２月28日に完成し、引き渡された。
　⑵　×１年度と×２年度の各決算日の翌日から完成までに要する工事原価の見積額は、×１年度末が 486,000千円であり、×２年度末が 155,100千円であった。工事の進捗度を合理的に見積もることができるため、進捗度にもとづいて原価比例法により収益を認識する。
　⑶　工事原価の実際発生額は、×１年度が 189,000千円、×２年度が 360,900千円であり、×３年度が 158,700千円であった。
　⑷　東北商事株式会社から工事代金として、当座預金口座に以下の入金があった。
　　　×１年４月30日　300,000千円
　　　×２年４月30日　300,000千円
　　　×３年４月30日　200,000千円
　　　×４年４月30日　100,000千円
　⑸　この工事について、一定期間にわたり充足される履行義務と判断した。

問題 6　工事収益の認識4　財計 B （8分）　基本

当社の第15期（決算日：×22年3月31日）にかかる下記の資料にもとづいて、第15期の貸借対照表（一部）を作成するとともに、完成工事高および完成工事原価を答えなさい。なお、貸借対照表の表示上は完成工事未収入金および未成工事受入金を用いている。

【資料1】　第15期の請負工事の資料

	A 工 事	B 工 事	C 工 事	D 工 事
工　　期	第14期〜第15期	第15期〜第16期	第14期〜第16期	第13期〜第15期
請 負 金 額	250,000千円	420,000千円	900,000千円	680,000千円
見積総工事原価	200,000千円	375,000千円	780,000千円	585,000千円
前期以前の工事原価				
第13期	—	—	—	188,750千円
第14期	180,000千円	—	260,000千円	250,000千円
第15期の工事原価	20,000千円	188,000千円	340,000千円	146,250千円
工事代金の受領額				
第13期	—	—	—	150,000千円
第14期	100,000千円	—	330,000千円	200,000千円
第15期	120,000千円	150,000千円	350,000千円	200,000千円
期 末 の 状 況	完成・引渡済み	工 事 中	工 事 中	完成・引渡済み
収益の計上時期	完全に履行義務を充足した時点		進捗度にもとづき収益を認識※	

※進捗度の見積計算には原価比例法を採用する。

【資料2】　工事の変更に関する事項

　　C工事については、第15期に追加工事が発生した。それにより、請負金額が80,000千円、見積総工事原価が60,000千円増加した。

問題 7　工事損失引当金2　財計 C （12分）　応用

請負工事にかかる次の資料にもとづいて、答案用紙に示した当社の第10期の貸借対照表（一部）を作成（完成工事未収入金には契約資産に該当する金額を含める）し、完成工事高および完成工事原価を答えるとともに、必要な注記を示しなさい。

【資料1】　第9期に関する事項

　　当社は、第9期に建物の請負工事を20,000千円で請け負った。なお、見積工事原価総額は19,600千円であり、工事代金の一部として契約時に7,000千円受け取った。

　　また、この請負工事は一定期間にわたり充足される履行義務であり、進捗度の見積り方法は原価比例法を適用する。当期の発生原価は5,880千円であった。

【資料2】　第10期に関する事項

　　当期の発生原価は10,920千円であったが、見積工事原価総額が21,000千円に増加したため、工事損失引当金を計上することとした。なお、工事代金の一部として7,000千円を受け取った。

········ *Memorandum Sheet* ········

Chapter **9**

無形固定資産 Ⅱ

問題 1　研究開発費　簿B（3分）　　　　　　　　　　　　　　　基本

　次の資料にもとづき、決算整理後残高試算表(一部)を作成しなさい。なお、会計期間は×2年4月1日から×3年3月31日までである。

【資　料】

1

決算整理前残高試算表(一部)	（単位：千円）
特　　許　　権	77,700
ソ フ ト ウ ェ ア	4,500
給　　　　　料	200,000

2　決算整理事項等

　(1)　特許権の内訳は以下のとおりである。

　　①　56,700千円は×1年1月1日に取得したものであり、8年間で月割償却を行っている。

　　②　21,000千円は当期に研究開発のために取得した特許権（他の用途への転用はできない）にかかるものである。

　(2)　ソフトウェアは、その全額が研究開発のために支出したものと認められる。

　(3)　給料のうち15%は研究開発部門専属の従業員に対するものである。

問題 2　市場販売目的のソフトウェア　簿B（8分）　応用

次の資料にもとづき、各問いに答えなさい。なお、当社の会計期間は1年間である。

【資　料】

1　ソフトウェアの制作費用

　　当社は×1年度期首にソフトウェアNの販売を開始した。ソフトウェアNの有効期間は3年と見積もられた。なお、ソフトウェアNの制作費用は以下のとおりである。

製品マスターの開発費用	4,140,000 円
製品マスターの機能の改良費用	840,000 円
ソフトウェアの複写・包装費用	1,320,000 円
合　計	6,300,000 円

2　ソフトウェアNの販売開始時における見込販売数量および見込販売収益

	数量	単価	収益
×1年度	3,000 個	@1,500 円	4,500,000 円
×2年度	1,500 個	@1,350 円	2,025,000 円
×3年度	2,500 個	@ 750 円	1,875,000 円
合　計	7,000 個		8,400,000 円

3　各年度の販売収益は、販売開始時の見込みどおりであった。また、ソフトウェアの見込有効期間に変更はなかった。

問1　ソフトウェアNの制作費用のうち、無形固定資産として計上される金額を答えなさい。

問2　見込販売数量にもとづく減価償却の方法を採用している場合の、各年度に計上される「ソフトウェア償却」の金額を答えなさい。

問3　見込販売収益にもとづく減価償却の方法を採用している場合の、各年度に計上される「ソフトウェア償却」の金額を答えなさい。

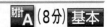
問題 3　無形固定資産の償却（ソフトウェア含む）　商計 A（8分）基本

　SCL株式会社の当期（×1年4月1日〜×2年3月31日）における下記の資料により、会社計算規則に準拠した適切な会計処理を行い、答案用紙の空欄をうめなさい。

【資料1】

決算整理前残高試算表　　　　（単位：千円）

勘 定 科 目	金 額	勘 定 科 目	金 額
前 払 費 用	800	：	：
の れ ん	2,000	：	：
権 利 金	1,100	：	：
ソ フ ト ウ ェ ア	43,960	：	：
長 期 前 払 費 用	2,400	：	：

【資料2】　決算整理事項等（過年度の処理はすべて適切に行われている）

1　のれんは当期の10月1日に取得したものである。効果の及ぶ期間である10年間で償却する。

2　権利金は当期首に新たな営業所建物の賃借にともない計上したものである。600千円は返還されないものであり、残りの500千円は返還される。すべて権利金として処理されているため、決算にあたり適切に処理する。償却が必要なものについては、契約期間である3年で償却する。

3　ソフトウェアは下記の合計額が計上されている。

（1）　前期首に450千円で業務の効率化のために導入したソフトウェアの購入代金。5年間で償却している。

（2）　当社で企画開発を行い、当期から販売を行っているソフトウェアにかかる制作費43,600千円である。なお、43,600千円の中には、製品マスター完成までの費用3,600千円が含まれており、それ以外は無形固定資産に該当するため、決算にあたり適切に処理する（その他に当期の研究開発費はない）。なお、見込販売数量（以下の資料3）にもとづいて償却を行う。

4　その他に前期首に特許権使用料を支払っている。この特許権の使用は、支出のときから5年間の契約である。残高試算表の前払費用、長期前払費用はすべて特許権使用料にかかるものである。

5　無形固定資産は、指示のない限りすべて定額法で償却を行う。

【資料3】

　当期から販売を行っているソフトウェアに関する資料は以下のとおりである。なお、各年度の実際販売数量は当初の見込どおりであった。

　　ソフトウェアの見込有効期間　　3年

（単位：個）

	×1期（見込）	×2期（見込）	×3期（見込）	合　　計
数　量	20,000	8,000	12,000	40,000

Chapter 10

過年度遡及会計

No	内　　　　　容	標準時間	重要度	難易度
問題 1	会計方針の変更	8分	財計 C	応用
問題 2	過去の誤謬の訂正	5分	財計 C	基本

問 題 1 会計方針の変更 _{難易}C （8分） 応用

当期は×3年度である。次の資料を参照して、答案用紙に示されている当期の有価証券報告書における財務諸表を作成しなさい(実効税率30%で税効果会計を適用する)。

【資　料】

(1) 当社は当期(×3年度)より、通常の販売目的で保有する棚卸資産の評価方法を総平均法から先入先出法に変更した。なお、先入先出法を過去の会計年度から遡及適用することは可能である。

(2) 前期(×2年度)及び当期(×3年度)の商品の増減について、先入先出法を遡及適用した場合の金額と、従来の方法である総平均法の場合の金額、および前期の財務諸表は以下に示すとおりである。

×2年度(前期)

（単位：円）

	前期期首残高	前期仕入高	前期売上原価	前期期末残高
総平均法の場合	3,200	30,400	31,500	2,100
先入先出法の場合	2,400	30,400	30,800	2,000

×3年度(当期)

（単位：円）

	当期期首残高	当期仕入高	当期売上原価	当期期末残高
先入先出法の場合	2,000	36,300	32,250	6,050

貸 借 対 照 表	（単位：円）	
	×1年度	×2年度
資 産 の 部		
商　　　　品	3,200	2,100
純 資 産 の 部		
繰越利益剰余金	17,000	20,500

損 益 計 算 書	（単位：円）	
	×1年度	×2年度
売 上 高	××	40,000
売 上 原 価	××	31,500
販売費及び一般管理費	××	3,500
税引前当期純利益	××	5,000
法 人 税 等	××	1,500
当 期 純 利 益	××	3,500

株主資本等変動計算書（繰越利益剰余金のみ）（単位：円）

	×1年度	×2年度
株 主 資 本		
繰越利益剰余金		
当 期 首 残 高	× ×	17,000
当 期 変 動 額		
当 期 純 利 益	× ×	3,500
当 期 末 残 高	17,000	20,500

1 特殊商品売買

2 退職給付会計Ⅱ

3 資産除去債務

4 収益認識

5 本支店会計

6 商的工業簿記

7 本社工場会計

8 建設業会計

9 無形固定資産Ⅱ

10 過年度遡及会計

問題 2 過去の誤謬の訂正 財計 C （5分） 基本

次の資料にもとづき、当期の有価証券報告書における財務諸表の一部を完成させなさい。

【資 料】

当社は、当会計年度(×4年度)の財務諸表作成の過程で、前会計年度(×3年度)の財務諸表について以下のような誤謬を発見したことから修正再表示を行うこととした。

前期末の建物に関する適正な減価償却費は5,000千円であったが、実際に計上した額は4,000千円であった。

当該誤処理により、前年度の減価償却費が1,000千円過少に計上されている。

なお、税金費用については考慮する必要はない。

損 益 計 算 書 （単位：千円）

	×2年度	×3年度
⋮		
減 価 償 却 費	×××	44,000
⋮		
営 業 利 益	×××	25,000
⋮		
当 期 純 利 益	×××	18,000

貸 借 対 照 表 （単位：千円）

	×2年度	×3年度		×2年度	×3年度
資 産 の 部			負 債 の 部		
⋮			⋮		
建 物	×××	100,000	純 資 産 の 部		
減価償却累計額	×××	25,000	⋮		
⋮			繰越利益剰余金	×××	72,000
⋮			⋮		

株主資本等変動計算書 （単位：千円）

⋮	×2年度	×3年度
繰越利益剰余金		
当 期 首 残 高	×××	54,000
当 期 変 動 額		
当 期 純 利 益	×××	18,000
当 期 末 残 高	×××	72,000

Chapter 11

組織再編

No	内　　　容	標準時間	重要度	難易度
問題1	合併1	8分	簿A	基本
問題2	合併2	8分	簿B	応用
問題3	合併3	8分	簿B	応用
問題4	合併4	12分	簿B	応用
問題5	企業評価	12分	簿C	応用
問題6	合併比率、交付株式数の決定	10分	簿C	基本
問題7	事業分離1（分割会社の処理）	10分	簿B	応用
問題8	事業分離2（承継会社の処理）	5分	簿B	応用
問題9	株式交換1	8分	簿B	基本
問題10	株式交換2	10分	簿C	応用
問題11	合併5	8分	総合B	基本
問題12	のれんを含む減損処理	5分	簿B	応用

問題 1 合併1 簿A（8分） 基本

A社はB社を吸収合併することになった。次の資料にもとづいて、(1)A社を取得企業とする場合の合併仕訳と、(2)合併後のA社の貸借対照表を完成させなさい。

【資料1】 合併直前の貸借対照表

A社 貸借対照表 （単位：円）

科　目	金　額	科　目	金　額
諸　資　産	500,000	諸　負　債	300,000
		資　本　金	100,000
		資本準備金	40,000
		利益準備金	10,000
		繰越利益剰余金	50,000
合　計	500,000	合　計	500,000

B社 貸借対照表 （単位：円）

科　目	金　額	科　目	金　額
諸　資　産	60,000	諸　負　債	50,000
		資　本　金	8,000
		資本準備金	1,000
		利益準備金	400
		繰越利益剰余金	600
合　計	60,000	合　計	60,000

【資料2】 その他の条件
1　B社株主への交付株式数は100株である。B社の資産の時価は61,000円であった。なお、払込資本は全額を資本金とすること。
2　A社株式の合併時の時価は1株あたり120円である。

問題 2 合併2 簿B（8分） 応用

A社はB社を吸収合併することになった。次の資料にもとづいて、(1)A社を取得企業とする場合の合併仕訳と、(2)合併後のA社の貸借対照表を完成させなさい。なお、株主資本のマイナス項目については、数値の前に「△」を付すこと。

【資料1】 合併直前の貸借対照表

A社 貸借対照表 （単位：円）

科　目	金　額	科　目	金　額
諸　資　産	500,000	諸　負　債	300,000
		資　本　金	100,000
		資本準備金	40,000
		利益準備金	10,000
		繰越利益剰余金	70,000
		自　己　株　式	△20,000
合　計	500,000	合　計	500,000

B社 貸借対照表 （単位：円）

科　目	金　額	科　目	金　額
諸　資　産	60,000	諸　負　債	50,000
		資　本　金	8,000
		資本準備金	1,000
		利益準備金	400
		繰越利益剰余金	600
合　計	60,000	合　計	60,000

【資料2】 その他の条件
1　B社株主への交付株式数は100株である。このうち20株は自己株式（帳簿価額3,000円）を処分し、残りは新株を発行した。B社の資産の時価は61,000円であった。なお、払込資本は全額資本金とすること。
2　A社株式の合併時の時価は1株あたり120円である。

問 題 ③ **合併3** 簿 B （8分） 応用

A社はB社を吸収合併することになった。次の資料にもとづいて、(1)A社を取得企業とする場合の合併仕訳と、(2)合併後のA社の貸借対照表を完成させなさい。

【資料1】 合併直前の貸借対照表

A社　　　　貸 借 対 照 表　（単位：円）

科　目	金　額	科　目	金　額
諸　資　産	500,000	諸　負　債	300,000
投資有価証券	3,000	資　本　金	100,000
		資本準備金	40,000
		利益準備金	10,000
		繰越利益剰余金	53,000
合　計	503,000	合　計	503,000

B社　　　　貸 借 対 照 表　（単位：円）

科　目	金　額	科　目	金　額
諸　資　産	60,000	諸　負　債	50,000
		資　本　金	8,000
		資本準備金	1,000
		利益準備金	400
		繰越利益剰余金	600
合　計	60,000	合　計	60,000

【資料2】 その他の条件

1　A社はB社株式の一部を投資有価証券（帳簿価額3,000円）として保有しており、A社を除くB社株主に対し80株を交付した。B社の資産の時価は61,000円であった。なお、払込資本は全額を資本金とすること。

2　A社株式の合併時の時価は1株あたり120円である。

問題 4 合併4 薄B（12分） 応用

H社はN社を吸収合併することになった（取得企業はH社である。）。

下記の資料に基づいて、パーチェス法によった場合（資本金組入額は1株50円とし、残額は資本準備金とする。）における、合併貸借対照表作成のために必要な仕訳を答案用紙に従って示しなさい。また、H社の合併後の貸借対照表を作成しなさい。

【資料1】 個別貸借対照表（単位：円）

H社	貸 借 対 照 表		
流 動 資 産	8,000	諸 負 債	10,000
有形固定資産	21,000	減価償却累計額	1,000
		資 本 金	10,000
		資本準備金	900
		利益準備金	700
		繰越利益剰余金	6,400
	29,000		29,000

N社	貸 借 対 照 表		
流 動 資 産	3,000	諸 負 債	2,800
有形固定資産	7,900	減価償却累計額	800
		資 本 金	4,000
		利益準備金	600
		別途積立金	1,700
		繰越利益剰余金	1,000
	10,900		10,900

【資料2】 合併に必要な事項

1. N社の有形固定資産には償却不足が100円ある。
2. H社の流動資産のうち80円はN社に対する売掛金であり、N社の諸負債のうち80円はH社に対する買掛金である。
3. H社の有形固定資産の時価は24,400円であり、N社の有形固定資産の時価は8,200円である。
4. 発行済株式数はH社が160株、N社が80株である。
5. 合併比率は、H社：N社＝1：0.75と算定された。
6. 両会社とも、流動資産と固定資産はすべて現物財産であり、諸負債はすべて債務である。
7. 両会社とも、流動資産の価額は時価に等しい。
8. H社株式の時価は1株150円である。

11 組織再編

12 リース会計Ⅱ

13 純資産会計Ⅱ

14 連結会計

15 キャッシュ・フロー会計

16 デリバティブ

17 帳簿組織

18 伝票会計

19 総合問題

問題 5 企業評価 簿C (12分) 応用

　下記の資料に基づいて、答案用紙に示す各々の方法により、G社（存続会社）とY社（消滅会社）の企業評価額を示すとともに、合併比率を答えなさい。

【資料1】　合併直前の貸借対照表

個別貸借対照表 （単位：千円）

借 方 科 目	G 社	Y 社	貸 方 科 目	G 社	Y 社
現 金 預 金	21,700	14,500	買 掛 金	17,200	12,500
売 掛 金	40,800	21,000	修 繕 引 当 金	1,400	—
商 品	12,100	9,300	長 期 借 入 金	—	10,000
前 払 費 用	—	800	減価償却累計額	11,000	7,900
建 物	55,000	30,000	資 本 金	80,000	40,000
株 式 交 付 費	—	300	資 本 準 備 金	8,000	—
			利 益 準 備 金	4,200	1,600
			別 途 積 立 金	1,700	900
			繰越利益剰余金	6,100	3,000
合 計	129,600	75,900	合 計	129,600	75,900

【資料2】　資産・負債の時価（正味売却価額）

	商 品	建 物
G 社	12,700千円	45,000千円
Y 社	9,000千円	18,400千円

繰延資産（株式交付費）、修繕引当金、減価償却累計額の評価額はゼロとする。

【資料3】　G社について
1. 発行済株式総数は1,600株である。
2. 売掛金のうち1,000千円はY社に対するものである。

【資料4】　Y社について
1. 発行済株式総数は800株である。
2. 建物の減価償却費が200千円過小に計上されている。
3. 商品は原価で評価されたままとなっている。

【資料5】　その他
1. G社とY社の平均自己資本利益率は次のとおりである。また、両社の属する業界の平均自己資本利益率は5％である。
　　　G社：9％　　　Y社：6.2％
2. 過去3年間の平均株価は、G社が75,000円、Y社が58,500円である。
3. 折衷法には、帳簿価額法と収益還元価値法を用いる。

問題 6　合併比率、交付株式数の決定　簿C （10分）　基本

A社はB社を吸収合併した。次の資料にもとづいて、(1) A・B社の合併比率と(2) A社の交付株式数を、折衷法(純資産額法と収益還元価値法の平均)により求めなさい。

【資料1】　合併直前の貸借対照表

A社　　　　　貸 借 対 照 表　（単位：円）

科　　目	金　額	科　　目	金　額
諸　資　産	1,600,000	諸　負　債	320,000
		資　本　金	800,000
		資本準備金	100,000
		利益準備金	60,000
		繰越利益剰余金	320,000
合　　計	1,600,000	合　　計	1,600,000

B社　　　　　貸 借 対 照 表　（単位：円）

科　　目	金　額	科　　目	金　額
諸　資　産	302,000	諸　負　債	78,000
		資　本　金	160,000
		資本準備金	30,000
		利益準備金	2,000
		繰越利益剰余金	32,000
合　　計	302,000	合　　計	302,000

【資料2】　その他の条件
1　A社の発行済株式数は16,000株、B社の発行済株式数は3,200株である。
2　自己資本利益率はA社が15%、B社が12%である。
3　資本還元率は両社ともに10%である。

問題 7　事業分離1（分割会社の処理）　簿B （10分）　応用

A社は、×2年3月31日にa事業部をB社に移転した。次の資料にもとづいて、移転の対価としてB社株式を受け取った結果、(1) B社が子会社・関連会社となった場合、(2) B社が子会社・関連会社とならなかった場合のそれぞれについて、①A社の移転にかかる仕訳を示し、②移転後のA社貸借対照表を完成させなさい。

【資料1】　事業分離時のA社貸借対照表

貸 借 対 照 表

A社　　　　　　×2年3月31日　　　　　　（単位：千円）

科　　　　目	金　　額	科　　　　目	金　　額
a 事 業 資 産	32,000	a 事 業 負 債	12,000
そ の 他 の 資 産	178,000	そ の 他 の 負 債	103,000
		資　　本　　金	60,000
		繰 越 利 益 剰 余 金	35,000
合　　　計	210,000	合　　　計	210,000

【資料2】　その他の条件
1　B社は事業分離の対価として、新株1,200株を発行する。
2　事業分離日のB社の株価は1株あたり20千円である。
3　上記設問(2)の場合、B社株式は「その他有価証券」に区分される。なお、事業分離前、A社はB社の株式を一切保有していない。

➡️答案用紙 P.11-6 ➡️解答・解説 P.11-6

11 組織再編

12 リース会計Ⅱ

13 純資産会計Ⅱ

14 連結会計

15 キャッシュ・フロー会計

16 デリバティブ

17 帳簿組織

18 伝票会計

19 総合問題

問題 8 **事業分離2（承継会社の処理）** 簿B （5分） 応用

A社は、×2年3月31日にa事業部をB社に移転した。次の資料にもとづいて、移転取引が取得（B社が取得企業）と判定された場合のB社の移転にかかる仕訳を示しなさい。

【資料1】 事業分離時のA社貸借対照表

w

貸 借 対 照 表

A社　　　　　　　　　　　　×2年3月31日　　　　　　　　（単位：千円）

科　　　　　目	金　　額	科　　　　　目	金　　額
a 事 業 資 産	32,000	a 事 業 負 債	12,000
そ の 他 の 資 産	178,000	そ の 他 の 負 債	103,000
		資　　本　　金	60,000
		繰 越 利 益 剰 余 金	35,000
合　　　　計	210,000	合　　　　計	210,000

【資料2】 その他の条件
1　B社は対価として、新株1,200株を発行する（子会社および関連会社には該当しない）。
2　事業分離日のB社の株価は1株あたり20千円である。
3　a事業資産の時価は35,000千円、a事業負債の時価は12,000千円である。
4　払込資本は、全額を資本金に組み入れること。

問題 9 **株式交換1** 簿B （8分） 基本

A社は株式交換によりB社を完全子会社とした。次の資料にもとづいて、（1）A社を取得企業とする場合の仕訳と、（2）株式交換後のA社貸借対照表を完成させなさい。

【資料1】 株式交換直前の貸借対照表

A社　　　貸 借 対 照 表　（単位：円）

科　目	金　額	科　目	金　額
諸　資　産	500,000	諸　負　債	300,000
		資　本　金	100,000
		資本準備金	40,000
		利益準備金	10,000
		繰越利益剰余金	50,000
合　　計	500,000	合　　計	500,000

B社　　　貸 借 対 照 表　（単位：円）

科　目	金　額	科　目	金　額
諸　資　産	60,000	諸　負　債	50,000
		資　本　金	8,000
		資本準備金	1,000
		利益準備金	400
		繰越利益剰余金	600
合　　計	60,000	合　　計	60,000

【資料2】 その他の条件
1　B社株主への交付株式数は100株である。B社の資産の時価は61,000円であった。なお、払込資本は全額を資本金とすること。
2　A社株式の株式交換時の時価は1株あたり120円である。

問題 10 株式交換2 [簿 C] （10分） 応用

A社は株式交換によりB社を完全子会社とした。次の資料にもとづいて、（1）A社を取得企業とする場合の仕訳と、（2）株式交換後のA社貸借対照表を完成させなさい。なお、株主資本のマイナス項目については、数値の前に「△」を付すこと。

【資料1】 株式交換直前の貸借対照表

A社 貸借対照表 （単位：円）

科　目	金　額	科　目	金　額
諸　資　産	500,000	諸　負　債	300,000
		資　本　金	100,000
		資本準備金	40,000
		利益準備金	10,000
		繰越利益剰余金	70,000
		自　己　株　式	△ 20,000
合　　計	500,000	合　　計	500,000

B社 貸借対照表 （単位：円）

科　目	金　額	科　目	金　額
諸　資　産	60,000	諸　負　債	50,000
		資　本　金	8,000
		資本準備金	1,000
		利益準備金	400
		繰越利益剰余金	600
合　　計	60,000	合　　計	60,000

【資料2】 その他の条件
1　B社株主への交付株式数は100株である。このうち、20株は自己株式（帳簿価額3,000円）を処分し、残りは新株を発行した。B社の資産の時価は61,000円であった。なお、払込資本は全額を資本金とすること。
2　A社株式の株式交換時の時価は1株あたり120円である。

問題 11 合併5 [簿 B] （8分） 基本

A社はB社を吸収合併することになった。次の資料にもとづいて、合併後のA社の貸借対照表を完成させなさい。

【資料1】 合併直前の貸借対照表

A社 貸借対照表 （単位：円）

科　目	金　額	科　目	金　額
諸　資　産	625,000	諸　負　債	375,000
		資　本　金	125,000
		資本準備金	50,000
		利益準備金	12,500
		繰越利益剰余金	62,500
合　　計	625,000	合　　計	625,000

B社 貸借対照表 （単位：円）

科　目	金　額	科　目	金　額
諸　資　産	75,000	諸　負　債	62,500
		資　本　金	10,000
		資本準備金	1,250
		利益準備金	500
		繰越利益剰余金	750
合　　計	75,000	合　　計	75,000

【資料2】 その他の条件
1　B社株主への交付株式数は100株である。B社の諸資産の時価は76,250円であった。なお、払込資本は10,000円を資本金とし、残額を資本準備金とすること。
2　A社株式の合併時の時価は1株150円である。

➡ 答案用紙 P.11-7 ➡ 解答・解説 P.11-8

11 組織再編

12 リース会計II

13 純資産会計II

14 連結会計

15 キャッシュ・フロー会計

16 デリバティブ

17 帳簿組織

18 伝票会計

19 総合問題

問題 12 のれんを含む減損処理 　簿B（5分）　応用

次の資料にもとづき、必要な仕訳を示しなさい。なお、当社では「のれんを含むより大きな単位で減損損失を認識する方法」による会計処理を採用している。

期末におけるＡ事業資産について減損損失を測定する。Ａ事業資産に関する当期末における経済的状況は資料のとおりである。

【資　料】

（単位：円）

	土地	建物	備品	のれん	合計
帳簿価額	400,000	250,000	150,000	?	?
減損の兆候	あり	あり	なし	あり	あり
割引前将来キャッシュ・フロー	370,000	280,000	不明	不明	770,000
回収可能価額	350,000	260,000	不明	不明	750,000

これらの資産は一体となってキャッシュ・フローを生み出している。

期末におけるのれんの帳簿価額は250,000円であり、数年前にＡ事業部とＢ事業部を買収により取得したさいに計上したものである。のれんの帳簿価額は、各事業ののれん認識時点における時価の比率により按分する。のれん認識時点におけるＡ事業部の時価は800,000円、Ｂ事業部の時価は1,200,000円である。

Chapter 12

リース会計Ⅱ

問題 1 セール・アンド・リースバック取引 簿B（8分）応用

以下の資料にもとづき、各問いに答えなさい。当期は×20年4月1日から×21年3月31日までの1年間である。

【資　料】

当社は、車両の効率的総合管理を行うために、(1)に示す自社所有の営業用車両のすべてを、(2)に示す条件によりリース会社（第三者）に売却し、改めてその全部をリース会社からリースを受ける、いわゆるセール・アンド・リースバック取引を行った。これは、売買処理を要する所有権移転ファイナンス・リース取引に該当する。

(1) 対象資産の内容

① 取得年月日　　　　　　　　　　×19年4月1日

② 取得価額　　　　　　　　　　　60,000千円

③ 当社における車両の減価償却　償却方法　定額法（間接法）

取得時の耐用年数　5年

残存価額　ゼロ

④ ×20年4月1日の帳簿価額　48,000千円

(2) セール・アンド・リースバック取引の条件

① 契約日：×20年4月1日

② 売却価額：50,000千円

③ 解約不能のリース期間：×20年4月1日から4年間

④ リース料は毎年1回4月1日に均等払いで、リース債務の返済スケジュールは下記(3)に示したとおりである。

年額リース料　13,429千円

リース料総額　53,716千円

⑤ リース会社の計算利子率は年5％であり、当社はこれを知り得るものとする。

⑥ 車両の所有権は、リース期間終了日の×24年3月31日に無償で当社に移転される。

⑦ リースバック時以後の経済的耐用年数は4年である。

(3) リース債務の返済スケジュール

（単位：千円）

返済日	期首元本	返済合計	元本分	利息分	期末元本
×20年4月1日	50,000	13,429	13,429	−	36,571
×21年4月1日	36,571	13,429	11,600	1,829	24,971
×22年4年1日	24,971	13,429	12,180	1,249	12,791
×23年4月1日	12,791	13,429	12,791	638	0
合計		53,716	50,000	3,716	

(4) 当社の当期中の処理は次のとおりである。

× 20 年 4 月 1 日

（単位：千円）

借　方　科　目	金　　額	貸　方　科　目	金　　額
現　金　預　金	50,000	車　両　運　搬　具	60,000
車両運搬具減価償却累計額	12,000	固定資産売却益	2,000
支　払　リ　ー　ス　料	13,429	現　金　預　金	13,429

　なお、当社のリース会社への売却時に計上した売却にともなう損益は、長期前受収益として繰延処理し、リース資産の減価償却費の割合に応じて、償却する。

　また、当社のリース期間中の減価償却費は、リース期間終了時には残存価額がゼロとなるように計算する。

問 1　リース取引の期中誤処理に関する必要な修正仕訳を示しなさい。

問 2　リース取引に関する決算整理仕訳を示しなさい。

11 組織再編

12 リース会計Ⅱ

13 純資産会計Ⅱ

14 連結会計

15 キャッシュ・フロー会計

16 デリバティブ

17 帳簿組織

18 伝票会計

19 総合問題

········ *Memorandum Sheet* ········

Chapter *13*

純資産会計Ⅱ

問題 1　ストック・オプション1　簿B（5分）　基本

　次の資料にもとづいて、答案用紙の各日付において計上される株式報酬費用の金額を答えなさい。なお、当社の会計期間は毎年3月31日を決算日とする1年間である。

【資料1】 ストック・オプションの付与に関する事項

　×1年6月の株主総会において、従業員等200人を対象に、以下の条件でストック・オプションを付与することを決議した。

1　付与数：1人あたり50個　　　2　新株予約権1個あたり株式交付数：5株
3　権利行使価額：1株あたり3,000千円　　　4　付与日：×1年7月1日
5　権利確定日：×3年6月30日　　　6　権利行使期間：×3年7月1日～×5年6月30日
7　付与日における公正な評価単価：新株予約権1個につき100千円

【資料2】 従業員等の失効見込人数に関する事項

1　付与日における失効見込人数は3人であった。
2　×2年4月1日から始まる会計期間において、失効見込人数を5人に修正した。
3　権利確定日における累積失効人数は5人であった。

問題 2　ストック・オプション2　簿B（5分）　基本

　次の資料にもとづいて、各問いに答えなさい。なお、当社の会計期間は、毎年3月31日を決算日とする1年間である。

【資　料】

　×1年7月1日に、当社役員10人に対し、以下の条件でストック・オプションを付与した。

1　付与数：役員1人につき5個（合計50個）
2　付与日における公正な評価単価：1個あたり300千円
3　付与日における失効見込数：2人
4　権利確定日：×4年6月30日
5　権利行使期間：×4年7月1日から×6年6月30日
6　目的となる株式数：5,000株（1個につき100株）
7　権利行使にさいして払込みをすべき金額：1株につき17千円

問1　×2年3月31日の決算における、当該ストック・オプションに関する仕訳を示しなさい。また、当該ストック・オプションの費用の損益計算書における計上区分について答えなさい。

問2　×4年12月1日に、役員3人が保有する当該ストック・オプションのすべてが権利行使された場合の仕訳を示しなさい。なお、払込みは現金預金により、資本金に組み入れる額は会社法規定の最低額とする。また、権利確定日における実際累積失効者数は2人であった。

問題 3 ストック・オプション3 B (10分) 応用

次の資料にもとづいて、答案用紙に示した×5年度(×5年4月1日～×6年3月31日)の株主資本等変動計算書を完成させなさい。

【資 料】

×3年7月1日に従業員50人に対して以下の条件のストック・オプションを付与した。×5年6月30日までに7人の退職による失効を見込んでいる。

1 ストック・オプションの数：1人あたり100個(合計5,000個)

2 権利行使により与えられる株式の数：合計5,000株

3 行使価額(1株あたり)：80千円

4 権利確定日：×5年6月30日

5 権利行使期間：×5年7月1日～×7年6月30日

6 付与日における公正な評価単価：10千円／個

7 ×5年3月31日に失効見込人数を6人に修正した。

8 ×5年6月30日までに実際に退職したのは5人であった。

9 ×6年3月10日に20人(合計2,000個)の権利行使があった。

10 資本金組入額は会社法規定の最低額とする。

問題 4 株式の無償交付(株式引受権) 簿B (5分) 基本

次の資料にもとづいて、⑴～⑸の仕訳を示しなさい。なお、決算日は年1回3月末日とする。

【資 料】

当社は×1年6月の株主総会において報酬等としての募集株式の数の上限等を決議し、同日の取締役会において、取締役13名に対して報酬等として、一定の条件を達成した場合に会社法規定にもとづく新株の発行を行うこととする契約を取締役と締結することを決議し、同年7月1日に取締役との間で条件について合意した契約を締結した。

条件等は次のとおりである。

① 割り当てる株式の数：取締役1名あたり100株

② 割当条件：X1年7月1日から×3年6月30日までの間、取締役として業務を行うこと。

③ 割当条件を達成できなかった場合には、契約は失効する。

④ ×1年7月1日を付与日とした。なお、同日における株式の公正な評価単価は1株あたり3,600円とする。

⑤ 付与時点において、×3年6月30日までに2名の自己都合による退任に伴う失効を見込んでいる。

⑴ ×2年3月31日(決算日)

×2年3月期中に1名の自己都合による退任が発生した。なお、×3年6月30日までの退任による失効見込み数に変更はないものとする。

11 組織再編

12 リース会計II

13 純資産会計II

14 連結会計

15 キャッシュ・フロー会計

16 デリバティブ

17 帳簿組織

18 伝票会計

19 総合問題

(2) ×3年3月31日(決算日)

×3年3月期中に1名の自己都合による退任が発生した。これにともない、×3年6月30日までの退任による失効見込み数を2名から3名に変更することとした。

(3) ×3年6月30日(権利確定日)

×3年4月1日から6月30日までの間に1名の自己都合による退任が発生し、権利確定日までの累計での退任者数は3名となった。

(4) ×3年7月1日(株式割当日)

権利確定した株式について、新株を発行した。新株の発行にともなって増加する払込資本のうち、会社法規定による最低限度額を資本金に計上する。

(5) 上記(4)において、新株の発行ではなく自己株式(帳簿価額3,200,000円)の処分により株式の交付を行った場合

➡答案用紙 P.13-3 ➡解答・解説 P.13-5

問題 5 分配可能額の計算1 〔計B〕(10分) 基本

次の資料にもとづいて、一連の取引に関する各問いに答えなさい。前期末から×1年6月24日まで、株主資本項目に変動はなかった。なお、会計期間は3月31日を決算日とする1年間である。

【資料1】 前期末貸借対照表(一部)

貸 借 対 照 表
×1年3月31日 (単位:千円)

資 産 の 部		純 資 産 の 部	
科 目	金 額	科 目	金 額
		資 本 金	90,000
		資 本 準 備 金	4,000
		その他資本剰余金	3,600
		利 益 準 備 金	5,920
		別 途 積 立 金	4,800
		繰 越 利 益 剰 余 金	6,400
		自 己 株 式	△ 800

【資料2】 ×1年6月25日から×1年12月24日までに行われた資本取引の概要

1 株主総会決議により、繰越利益剰余金からの配当800千円を行い、利益準備金80千円を積み立てた。

2 株主総会決議により、資本準備金400千円および利益準備金640千円を剰余金に振り替えた。

3 株主総会決議により、別途積立金800千円を取り崩し、別途積立金560千円を積み立てた。

4 自己株式240千円を取得した。

5 自己株式160千円を200千円で処分した。

問1 ×1年6月24日における分配可能額を計算しなさい。

問2 ×1年12月25日における分配可能額を計算しなさい。

➡答案用紙 P.13-3 ➡解答・解説 P.13-6

11 組織再編
12 リース会計Ⅱ
13 純資産会計Ⅱ
14 連結会計
15 キャッシュ・フロー会計
16 デリバティブ
17 帳簿組織
18 伝票会計
19 総合問題

問題 6　分配可能額の計算2　[期計B]（10分）　応用

次の資料にもとづいて、配当の効力発生日（×20年6月25日）における剰余金の分配可能額に関する、(1)～(5)の各金額を計算しなさい。なお、当社の会計期間は3月31日を決算日とする1年間である。

【資料1】　前期の貸借対照表（一部）

貸 借 対 照 表
×20年3月31日　　　　　　　　　　　　　　　　　　　　（単位：千円）

科　　　　目	金　　額	
Ⅰ　株　主　資　本		
資　　本　　金		120,000
資　本　剰　余　金		
資　本　準　備　金	8,000	
その他資本剰余金	1,700	9,700
利　益　剰　余　金		
利　益　準　備　金	22,000	
その他利益剰余金	230,000	252,000
自　己　株　式		△　3,200
Ⅱ　評価・換算差額等		
その他有価証券評価差額金		△　150
純資産の部合計		（各自計算）

【資料2】　前期首に自己株式100株を8,000千円で取得し、×19年11月に60株を4,500千円で処分した。また、×20年4月に30株を2,800千円で処分した。

【資料3】　×19年7月1日にA社を合併したことにより、のれん300,000千円を取得した。5年間の定額法により償却する。

【資料4】　×19年8月1日に市場開拓のための費用26,250千円を特別に支出し、繰延資産に計上した。5年間の定額法により償却する。

(1)　最終事業年度の末日における剰余金の額
(2)　最終事業年度の末日後の剰余金の変動額
(3)　配当の効力発生日における剰余金の額
(4)　分配可能額の計算上控除すべき額
(5)　配当の効力発生日における分配可能額

·········· *Memorandum Sheet* ··········

Chapter 14

連結会計

問題 1 資本連結 簿B（5分） 基本

次の資料にもとづいて、連結貸借対照表を作成しなさい。

【資料】 ×1年3月31日のP社・S社の個別貸借対照表

P社貸借対照表 （単位：千円）

科 目	金 額	科 目	金 額
諸 資 産	680,000	諸 負 債	400,000
S 社 株 式	90,000	資 本 金	160,000
		利益剰余金	210,000
合 計	770,000	合 計	770,000

S社貸借対照表 （単位：千円）

科 目	金 額	科 目	金 額
諸 資 産	300,000	諸 負 債	210,000
		資 本 金	60,000
		利益剰余金	30,000
合 計	300,000	合 計	300,000

P社は×1年3月31日にS社発行株式の全部を90,000千円で取得して支配した。なお、P社・S社とも会計期間は4月1日から3月31日までであり、×1年3月31日においてS社の諸資産および諸負債の時価は帳簿価額に等しいものとする。

問題 2 子会社貸借対照表の評価替え 簿B（8分） 基本

次の資料にもとづいて、(1)連結貸借対照表を作成するにあたって必要となる評価替えの仕訳および(2)連結貸借対照表を示しなさい。なお、税効果会計は考慮しないものとする。

【資料1】 土地の簿価および時価

P社は×1年3月31日にS社発行済株式の全部を120,000千円で取得して支配した。これにさいしてP社とS社の資産および負債の時価を評価したところ、次の事実が判明した。

	簿 価	時 価
（P社）土 地	80,000千円	120,000千円
（S社）土 地	30,000千円	60,000千円

【資料2】 ×1年3月31日のP社・S社の個別貸借対照表

P社貸借対照表 （単位：千円）

科 目	金 額	科 目	金 額
現 金 預 金	140,000	借 入 金	100,000
備 品	100,000	資 本 金	250,000
土 地	80,000	資本剰余金	50,000
S 社 株 式	120,000	利益剰余金	40,000
合 計	440,000	合 計	440,000

S社貸借対照表 （単位：千円）

科 目	金 額	科 目	金 額
現 金 預 金	135,000	借 入 金	75,000
土 地	30,000	資 本 金	75,000
		利益剰余金	15,000
合 計	165,000	合 計	165,000

11 組織再編

12 リース会計II

13 純資産会計II

14 連結会計

15 キャッシュ・フロー会計

16 デリバティブ

17 帳簿組織

18 伝票会計

19 総合問題

問題 3 のれんの処理 簿B（5分） 基本

次の資料にもとづいて、下記の各問いに答えなさい。なお、税効果会計は考慮しないものとする。

【資料1】 決算日の状況

　P社は×1年3月31日に発行済株式総数10,000株のS社の株式のすべてを102,000千円で取得して支配した。×1年3月31日は、S社の決算日であり、かつP社の決算日でもある。なお、決算日にS社の資産を時価で評価したところ、土地の時価が簿価より3,500千円上昇していた。

【資料2】 ×1年3月31日のP社・S社の個別貸借対照表

P社貸借対照表 （単位：千円）

科　目	金　額	科　目	金　額
諸　資　産	448,000	諸　負　債	315,000
土　　地	150,000	資　本　金	280,000
S　社　株　式	102,000	資本剰余金	70,000
		利益剰余金	35,000
合　計	700,000	合　計	700,000

S社貸借対照表 （単位：千円）

科　目	金　額	科　目	金　額
諸　資　産	150,000	諸　負　債	90,000
土　　地	30,000	資　本　金	60,000
		資本剰余金	18,000
		利益剰余金	12,000
合　計	180,000	合　計	180,000

(1)　土地の評価替えのための仕訳を示しなさい。

(2)　のれんの金額を算定しなさい。

問題 4 のれん償却と子会社純利益の振替え 簿B（8分） 基本

次の資料にもとづいて、P社の×2年度の連結財務諸表を作成するために必要な(1)当期純利益の振替えの仕訳と(2)のれんの償却の仕訳を示しなさい。なお、税効果会計は考慮しないものとする。

【資　料】

1　×2年3月31日に、P社はS社株式の80％を85,600千円で取得して支配した。

　　支配獲得時のS社の資本金は75,000千円、利益剰余金は25,000千円である。

2　P社の×2年度は、×2年4月1日から×3年3月31日までである。この間にS社の資本金の増減はなかった。

3　S社の諸資産と諸負債について、×3年3月31日の帳簿価額と時価は一致している。ただし、×2年3月31日においてS社の諸資産の時価は、帳簿価額よりも2,000千円上昇していた。

4　のれんは、発生年度の翌年から、20年で均等償却を行う。

5　×3年3月31日のS社個別貸借対照表および×2年度のS社株主資本等変動計算書は次のとおりである。

S社貸借対照表 （単位：千円）

科　目	金　額	科　目	金　額
諸　資　産	213,000	諸　負　債	100,000
		資　本　金	75,000
		利益剰余金	38,000
合　計	213,000	合　計	213,000

S社株主資本等変動計算書 （単位：千円）

科　目	金　額	科　目	金　額
資本金当期末残高	75,000	資本金当期首残高	75,000
利益剰余金当期末残高	38,000	利益剰余金当期首残高	25,000
		当期純利益	13,000

➡答案用紙 P.14-2 ➡解答・解説 P.14-2

問 題 5 貸付金・借入金 （3分）　　基本

次の取引について、連結決算日における修正仕訳を示しなさい。なお、P社は当期首においてS社株式の80%を取得し支配しており、会計期間は×2年3月31日を決算日とする1年である。

　　S社の短期借入金60,000千円は、×1年10月1日にP社より借り入れたものである。なお、借入金の返済日は×2年6月30日、年利率は4%で利息は返済時に一括して支払う。

➡答案用紙 P.14-3 ➡解答・解説 P.14-3

問 題 6 売掛金・貸倒引当金 （3分）　　基本

次の資料にもとづいて、連結決算日における修正仕訳を示しなさい。なお、P社は前期よりS社株式の80%を取得し支配しており、会計期間は×6年3月31日を決算日とする1年である。

【資　料】　貸倒引当金の設定について
1　当期末にP社が有する売掛金のうち75,000千円はS社に対するものであった。
2　P社は売掛金に対して、3%の貸倒引当金を設定している。

➡答案用紙 P.14-3 ➡解答・解説 P.14-3

問 題 7 手形取引 （5分）　　基本

次の取引について、連結決算日における修正仕訳を示しなさい。なお、P社は前期よりS社株式の80%を取得し支配しており、会計期間は×6年3月31日を決算日とする1年である。

　　S社はP社に対して、P社受取の約束手形70,000千円を振り出した。P社はこのうち10,000千円を仕入先に対して裏書譲渡し、20,000千円を銀行で割り引き、残額を期末現在保有している。なお、手形割引時の割引料200千円のうち次期にかかる分は50千円である。

➡答案用紙 P.14-3 ➡解答・解説 P.14-3

問 題 8 未実現利益の消去（棚卸資産） 簿B （3分）　　基本

次の資料にもとづいて、未実現利益の調整にかかる連結修正仕訳を示しなさい。

【資　料】　P社とS社の間の商品売買取引関係について
1　P社は現在S社の発行済株式の70%を保有している。
2　親会社であるP社は、子会社であるS社に対して毎期原価の20%増しの価格で商品Zを販売している。
3　S社の期末商品のうち900千円はP社から仕入れた商品Zである。

11 組織再編

12 リース会計II

13 純資産会計II

14 連結会計

15 キャッシュ・フロー会計

16 デリバティブ

17 帳簿組織

18 伝票会計

19 総合問題

問題 9　連結財務諸表　薄B（10分）　応用

　下記の資料に基づいて、01年4月1日から02年3月31日におけるP社の連結財務諸表を作成しなさい。

【資料1】　個別財務諸表（単位：千円）

貸借対照表

資　産	P社	S社	負債・純資産	P社	S社
諸　資　産	10,020	3,500	諸　負　債	4,460	2,250
関係会社株式	780	—	資　本　金	4,800	700
			利益剰余金	1,540	550

損益計算書

資　産	P社	S社	負債・純資産	P社	S社
売上原価	5,000	1,000	売　上　高	7,000	1,500
販売費管理費	1,300	100	受取配当金	40	—
当期純利益	740	400			

株主資本等変動計算書

	資　本　金		利益剰余金	
	P社	S社	P社	S社
当期首残高	4,800	700	900	200
当期変動額				
剰余金の配当			△　100	△　50
当期純利益			740	400
当期変動額合計	0	0	640	350
当期末残高	4,800	700	1,540	550

【資料2】　S社株式の取得状況

　01年3月末にP社はS社の株式80%を780千円で取得した。

　S社株式取得時のS社の資本の内訳：資本金700千円、利益剰余金200千円

【資料3】　剰余金の配当

　S社は01年6月に利益剰余金50千円の配当を行った。

【資料4】　のれん

　のれんは02年3月期より20年の均等償却を行う。

問 題 10 総合問題 簿B（20分） （本試験問題改題）応用

　関東交易株式会社は、年初に100％の出資をして中部交易株式会社を設立した。グループ全体の財政状態および経営成績を把握するための決算を行う。次の資料にもとづいて、連結損益計算書および連結貸借対照表を完成させなさい。

【資料1】　関東交易株式会社の貸借対照表

貸 借 対 照 表

関東交易株式会社　　　　　　　　×19年12月31日　　　　　　　　（単位：千円）

（資　産　の　部）			（負　債　の　部）		
科　　　目	金	額	科　　　目	金	額
I 流　動　資　産			I 流　動　負　債		
現　金　預　金		1,971,100	支　払　手　形		1,000
受　取　手　形	17,000		買　　掛　　金		3,000
貸　倒　引　当　金	△　　170	16,830	短　期　借　入　金		20,000
売　　掛　　金	20,000		未　払　法　人　税　等		30,000
貸　倒　引　当　金	△　　400	19,600	前　　受　　金		200
関　係　会　社　売　掛　金		33,000	II 固　定　負　債		
有　価　証　券		123,000	長　期　借　入　金		40,000
商　　　　品		40,000	（純　資　産　の　部）		
前　払　費　用		80	I 株　主　資　本		
II 固　定　資　産			資　　本　　金		300,000
建　　　　物	780,000		資　本　剰　余　金		300,000
減価償却累計額	△ 49,300	730,700	利　益　剰　余　金		3,526,457
備　　　　品	200,000				
減価償却累計額	△ 27,000	173,000			
土　　　　地		500,000			
投　資　有　価　証　券		220,047			
関　係　会　社　貸　付　金		50,000			
子　会　社　株　式		300,000			
賃　貸　用　建　物	220,000				
減価償却累計額	△176,700	43,300			
資　産　合　計		4,220,657	負債及び純資産合計		4,220,657

【資料2】 関東交易株式会社の損益計算書

損 益 計 算 書

関東交易株式会社　　　　自×19年1月1日　至×19年12月31日　（単位：千円）

科　　目	金	額
I 売　　上　　高		
一　般　売　上　高	1,352,000	
関　係　会　社　売　上　高	198,000	1,550,000
II 売　　上　　原　　価		
期　首　商　品　棚　卸　高	18,000	
当　期　仕　入　高	980,000	
期　末　商　品　棚　卸　高	40,000	958,000
売　上　総　利　益		592,000
III 販売費及び一般管理費		
給　料　手　当	390,700	
貸　倒　引　当　金　繰　入　額	456	
減　価　償　却　費	14,400	
広　告　宣　伝　費	28,800	
その他営業経費	11,148	445,504
営　業　利　益		146,496
IV 営　業　外　収　益		
受　取　配　当　金	2,000	
受　取　利　息	800	
有　価　証　券　利　息	200	
売買目的有価証券評価益	300	3,300
V 営　業　外　費　用		
支　払　利　息		1,270
経　常　利　益		148,526
VI 特　　別　　利　　益		
固　定　資　産　売　却　益		10,300
VII 特　　別　　損　　失		
減　損　損　失		11,700
税引前当期純利益		147,126
法　人　税　等		24,321
当　期　純　利　益		122,805

11 組織再編
12 リース会計II
13 純資産会計II
14 連結会計
15 キャッシュ・フロー会計
16 デリバティブ
17 帳簿組織
18 伝票会計
19 総合問題

【資料3】 中部交易株式会社の貸借対照表

貸 借 対 照 表

中部交易株式会社　　　　　　　　×19年12月31日　　　　　　（単位：千円）

（資 産 の 部）			（負 債 の 部）		
科　　　目	金	額	科　　　目	金	額
I 流 動 資 産			I 流 動 負 債		
現 金 預 金		9,500	支 払 手 形		200
受 取 手 形	20,000		買 　 掛 　 金		1,000
貸 倒 引 当 金	△　　600	19,400	関係会社買掛金		29,700
売 　 掛 　 金	23,000		関係会社借入金		50,000
貸 倒 引 当 金	△　　690	22,310	未 払 法 人 税 等		24,321
有 価 証 券		3,000	前 　 受 　 金		600
商 　 　 　 品		28,000	（純 資 産 の 部）		
II 固 定 資 産			I 株 主 資 本		
建 　 　 　 物	150,000		資 　 本 　 金		150,000
減価償却累計額	△　3,500	146,500	資 本 剰 余 金		150,000
備 　 　 　 品	30,000		利 益 剰 余 金		27,889
減価償却累計額	△　5,000	25,000			
土 　 　 　 地		180,000			
資 産 合 計		433,710	負債及び純資産合計		433,710

【資料4】 中部交易株式会社の損益計算書

損 益 計 算 書

中部交易株式会社　　自×19年1月1日　至×19年12月31日　（単位：千円）

科　　　目	金	額
Ⅰ売　　上　　高		500,000
Ⅱ売　上　原　価		
期首商品棚卸高	0	
当　期　仕　入　高	350,000	
期末商品棚卸高	28,000	322,000
売　上　総　利　益		178,000
Ⅲ販売費及び一般管理費		
給　料　手　当	84,426	
貸倒引当金繰入額	1,290	
減　価　償　却　費	8,500	
広　告　宣　伝　費	10,000	
その他営業経費	21,000	125,216
営　業　利　益		52,784
Ⅳ営　業　外　収　益		
受　取　利　息	20	
有　価　証　券　利　息	6	26
Ⅴ営　業　外　費　用		
支　払　利　息		600
経　常　利　益		52,210
税引前当期純利益		52,210
法　人　税　等		24,321
当　期　純　利　益		27,889

【留意事項】

1　中部交易株式会社以外に関東交易株式会社の関係会社はない。

2　関東交易株式会社の子会社株式と中部交易株式会社の株主資本を連結する。なお、中部交易株式会社が設立されたときの資産および負債の時価と簿価は一致している。

3　関東交易株式会社と中部交易株式会社の間の取引と債権債務はすべて相殺消去する。

4　中部交易株式会社の期末商品実地棚卸高のうち、関東交易株式会社から仕入れた金額は11,000千円である。

　なお、関東交易株式会社は仕入原価に10％の利益を加算して中部交易株式会社に販売しており、当該利益部分は商品と売上原価を調整して消去する。

5　中部交易株式会社の支払利息は、すべて関東交易株式会社からの借入金に対するものである。

6　期末に関東交易から中部交易への商品の未達事項が1件ある。

問題 11 持分法 薄B (5分) 基本

P社は×8年12月31日に、M社の発行済議決権株式総数の20%を60,000千円で取得し、持分法を適用することとした。なお、P社、M社ともに、当期は×9年12月31日を決算日とする1年であり、のれんは発生年度の翌年から10年間で均等償却している。また、税効果会計は考慮しないものとする。そこで、次の資料にもとづいて各問いに答えなさい。

【資　料】　×8年12月31日におけるM社貸借対照表と×9年度におけるM社株主資本等変動計算書(一部)

M社　　　　　　貸 借 対 照 表 (単位：千円)

科　　目	金　額	科　　目	金　額
⋮		⋮	
		資　本　金	135,000
		利益準備金	27,000
		任意積立金	36,000
		繰越利益剰余金	72,000
		純資産合計	270,000

M社　　　　　　株主資本等変動計算書 (単位：千円)

科　　目	金　額	科　　目	金　額
利益剰余金当期末残高	180,000	利益剰余金当期首残高	135,000
		当期純利益	45,000

(1)　P社の当期におけるM社の当期純利益の振替えの仕訳を示しなさい。

(2)　P社の当期におけるのれんの償却についての仕訳を示しなさい。

➡答案用紙 P.14-7 ➡解答・解説 P.14-10

11 組織再編

12 リース会計Ⅱ

13 純資産会計Ⅱ

14 連結会計

15 キャッシュ・フロー会計

16 デリバティブ

17 帳簿組織

18 伝票会計

19 総合問題

問題 12 **連結包括利益計算書1** （10分） 基本

　P社は×1年3月31日にS社発行済株式の80%を取得し支配した。×2年度(×2年4月1日～×3年3月31日)の次の資料にもとづいて、2計算書方式による連結包括利益計算書を作成し、親会社株主に係る包括利益と非支配株主に係る包括利益の金額を付記しなさい。なお、税効果を適用し、実効税率は30%とする。

【資料1】　連結損益計算書(一部)

連結損益計算書　（単位：千円）

：	
税金等調整前当期純利益	100,000
法人税等	30,000
当期純利益	70,000
非支配株主に帰属する当期純利益	2,400
親会社株主に帰属する当期純利益	67,600

【資料2】　その他有価証券に関する事項

　P社は×1年4月1日にX社株式を5,000千円で購入し、その他有価証券に分類しており、前期末(×2年3月31日)の時価は5,400千円、当期末(×3年3月31日)の時価は6,500千円であった。

　なお、当期においてP社はその他有価証券の追加取得および売却を行っていない。また、S社は設立以来その他有価証券を一切保有していない。

【資料3】　その他の純資産の変動に関する事項

　上記の資料で判明する事項のほか、×2年度においてP社は新株10,000千円の発行と新株予約権200千円の発行を行っている。

　その結果、×2年度における連結貸借対照表の純資産の金額は×1年度末の420,000千円から500,970千円に増加した。

問題 13 連結包括利益計算書2 [計C] (10分) 基本

P社は×1年3月31日にS社発行済株式の70%を取得し支配した。×2年度(×2年4月1日～×3年3月31日)の次の資料にもとづいて、答案用紙の1計算書方式による連結損益及び包括利益計算書を完成させ、親会社株主に係る包括利益と非支配株主に係る包括利益の金額を付記しなさい。なお、税効果を適用し、実効税率は30%とする。

なお、連結損益計算書に関する内容の一部については、答案用紙にあらかじめ記入されているものもあるため、そちらも参照すること。

【資　料】　その他有価証券に関する事項

P社は×1年4月1日にU社株式を42,000千円で購入し、その他有価証券に分類している。

前期末(×2年3月31日)と当期末(×3年3月31日)の時価は次のとおりである。

	前期末	当期末
U社株式時価	50,000千円	55,000千円

なお、当期においてP社はその他有価証券の追加取得および売却を行っていない。また、S社は設立以来その他有価証券を一切保有していない。

問題 14 組替調整（リサイクリング） [計C] (5分) 応用

次の資料にもとづき、P社における×2年度の組替調整額の注記を作成しなさい。

【資　料】

・P社はS社を×0年度末に100%子会社化している。

・P社は保有する投資有価証券を、すべてその他有価証券として保有している。

・実効税率は30%である。

	×1年度末	売却による減少	×2年度末
取得原価	15,000円	6,000円	9,000円
時　　価	16,000円	7,500円	12,000円

上記のその他有価証券は、前期に取得したものである。

Chapter 15
キャッシュ・フロー会計

問題 1 営業収入 簿B（4分） 基本

　下記の資料に基づいて、キャッシュ・フロー計算書を直接法により作成した場合における「営業収入」の金額がいくらになるか答えなさい。

【資料1】 貸借対照表（必要な部分のみ）

貸 借 対 照 表 （単位：千円）

資　　産	期　首	期　末	負債・純資産	期　首	期　末
売　掛　金	3,500	3,700			
貸倒引当金	△ 70	△ 74			

【資料2】 損益計算書（必要な部分のみ）

損 益 計 算 書 （単位：千円）

費　　用	金　額	収　　益	金　額
貸　倒　損　失	20	売　　上　　高	36,500
貸倒引当金繰入	40		

問題 2 商品の仕入れによる支出 簿B（4分） 基本

　下記の資料に基づいて、キャッシュ・フロー計算書を直接法により作成した場合における「商品の仕入れによる支出」の金額がいくらになるか答えなさい。

【資料1】 貸借対照表（必要な部分のみ）

貸 借 対 照 表 （単位：千円）

資　　産	期　首	期　末	負債・純資産	期　首	期　末
商　　　　品	1,240	1,330	買　掛　金	1,860	1,590

【資料2】 損益計算書（必要な部分のみ）

損 益 計 算 書 （単位：千円）

費　　用	金　額	収　　益	金　額
売　上　原　価	12,400	仕　入　割　引	40
商品棚卸減耗費	50		

問題 3　人件費の支出・その他の営業支出　簿B（4分）　基本

下記の資料に基づいて、キャッシュ・フロー計算書を直接法により作成した場合における「人件費の支出」及び「その他の営業支出」の金額がいくらになるか答えなさい。

【資料1】　貸借対照表（必要な部分のみ）

貸借対照表　　　　　　　　（単位：千円）

資　産	期　首	期　末	負債・純資産	期　首	期　末
前払その他営業費	250	210	未　払　給　料	115	120
有 形 固 定 資 産	10,000	8,200	賞 与 引 当 金	240	270

【資料2】　損益計算書（必要な部分のみ）

損 益 計 算 書　　　（単位：千円）

費　　用	金　　額	収　　益	金　　額
給　　　　　料	2,310		
従 業 員 賞 与	860		
賞 与 引 当 金 繰 入	270		
減 価 償 却 費	1,800		
そ の 他 営 業 費	5,730		

問題 4　投資活動・財務活動以外　簿B（4分）　基本

下記の資料に基づいて、直接法によるキャッシュ・フロー計算書のうち、「営業活動によるキャッシュ・フロー」を作成しなさい。

【資料1】　貸借対照表（必要な部分のみ）

貸借対照表　　　　　　　　（単位：千円）

資　産	期　首	期　末	負債・純資産	期　首	期　末
前　払　利　息	330	280	前　受　利　息	180	240
			未 払 法 人 税 等	2,400	2,800

【資料2】　損益計算書（必要な部分のみ）

損 益 計 算 書　　　（単位：千円）

費　　用	金　額	収　　益	金　額
支 払 利 息	1,700	受 取 利 息	910
法 人 税 等	3,900		

11 組織再編
12 リース会計Ⅱ
13 純資産会計Ⅱ
14 連結会計
15 キャッシュ・フロー会計
16 デリバティブ
17 帳簿組織
18 伝票会計
19 総合問題

問題 5 営業活動によるキャッシュ・フロー 1 簿A (15分) 基本

次の資料にもとづいて、各問いに答えなさい。

問1 営業活動によるキャッシュ・フローの区分を直接法により作成しなさい。

問2 営業活動によるキャッシュ・フローの区分を間接法により作成しなさい。

【資料1】 貸借対照表（一部）

貸 借 対 照 表

(単位：千円)

資　　産	前期末	当期末	負債・純資産	前期末	当期末
現 金 預 金	4,340	5,150	買　　掛　　金	10,400	12,100
売　　掛　　金	16,000	19,500	未 払 費 用	1,010	950
貸 倒 引 当 金	△　320	△　390	未 払 法 人 税 等	1,500	2,400
商　　　　　品	3,500	3,000			
未 収 収 益	60	90			

【資料2】 当期の損益計算書

損 益 計 算 書

(単位：千円)

Ⅰ	売　　上　　高		120,000
Ⅱ	売　　上　　原　　価		75,000
	売 上 総 利 益		45,000
Ⅲ	販売費及び一般管理費		
	給　　　　　料	7,000	
	貸倒引当金繰入額	70	
	減 価 償 却 費	1,680	
	その他の営業費	11,250	20,000
	営 業 利 益		25,000
Ⅳ	営 業 外 収 益		
	受取利息及び配当金		340
Ⅴ	営 業 外 費 用		
	支 払 利 息		510
	経 常 利 益		24,830
Ⅵ	特 別 利 益		
	固定資産売却益		3,170
Ⅶ	特 別 損 失		
	減 損 損 失		18,000
	税引前当期純利益		10,000
	法人税、住民税及び事業税		4,000
	当 期 純 利 益		6,000

11 組織再編

12 リース会計Ⅱ

13 純資産会計Ⅱ

14 連結会計

15 キャッシュ・フロー会計

16 デリバティブ

17 帳簿組織

18 伝票会計

19 総合問題

【資料3】 その他の計算条件

1 キャッシュ・フローの減少となる場合は、数字の前に△印を付けること。

2 受取利息、受取配当金および支払利息は、「営業活動によるキャッシュ・フロー」の区分に記載する。

3 未収収益は、すべて受取利息にかかるものである。

4 未払費用の内訳は次のとおりである。

	前期末	当期末
支払利息にかかるもの	100千円	120千円
その他の営業費にかかるもの	910千円	830千円

5 当期中に、株主に対する配当金400千円を支払っている。

6 商品売買はすべて掛けにより行っている。

➡答案用紙 P.15-3 ➡解答・解説 P.15-4

問題 6 営業活動によるキャッシュ・フロー 2 簿A (20分) 応用

NS社の当期(×1年4月1日～×2年3月31日)に関する次の資料にもとづいて、空欄 ① ～ ⑨ にあてはまる金額を答えなさい。

【資料1】 貸借対照表(一部)

貸借対照表　　　　　　　(単位：千円)

資　産	前期末	当期末	負債・純資産	前期末	当期末
現 金 預 金	2,410	3,090	買 掛 金	2,810	2,490
売 掛 金	3,600	②	未 払 費 用	380	440
貸 倒 引 当 金	△ 180	△ 200	未払法人税等	③	520
商 品	①	1,520			
未 収 収 益	210	150			

【資料2】 当期の損益計算書

損 益 計 算 書　　　　　（単位：千円）

I　売　上　高　　　　　　　　　　　　　　50,000
II　売　上　原　価　　　　　　　　　　　（　　　　　）
　　　売　上　総　利　益　　　　　　　　　④
III　販売費及び一般管理費
　　給　　料　　　　　　　　12,400
　　減　価　償　却　費　　　　1,900
　　貸倒引当金繰入額　　　　　　160
　　その他の営業費　　　　　⑤　　　　　　18,000
　　　営　業　利　益　　　　　　　　　　（　　　　　）
IV　営　業　外　収　益
　　受　取　利　息　　　　　　　　　　　⑥
V　営　業　外　費　用
　　支　払　利　息　　　　　　　　　　　　1,040
　　　税引前当期純利益　　　　　　　　　　2,600
　　　法人税、住民税及び事業税　　　　　　1,100
　　　当　期　純　利　益　　　　　　　　　1,500

【資料3】 当期のキャッシュ・フロー計算書

キャッシュ・フロー計算書　　（単位：千円）

I　営業活動によるキャッシュ・フロー
　　税引前当期純利益　　　　　　　　2,600
　　減　価　償　却　費　　　　　　　⑦
　　貸倒引当金の増加額　　　　　　（　　　　）
　　受　取　利　息　　　　　　　　（　　　　）
　　支　払　利　息　　　　　　　　1,040
　　売上債権の増加額　　　　　　△　400
　　棚卸資産の減少額　　　　　　　280
　　仕入債務の減少額　　　　　　△　320
　　　小　　　計　　　　　　　　（　　　　）
　　利　息　の　受　取　額　　　　700
　　利　息　の　支　払　額　　　△　980
　　法　人　税　等　の　支　払　額　△1,030
　　営業活動によるキャッシュ・フロー　⑧

【資料4】その他の事項
　1．未収収益および未払費用はすべて利息に関するものである。
　2．当期中に、売掛金(前期発生分)　⑨　千円が貸し倒れている。
　3．商品売買はすべて掛けにより行っている。

11 組織再編

12 リース会計Ⅱ

13 純資産会計Ⅱ

14 連結会計

15 キャッシュ・フロー会計

16 デリバティブ

17 帳簿組織

18 伝票会計

19 総合問題

問題 7 投資活動・財務活動によるキャッシュ・フロー1 薄 A (15分) 基本

次の資料にもとづいて、キャッシュ・フロー計算書(投資活動によるキャッシュ・フローと財務活動によるキャッシュ・フローの区分のみ)を作成しなさい。

【資料1】 貸借対照表(一部)

貸 借 対 照 表　　　　　　　　　　　　　　(単位:千円)

資　　　産	前期末	当期末	負債・純資産	前期末	当期末
建　　　　　物	15,000	23,000	長 期 借 入 金	3,200	4,200
減 価 償 却 累 計 額	△ 3,200	△ 2,400	社　　　　　　債	18,000	10,000
投 資 有 価 証 券	7,000	7,400	資　　本　　金	20,000	30,000
			自　己　株　式	－	△ 420

【資料2】 その他の事項

1 当期首に取得原価4,200千円の建物(減価償却累計額:920千円)を3,200千円で売却した。

2 帳簿価額500千円の投資有価証券を440千円で売却した。なお、当期末に投資有価証券評価損を100千円計上している(その他有価証券評価差額金の計上はない)。

3 長期借入金の当期借入額は1,000千円である。

4 期中、8,000千円の社債を満期償還した。

5 期中、新株を発行し、10,000千円の払込みを受けた。

6 期中、自己株式420千円を取得した。

7 期中、株主に対する配当金150千円を支払っている。

8 期中取引については、期末までにすべて決済が完了している。

9 受取利息、受取配当金および支払利息は、「営業活動によるキャッシュ・フロー」の区分に記載している。

10 キャッシュ・フローの減少となる場合は、数字の前に△印を付けること。

問題 8 キャッシュ・フロー計算書 薄B（20分） 応用

次の資料にもとづき、キャッシュ・フロー計算書を完成させなさい。ただし、営業活動によるキャッシュ・フローの区分は間接法で表示すること。

【資料1】 貸借対照表

貸借対照表 （単位：千円）

資　　　産	前期末	当期末	負債・純資産	前期末	当期末
現 金 預 金	30,500	82,500	支 払 手 形	98,000	94,000
受 取 手 形	114,000	125,000	買 掛 金	194,000	171,000
売 掛 金	306,000	315,000	短 期 借 入 金	62,000	54,000
貸 倒 引 当 金	△ 21,000	△ 22,000	未 払 費 用	10,100	9,900
商 品	106,000	97,500	未 払 法 人 税 等	12,400	10,600
有 価 証 券	74,000	61,300	資 本 金	600,000	600,000
建 物	600,000	630,000	利 益 準 備 金	75,000	76,500
減 価 償 却 累 計 額	△ 164,000	△ 196,000	繰 越 利 益 剰 余 金	143,000	155,300
備 品	200,000	120,000			
減 価 償 却 累 計 額	△ 51,000	△ 42,000			
資 産 合 計	1,194,500	1,171,300	負債及び純資産合計	1,194,500	1,171,300

11 組織再編

12 リース会計Ⅱ

13 純資産会計Ⅱ

14 連結会計

15 キャッシュ・フロー会計

16 デリバティブ

17 帳簿組織

18 伝票会計

19 総合問題

【資料2】　損益計算書

<table>
<tr><td colspan="2">損　益　計　算　書</td><td>（単位：千円）</td></tr>
<tr><td>Ⅰ　売　　上　　高</td><td></td><td>2,860,000</td></tr>
<tr><td>Ⅱ　売　上　原　価</td><td></td><td>2,140,000</td></tr>
<tr><td>　　売　上　総　利　益</td><td></td><td>720,000</td></tr>
<tr><td>Ⅲ　販売費及び一般管理費</td><td></td><td></td></tr>
<tr><td>　　給　　　　　料</td><td>391,000</td><td></td></tr>
<tr><td>　　減　価　償　却　費</td><td>50,000</td><td></td></tr>
<tr><td>　　貸倒引当金繰入額</td><td>1,000</td><td></td></tr>
<tr><td>　　支　払　家　賃</td><td>61,000</td><td></td></tr>
<tr><td>　　消　耗　品　費</td><td>30,000</td><td>533,000</td></tr>
<tr><td>　　営　業　利　益</td><td></td><td>187,000</td></tr>
<tr><td>Ⅳ　営　業　外　収　益</td><td></td><td></td></tr>
<tr><td>　　有価証券評価益</td><td>2,500</td><td></td></tr>
<tr><td>　　為　替　差　益</td><td>600</td><td>3,100</td></tr>
<tr><td>Ⅴ　営　業　外　費　用</td><td></td><td></td></tr>
<tr><td>　　支　払　利　息</td><td>5,100</td><td></td></tr>
<tr><td>　　有価証券売却損</td><td>3,200</td><td>8,300</td></tr>
<tr><td>　　経　常　利　益</td><td></td><td>181,800</td></tr>
<tr><td>Ⅵ　特　別　損　失</td><td></td><td></td></tr>
<tr><td>　　減　損　損　失</td><td>100,000</td><td></td></tr>
<tr><td>　　固定資産売却損</td><td>33,000</td><td>133,000</td></tr>
<tr><td>　　税引前当期純利益</td><td></td><td>48,800</td></tr>
<tr><td>　　法人税、住民税及び事業税</td><td></td><td>20,000</td></tr>
<tr><td>　　当　期　純　利　益</td><td></td><td>28,800</td></tr>
</table>

【資料3】　その他の事項

1　当期に売買目的の有価証券を51,000千円取得し、代金は期中に支払っている。

2　当期首に備品（取得原価：80,000千円、減価償却累計額：27,000千円）を売却し、代金は期中に受け取っている。固定資産売却損はすべて当該備品にかかるものである。

3　期末において、当社が保有する建物について減損損失を計上した。

4　当期の短期借入金（借入期間はすべて1年以内である）の借入高は86,000千円であった。

5　期中に、株主に対して配当金15,000千円を支払った。

6　前期末と当期末における未払費用の内訳は、次のとおりである。

	前期末	当期末
支払家賃	8,200千円	8,400千円
支払利息	1,900千円	1,500千円

7　当期末に保有している現金のうち13,200千円は、120千ドルを決算日の為替相場（1ドル＝110円）にて換算した金額である。この外貨は、当期に1ドル＝105円で取得したものである。

8　貸借対照表の現金預金と現金及び現金同等物の範囲は一致しているものとする。

9　特に指示のない取引については、すべて現金によって決済している。

10　キャッシュ・フローの減少となる場合は、数字の前に△の符号を付けること。

問題 ⑨ 総合問題 簿B (30分) (本試験問題改題) 応用

　X社の×22年3月期決算に関する資料は以下のとおりである。これらの資料にもとづいて、空欄 ① ～ ⑪ の金額を求めなさい。なお、計算の過程で按分計算が必要な場合には月割計算により行うこと。

【資料1】　比較貸借対照表（前期：×21年3月31日；当期：×22年3月31日）

比 較 貸 借 対 照 表　　　　　　　　　　（単位：千円）

借　　　　方	前　期	当　期	貸　　　　方	前　期	当　期
現　金　預　金	33,105	（　　　　）	支　払　手　形	31,500	48,800
受　取　手　形	35,600	38,400	買　　掛　　金	57,700	51,500
売　　掛　　金	79,400	85,500	短　期　借　入　金	45,200	40,500
貸　倒　引　当　金	△ 2,875	△ 3,717	未　　払　　金	9,900	6,000
有　価　証　券	32,300	①	未　　払　　費　　用	9,100	8,600
商　　　　品	45,100	61,280	未　払　社　債　利　息	125	100
未　収　収　益	3,400	2,000	未　払　法　人　税　等	3,230	③
建　　　　物	45,000	60,000	前　　受　　金	1,900	1,300
減価償却累計額	△ 13,500	△ 15,300	社　　　　債	24,490	19,688
備　　　　品	9,600	11,000	長　期　借　入　金	11,000	④
減価償却累計額	△ 5,760	△ ②	資　　本　　金	90,000	90,000
土　　　　地	65,000	65,000	利　益　準　備　金	20,600	21,150
建　設　仮　勘　定	12,000	—	任　意　積　立　金	12,400	15,400
			繰　越　利　益　剰　余　金	21,225	51,906
合　　　　計	338,370	（　　　　）	合　　　　計	338,370	（　　　　）

【資料2】　剰余金の配当およびその他の処分
　×21年6月29日に開かれた株主総会で、次の事項が決定した。なお、配当金は当期中に支払われた。

　　　利益準備金：会社法に規定された額　　　繰越利益剰余金の配当：5,500千円
　　　任意積立金の積立て：3,000千円

【資料3】 損益計算書（自×21年4月1日　至×22年3月31日）

損 益 計 算 書　　　　　（単位：千円）

借　　　　方	金　　額	貸　　　　方	金　　額
売　上　原　価	578,200	売　　上　　高	960,000
棚　卸　減　耗　損	620	受 取 利 息 配 当 金	⑥
給　　　　　　料	180,200	有 価 証 券 売 却 益	1,100
賞　　　　　　与	42,835	有 価 証 券 評 価 益	1,150
貸　倒　損　失	(　　　　　)	社 債 償 還 益	112
貸 倒 引 当 金 繰 入 額	1,742		
建 物 減 価 償 却 費	1,800		
備 品 減 価 償 却 費	930		
そ の 他 の 営 業 費	⑤		
支　払　利　息	2,898		
社　債　利　息	560		
手　形　売　却　損	1,000		
備　品　売　却　損	260		
法　人　税　等	16,713		
当　期　純　利　益	39,731		
合　　　　　計	(　　　　　)	合　　　　　計	(　　　　　)

【資料4】 キャッシュ・フロー計算書〔直接法〕（自×21年4月1日　至×22年3月31日）

キャッシュ・フロー計算書　　（単位：千円）

I　営業活動によるキャッシュ・フロー
　　　　営　業　収　入　　　　　　⑦
　　　　商品の仕入れによる支出　△　⑧
　　　　人　件　費　の　支　出　　△　223,335
　　　　そ の 他 の 営 業 支 出　△　100,973
　　　　　　小　　　計　　　　　（　　　　　）
　　　　利息及び配当金の受取額　　　6,900
　　　　利　息　の　支　払　額　　△　3,573
　　　　法 人 税 等 の 支 払 額　△　16,503
　　営業活動によるキャッシュ・フロー　（　　　　　）
II　投資活動によるキャッシュ・フロー
　　　　定期預金の払戻しによる収入　　　3,000
　　　　有価証券の取得による支出　　△　6,600
　　　　有価証券の売却による収入　　　6,100
　　　　有形固定資産の取得による支出　△（　　　　　）
　　　　有形固定資産の売却による収入　　　1,000
　　投資活動によるキャッシュ・フロー　△（　　　　　）

11 組織再編
12 リース会計II
13 純資産会計II
14 連結会計
15 キャッシュ・フロー会計
16 デリバティブ
17 帳簿組織
18 伝票会計
19 総合問題

Ⅲ　財務活動によるキャッシュ・フロー

　　　　　短 期 借 入 れ に よ る 収 入　　　　　　　42,300

　　　　　短 期 借 入 金 の 返 済 に よ る 支 出　　△　　47,000

　　　　　長 期 借 入 金 の 返 済 に よ る 支 出　　△　　2,000

　　　　　社 債 の 償 還 に よ る 支 出　　　　　　△　　⑨

　　　　　配 当 金 の 支 払 額　　　　　　　　　　△　　5,500

　　　　　財務活動によるキャッシュ・フロー　　△（　　　）

Ⅳ　現金及び現金同等物の増(減)額　　　　　　　　（　　　）

Ⅴ　現金及び現金同等物の期首残高　　　　　　　　（　　　）

Ⅵ　現金及び現金同等物の期末残高　　　　　　　　⑩

【資料5】　期中取引および決算整理に関する留意事項

1　現金預金

　　前期末の現金預金には、預入期間6カ月の定期預金3,000千円が含まれていた。

2　商品売買

　(1)　当期商品仕入高は　⑪　千円であるが、その中には小切手の振出し、約束手形の振出しおよび掛けによる仕入以外に次のようなものがあった。

　　　・所有手形の裏書譲渡による仕入：74,000千円

　(2)　当期売上高は960,000千円であるが、その中には現金の受領、他社振出小切手の受領、他社振出約束手形の受領および掛けによる売上以外に、次のようなものがあった。

　　　・前受金による売上：5,500千円

3　債権債務

　(1)　買掛金37,000千円決済のため、売掛金のある得意先の引受けを得て為替手形を振り出した。

　(2)　約束手形12,000千円を割り引き、割引料1,000千円が差し引かれ、残額が当座預金に入金された。なお、手形の割引収入については純額で記載すること。

　(3)　売掛金4,200千円が回収不能となったが、そのうち3,300千円は当期に計上したものである。

　(4)　当期の前受金受領額は（　　　）千円となっている。なお、前受金は、すべて売上にかかるものである。

　(5)　上記の裏書手形(74,000千円)および割引手形(12,000千円)は満期日に決済された。なお、手形の裏書きおよび割引に関しては、保証債務を考慮しなくてよい。

4　有価証券

　　有価証券はすべて売買目的有価証券(株式)で、評価差額の処理は切放方式を採用している。

5　有形固定資産

(1)　×21年4月1日に建物が完成したが、その取得原価は、前期に計上していた建設仮勘定からの振替額と小切手による支払額との合計額である。

(2)　×21年11月30日に備品Cを売却するとともに、12月1日に備品Dを小切手を振り出して購入した。備品の詳細は次のようになっている。

	取得原価	耐用年数	減価償却累計額（前期末）
備品B	6,000千円	12年	3,600千円
備品C	3,600千円	12年	2,160千円
備品D	5,000千円	5年	―

なお、すべての備品の減価償却は定額法で行い、残存価額は取得原価の10％とする。

6　社債

社債額面総額25,000千円のうち、5,000千円を当期末に償還し、残りの20,000千円は当期末において未償還である。社債の帳簿価額の償還分と未償還分の内訳は次のとおりである。

前期末（償還分：4,890千円、未償還分：19,600千円）

償却原価法による償却額：（償還分：22千円、未償還分：88千円）

当期末（償還分：0千円、未償還分：19,688千円）

7　経過勘定等

(1)　未収収益の内訳は、未収利息配当金である。

(2)　未払費用の内訳は、未払給料（前期：7,500千円、当期：7,200千円）と未払利息（前期：1,600千円、当期1,400千円）である。

(3)　未払金は「その他の営業費」に関するものである。

11 組織再編
12 リース会計Ⅱ
13 純資産会計Ⅱ
14 連結会計
15 キャッシュ・フロー会計
16 デリバティブ
17 帳簿組織
18 伝票会計
19 総合問題

問題 10 営業活動によるキャッシュ・フロー3 （20分）基本

次の資料にもとづいて、下記の各問いについて答えなさい。なお、キャッシュ・フロー計算書において減算する項目には「△」を付すこと。

問1 営業活動によるキャッシュ・フローの区分を直接法により作成しなさい。

問2 営業活動によるキャッシュ・フローの区分（小計まで）を間接法により作成しなさい。

【資料1】 前期末と当期末の貸借対照表（一部）

貸 借 対 照 表 （単位：千円）

科 目	前期末	当期末	科 目	前期末	当期末
受 取 手 形	15,500	26,200	支 払 手 形	9,500	8,000
売 掛 金	7,300	8,700	買 掛 金	8,800	7,800
貸 倒 引 当 金	△ 550	△ 660	未 払 法 人 税 等	12,000	10,000
商 品	6,600	5,300			

【資料2】 当期の損益計算書

損 益 計 算 書 （単位：千円）

科 目	金 額	
Ⅰ 売 上 高		202,200
Ⅱ 売 上 原 価		111,400
売 上 総 利 益		90,800
Ⅲ 販売費及び一般管理費		
営 業 費	2,000	
給 料 手 当	5,500	
棚 卸 減 耗 損	1,000	
減 価 償 却 費	6,000	
貸倒引当金繰入額	110	14,610
営 業 利 益		76,190
Ⅳ 営 業 外 収 益		
受 取 利 息		50
経 常 利 益		76,240
Ⅴ 特 別 損 失		
損 害 賠 償 損 失		10,240
税引前当期純利益		66,000
法人税、住民税及び事業税		26,400
当 期 純 利 益		39,600

【資料3】 期中取引等

商品売買等

(1) 当社は単一商品の売買事業を営んでおり、売上取引および仕入取引は掛取引と手形取引により行っている。なお当期の売上債権、仕入債務の増減額は次のとおりである。

	期首残高	増　加	減　少	期末残高
受 取 手 形	15,500千円	150,100千円	139,400千円	26,200千円
売 　 掛 　 金	7,300千円	90,200千円	88,800千円	8,700千円
支 払 手 形	9,500千円	40,600千円	42,100千円	8,000千円
買 　 掛 　 金	8,800千円	90,500千円	91,500千円	7,800千円

(2) 期末棚卸資産について

帳簿棚卸高 6,300千円

実地棚卸高 5,300千円

(3) 売掛金の回収として、他社振出しの約束手形38,100千円を受け取っている。

(4) 買掛金の決済のために約束手形20,000千円を振り出している。

(5) 当期末の売上債権に対して660千円の貸倒引当金を設定している(差額補充法)。

(6) 上記以外にかかる取引の収支は現金により行われており、経過勘定や未払金、未収金等は一切ない。

11 組織再編

12 リース会計Ⅱ

13 純資産会計Ⅱ

14 連結会計

15 キャッシュ・フロー会計

16 デリバティブ

17 帳簿組織

18 伝票会計

19 総合問題

問題 11 投資活動・財務活動によるキャッシュ・フロー2 ［財計A］（15分）基本

　次の資料にもとづいて、キャッシュ・フロー計算書の投資活動によるキャッシュ・フロー、財務活動によるキャッシュ・フローおよび末尾の欄を作成しなさい。なお、キャッシュ・フロー計算書において減算する項目には「△」を付すこと。

【資料1】　前期末と当期末の貸借対照表（一部）

貸借対照表　　（単位：千円）

科　　　　　目	前　期	当　期
現　金　預　金	7,300	11,900
有　価　証　券	1,400	800
貸　付　金	300	600
建　　　　物	4,800	2,800
減 価 償 却 累 計 額	△　600	△　500
⋮	⋮	⋮
資　産　合　計	××	××
⋮	⋮	⋮
短　期　借　入　金	3,600	3,000
資　本　金	4,000	4,200
⋮	⋮	⋮
負債・純資産合計	××	××

【資料2】　当期中の取引

1　帳簿価額1,000千円の有価証券を1,200千円で売却し、代金を現金で受け取った。なお、当期末に保有する有価証券の帳簿価額と時価との差額により有価証券評価益が100千円計上されている。
2　貸付金の当期回収額は280千円である。
3　取得原価2,000千円の建物（減価償却累計額200千円）を2,400千円で売却し、代金を現金で受け取った。
4　短期借入金（借入期間はすべて1年以内である）の当期返済額は5,000千円である。
5　当期に増資200千円を行い、現金による払込みを受けた。
6　当期中に株主に対して配当金50千円を現金で支払った。
7　期末に保有している外貨建通貨の為替差益が50千円ある。
8　営業活動によるキャッシュ・フローは2,000千円である。

Chapter 16

デリバティブ

問題 1　先物取引1　簿B（3分）　　　基本

次の一連の取引の仕訳を示しなさい。

(1)　×2年12月1日

　　×3年6月末日を限月とするB先物商品を2,000円/個で1枚売り建てた。なお、B先物商品の売買単位は1枚あたり100個であり、証拠金16,000円を現金で支払った。

(2)　×3年3月31日

　　決算日。×3年6月末日を限月とするB先物商品の同日の時価は1,900円/個であった。

(3)　×3年4月1日

　　翌期首につき、先物取引の評価差額を振り戻す。

(4)　×3年5月10日

　　投資利益を確定させるため、×3年6月末日を限月とするB先物商品を100個買い建て、購入代金は現金で受け取った（反対売買）。この時のB先物商品の時価は1,800円/個であった。あわせて証拠金16,000円を現金で回収した。

問題 2　先物取引2　簿B（3分）　　　基本

次の一連の取引の仕訳を示しなさい。

(1)　×2年3月1日

　　国債先物額面50,000円（500口）を額面100円につき94円で買い建て、証拠金として3,000円を現金で支払った。

(2)　×2年3月31日

　　決算日。同日の国債先物の時価は額面100円につき92円であった。

(3)　×2年4月1日

　　翌期首につき、先物取引の評価差額を振り戻す。

(4)　×2年5月31日

　　反対売買を行い、差金を現金で決済した。なお、同日の国債先物の時価は額面100円につき91円であった。あわせて証拠金3,000円を現金で回収した。

11 組織再編

12 リース会計Ⅱ

13 純資産会計Ⅱ

14 連結会計

15 キャッシュ・フロー会計

16 デリバティブ

17 帳簿組織

18 伝票会計

19 総合問題

問 題 3 先物取引・ヘッジ会計 簿B（5分） 応用

次の一連の取引の仕訳を示しなさい。当社は取得原価48,000千円（額面100千円につき96千円で500口取得）の国債をその他有価証券（評価差額の処理方法：全部純資産直入法）として保有している。なお、ヘッジ会計は原則的処理を採用し、税効果会計は無視すること。

(1)　×2年10月1日（契約時）

国債の時価の変動によるリスクをヘッジするために、国債先物50,000千円（500口）を額面100千円につき94千円で売り建て、証拠金として2,000千円を支払った。

(2)　×3年3月31日（決算時）

同日の国債現物の時価は額面100千円につき93千円であり、国債先物の時価は額面100千円につき91.6千円であった。

(3)　×3年4月1日（翌期首）

その他有価証券の評価差額および先物取引の評価差額を振り戻す。

(4)　×3年6月30日（決済時）

国債現物を額面100千円につき91千円で売却し、代金を現金で受け取った。

また、国債先物について反対売買を行い、差金を現金で決済し、あわせて証拠金を回収した。

同日の国債先物の時価は額面100千円につき89.5千円であった。

問 題 4 予定取引 簿B（8分） 応用

次の取引について、(1)ヘッジ会計（繰延ヘッジ）を適用した場合と(2)振当処理を適用した場合の仕訳を示しなさい。なお、振当処理については、外貨建取引および金銭債務に為替予約相場による円換算額を付し、仕訳の必要がない場合は、借方科目欄に「仕訳なし」と記入すること。また、税効果会計は無視すること。

① ×1年3月1日（予約日）、×1年6月に予定されている商品のドル建て輸入取引（2,000ドル）について、この取引をヘッジする目的で代金決済日である×1年6月30日を決済期日とする2,000ドルの為替予約（買予約）を行った。

② ×1年3月31日（決算日）

③ ×1年4月1日（期首）

④ ×1年6月10日（仕入日）、予定どおり掛けによりドル建て輸入取引（2,000ドル）が行われた。

⑤ ×1年6月30日（決済日）、買掛金および為替予約の決済が行われた。

直物レートおよび先物レートは次のとおりである。

日　付	直物為替相場	先物為替相場
×1年3月1日	118円	114円
×1年3月31日	119円	117円
×1年6月10日	123円	122円
×1年6月30日	124円	—

問題 ⑤ 税効果会計 簿Ａ（15分） 応用

次の資料にもとづいて、当期の決算整理後残高試算表を完成させなさい。なお、税効果会計を適用し、法定実効税率は30％とする。当期は×1年4月1日～×2年3月31日の1年間である。

【資料1】 決算整理前残高試算表（一部）

決算整理前残高試算表 （単位：千円）

勘　定　科　目	金　　額	勘　定　科　目	金　　額
現　　金　　預　　金	100,000	機械減価償却累計額	3,000
先物取引差入証拠金	100	退職給付引当金	300,000
機　　　　　　　械	30,000		
投　資　有　価　証　券	24,000		
繰　延　税　金　資　産	90,000		

【資料2】 決算整理事項

1　前期首に機械30,000千円を取得し、会計上は10年（残存価額ゼロ、税務上の法定耐用年数も10年）で定額法により減価償却を行った。

　　当期末に当該機械に減損の兆候がみられ、減損会計を適用する。ただし、税務上は減損損失は損金の額に算入されないものとする。

　　期末における使用価値は20,750千円、正味売却価額は22,000千円である。

2　当期の退職給付費用を計上する。

　　　　期首退職給付債務450,000千円、期首年金資産150,000千円

　　なお、前期末における退職給付引当金は300,000千円、繰延税金資産は90,000千円である。

　　　　勤務費用35,000千円、利息費用22,500千円、期待運用収益7,500千円

　　また、当期中に年金掛金12,500千円を小切手を振り出して支払った（現金預金勘定で処理する）が未処理である。

　　税務上退職給付引当金は認められないが、年金掛金支払時は損金に算入されるため、税効果の仕訳を行う。

3　当社は取得原価24,000千円（額面金額100円につき96円で250千口取得）の国債をその他有価証券として保有している。

　　×1年10月1日に、国債の時価の変動による価格変動リスクをヘッジするために、国債先物25,000千円（250千口）を額面100円につき94円で売り建て、証拠金として100千円を小切手を振り出して支払った（現金預金勘定で処理）。

　　×2年3月31日（期末）にその他有価証券と先物取引の時価評価を行う。

　　その他有価証券については、全部純資産直入法を適用し、先物取引についてはヘッジ会計（繰延ヘッジ）を適用する。

　　同日の国債現物の時価は額面100円につき97円であり、国債先物の時価は額面100円につき94.8円であった。

Chapter 17

帳簿組織

問題 1 　普通仕訳帳と特殊仕訳帳　簿 C （10分）　　基本

　　下記の4月中の取引に基づいて、4月における総勘定元帳の記入を示し、4月末の普通仕訳帳合計額を答えなさい。なお、当商店（個人企業であり、会計期間は4月1日より1年。）では特殊仕訳帳として当座預金出納帳、売上帳、仕入帳を使用しており、毎月末に合計転記、二重仕訳削除手続、各仕訳帳の締切を行っている。

1　普通仕訳帳に記入された4月中の取引（開始手続及び合計転記仕訳を除く。）
　⑴　14日：売掛金15千円が貸し倒れとなった。
　⑵　26日：掛代金支払として得意先宛為替手形220千円を振り出した。
2　特殊仕訳帳に記入された4月中の取引（単位：千円）

当座預金出納帳

日 付	相 手 勘 定			借 方 勘 定		貸 方 勘 定		預 入	引 出
	借 方	貸 方		諸 口	買掛金	諸 口	売掛金		
4　5	給 料			100					100
6		前受金	省			140		140	
12	買掛金				360				360
15		売 上				180		180	
24		売掛金	略				880	880	
25	仕 入			160					160
28	買掛金				300				300
30				260	660	320	880	1,200	920

売 上 帳					
日 付	相手勘定			諸 口	売掛金
4　8	売 掛 金	省			700
15	当座預金			180	
23	前 受 金	略		140	
27	売 掛 金				△ 20
30				320	700

仕 入 帳					
日 付	相手勘定			諸 口	買掛金
4　3	買 掛 金	省			400
17	買 掛 金				280
25	当座預金	略		160	
30				160	680

問題 2 普通仕訳帳の締切と合計試算表 簿C（10分） 基本

下記の当期4月分に係る資料に基づいて、各問に答えなさい（準大陸式を採用）。

【資料1】 特殊仕訳帳

　当座預金出納帳：預入（売上欄、諸口欄）、引出（仕入欄、諸口欄）

　売　　上　　帳：当座預金欄、受取手形欄、諸口欄

　仕　　入　　帳：当座預金欄、支払手形欄、諸口欄

　受取手形記入帳：売上欄、諸口欄

　支払手形記入帳：仕入欄、諸口欄

【資料2】 処理について

　1．一部当座取引の処理には、全体仕訳方式を採用する。

　2．毎月末に合計転記を行い、普通仕訳帳の締切手続を行っている。

【資料3】 期首残高（4月1日）

　当座預金4,000円、受取手形2,000円、土地1,000円、支払手形1,000円、資本金6,000円

【資料4】 　期中取引（4月分）

　4／5　　当座売上46,000円

　4／10　　当座仕入42,000円

　4／15　　手形売上28,000円

　4／20　　手形仕入25,000円

　4／25　　土地100円を90円で売却し、当座預金に入金した。

（問1）　普通仕訳帳の第一次締切までを示しなさい。

（問2）　勘定記入を示しなさい。日付と金額のみでよい。

（問3）　合計試算表を作成しなさい。

11 組織再編
12 リース会計II
13 純資産会計II
14 連結会計
15 キャッシュ・フロー会計
16 デリバティブ
17 帳簿組織
18 伝票会計
19 総合問題

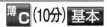

問題 3　合計転記仕訳の合計額と二重仕訳削除金額 薄 C (10分) 基本

　特殊仕訳帳として、当座預金出納帳、売上帳、仕入帳、受取手形記入帳、支払手形記入帳を使用しているものとして答えなさい。なお、取引の一部分が特殊仕訳帳の親勘定となる取引は、特殊仕訳帳に記入するとともに、普通仕訳帳に取引全体を記入する。合計転記は年1回期末にのみ行う。

【資　料】

1．開始手続の仕訳合計額36,870円

2．期中取引

　(1)　当座売上124,800円、当座仕入113,700円、手形売上206,080円、手形仕入146,960円、当座仕入返品490円

　(2)　受取手形700円を割引し、割引料40円を差し引かれた手取金を当座預金とした。

　(3)　上記以外の特殊仕訳帳取引は438,030円(二重仕訳は生じない。)である。

　(4)　上記以外の普通仕訳帳取引は231,410円(二重仕訳は生じない。)である。

　(5)　手形の割引に係る保証債務は考慮不要である。

（問1）　合計試算表の合計額はいくらか答えなさい。

（問2）　二重仕訳削除金額はいくらか答えなさい。

（問3）　合計転記仕訳の合計額はいくらか答えなさい。

問題 **4** 特殊仕訳帳制度 1 　簿C （15分）　　　　　　　　　　基本

　当社では、普通仕訳帳のほかに当座預金出納帳、売上帳、仕入帳、受取手形記入帳、支払手形記入帳を特殊仕訳帳として使用している。次に示した4月中の取引について、各問いに答えなさい。

問1　答案用紙の仕訳帳および総勘定元帳への記入を完成させなさい。

問2　二重仕訳金額を求めなさい。

　　なお、帳簿への記入は、次の要領で行うこと。

1　普通仕訳帳への記入に小書きは不要である。

2　総勘定元帳への記入については、個別転記は日付・相手科目・金額を、合計転記は日付・特殊仕訳帳名・金額を記入する。総勘定元帳は締め切らないこと。

3　答案用紙に示していない勘定についても転記したものとして、元丁欄の記入を行うこと。そのさいの元丁番号は以下を参照すること。

　　　当座預金：12　　受取手形：13　　売　掛　金：14　　土　　　地：16　　支払手形：21
　　　買　掛　金：22　　借　入　金：23　　未　払　金：24　　売　　　上：41　　仕　　　入：51
　　　給　　　料：52

4　補助元帳への転記は考えなくてよい。

5　朱書きを行う箇所であっても、赤字で記入する必要はない。

【資　料】　4月中の取引

　4月2日：東西銀行から借り入れた1,000円が当座預金口座に入金された。

　　5日：甲商店から商品300円を仕入れ、代金は掛けとした。

　　6日：5日に仕入れた商品のうち10円が品違いのため、甲商店に返品した。

　　7日：乙商店から商品400円を仕入れ、代金は小切手を振り出して支払った。

　　10日：A商店に商品を900円で販売し、代金は同店振出の約束手形で受け取った。

　　11日：甲商店に対する買掛金250円を、約束手形を振り出して支払った。

　　13日：かねて振り出していた約束手形700円が決済され、当座預金口座から引き落とされた。

　　14日：B商店に商品を800円で販売し、代金は掛けとした。

　　15日：仕入先乙商店に対する買掛金600円の支払いのため、A商店を名宛人とする為替手形（引受済）を振り出した。

　　18日：B商店に対する売掛金150円を小切手で回収し、ただちに当座預金に預け入れた。

　　20日：土地2,000円を購入し、代金は翌月末日に支払うこととした。

　　22日：A商店に商品350円を販売し、代金は同店振出の小切手で受け取り、ただちに当座預金に預け入れた。

　　24日：B商店に対する売掛金110円を、同店振出の約束手形で回収した。

　　25日：従業員に対する4月分の給料180円を小切手を振り出して支払った。

　　26日：所有する約束手形850円が期日をむかえ、手形代金が当座預金口座に入金された。

　　28日：乙商店から商品270円を仕入れ、代金は約束手形を振り出して支払った。

　　29日：乙商店に対する買掛金310円を小切手を振り出して支払った。

11 組織再編
12 リース会計Ⅱ
13 純資産会計Ⅱ
14 連結会計
15 キャッシュ・フロー会計
16 デリバティブ
17 帳簿組織
18 伝票会計
19 総合問題

問題 ⑤ 特殊仕訳帳制度2 簿C（15分） 応用

　当社では、普通仕訳帳のほかに現金出納帳、売上帳、仕入帳、受取手形記入帳、支払手形記入帳を特殊仕訳帳として使用している。次に示した5月における各特殊仕訳帳と普通仕訳帳の空欄①〜⑩に記入される金額を答えなさい。ただし、（　　　）内の金額は各自推定すること。

〔5月における各帳簿の記入（締切前）〕

現 金 出 納 帳

日付		勘定科目	摘 要	元丁	売掛金	諸 口	日付		勘定科目	摘 要	元丁	買掛金	諸 口
5	4	売　　上		✓		①	5	10	買 掛 金		✓	（　　　）	
	18	売 掛 金		✓	②			15	仕　　入		✓		③
	22	売 掛 金		✓	620			25	給　　料		52		300

売 上 帳

日付		勘定科目	摘 要	元丁	売掛金	諸 口
5	4	現　　金		✓		790
	8	売 掛 金		✓	1,500	
	18	受取手形		✓		（　　）

仕 入 帳

日付		勘定科目	摘 要	元丁	買掛金	諸 口
5	7	支払手形		✓		510
	15	現　　金		✓		（　　）
	24	買 掛 金		✓	④	

受取手形記入帳

日付		勘定科目	摘 要	元丁	売掛金	諸 口
5	5	売 掛 金		✓	⑤	
	18	売　　上		✓		⑥

支払手形記入帳

日付		勘定科目	摘 要	元丁	買掛金	諸 口
5	7	仕　　入		✓		（　　）
	30	買 掛 金		✓	600	

11 組織再編
12 リース会計Ⅱ
13 純資産会計Ⅱ
14 連結会計
15 キャッシュ・フロー会計
16 デリバティブ
17 帳簿組織
18 伝票会計
19 総合問題

普 通 仕 訳 帳

日付		摘　　　　要	元丁	借　方	貸　方
5	31	（現　　　金）諸　　　口	11	2,810	
		（売　掛　金）	14		⑦
		（諸　　　口）	✓		（　　　）
	〃	諸　　　口（現　　　金）	11		（　　　）
		（買　掛　金）	22	960	
		（諸　　　口）	✓	（　　　）	
	〃	諸　　　口（売　　　上）	41		⑧
		（売　掛　金）	14	（　　　）	
		（諸　　　口）	✓	（　　　）	
	〃	（仕　　　入）諸　　　口	51	2,230	
		（買　掛　金）	22		（　　　）
		（諸　　　口）	✓		1,310
	〃	（受　取　手　形）諸　　　口	13	1,380	
		（売　掛　金）	14		（　　　）
		（諸　　　口）	✓		（　　　）
	〃	諸　　　口（支　払　手　形）	21		⑨
		（買　掛　金）	22	600	
		（諸　　　口）	✓	（　　　）	
		合　　　計		（　　　）	（　　　）
		二重仕訳控除金額		3,080	3,080
				⑩	⑩

········ *Memorandum Sheet* ········

Chapter 18

伝票会計

問題 1 伝票会計と仕訳週計表 簿C (15分) 基本

当社は5伝票制によって取引を起票しており、1週間ごとに仕訳週計表を作成して総勘定元帳へ転記している。次に示した当社の今週の取引をもとに、各問いに答えなさい。

問1 各伝票がそれぞれ何枚起票されるかを答えなさい。

問2 仕訳週計表を完成させなさい。

〔1週間の取引〕

① 商品400円を仕入れ、代金は掛けとした。

② 得意先A商事(株)に現金1,000円を貸し付けた。

③ 商品を720円で販売し、代金は現金で受け取った。

④ 商品290円を仕入れ、代金は約束手形を振り出して支払った。

⑤ 売掛金310円を現金で回収した。

⑥ 商品を970円で販売し、代金は掛けとした。

⑦ 売掛金490円を得意先振出の約束手形で受け取って回収した。

⑧ 商品550円を仕入れ、代金は現金で支払った。

⑨ かねて掛けで仕入れた商品の一部が傷んでいたため、20円の値引きを受けた。

⑩ 商品を640円で販売し、代金は得意先振出の約束手形を受け取った。

⑪ 今月分の家賃300円を現金で支払った。

⑫ 貸付金に対する利息10円を現金で受け取った。

⑬ 買掛金250円を支払うため、得意先の引受けを得て為替手形を振り出した。

⑭ かねて掛けで販売した商品のうち40円分が品違いであったため、返品された。

⑮ 商品800円を販売し、代金は掛けとした。

⑯ 売掛金520円を現金で回収した。

⑰ 土地900円を購入し、代金は翌月末に支払うこととした。

➡答案用紙 P.18-2 ➡解答・解説 P.18-2

11 組織再編

12 リース会計Ⅱ

13 純資産会計Ⅱ

14 連結会計

15 キャッシュ・フロー会計

16 デリバティブ

17 帳簿組織

18 伝票会計

19 総合問題

問題 2 3伝票制と5伝票制1 簿C （10分） 応用

×1年5月1日における取引にもとづいて起票された伝票と、仕訳日計表は次のとおりである。
各問いに答えなさい。

問1　空欄になっている（a）〜（j）の金額を求めなさい。
問2　仮に5伝票制で同じ取引を起票した場合、3伝票制の場合と比べて伝票の枚数の合計と仕訳日計表の合計金額はそれぞれいくら増えるかを答えなさい。

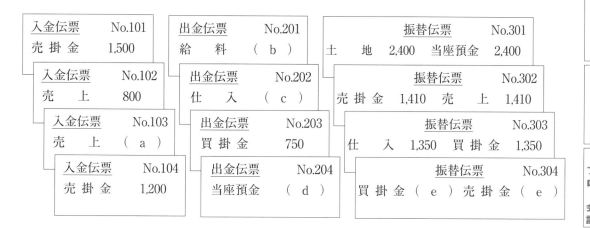

```
入金伝票        No.101
売 掛 金    1,500

入金伝票        No.102
売    上     800

入金伝票        No.103
売    上    （ a ）

入金伝票        No.104
売 掛 金    1,200
```

```
出金伝票        No.201
給    料    （ b ）

出金伝票        No.202
仕    入    （ c ）

出金伝票        No.203
買 掛 金     750

出金伝票        No.204
当座預金    （ d ）
```

```
振替伝票            No.301
土   地  2,400  当座預金  2,400

振替伝票            No.302
売 掛 金  1,410  売    上  1,410

振替伝票            No.303
仕    入  1,350  買 掛 金  1,350

振替伝票            No.304
買 掛 金（ e ）売 掛 金（ e ）
```

仕 訳 日 計 表
×1年5月1日   （単位：円）

借　　方	勘 定 科 目	貸　　方
4,410	現　　　　　金	2,970
（　　f　　）	当 座 預 金	（　　g　　）
（　　h　　）	売　　掛　　金	3,240
2,400	土　　　　　地	
1,290	買　　掛　　金	1,350
	売　　　　　上	（　　i　　）
2,270	仕　　　　　入	
1,000	給　　　　　料	
（　　j　　）		（　　j　　）

問題 3 　3伝票制と5伝票制2　簿C　(10分)　応用

ある1日の取引は以下の通りであった。よって、(ケース1)と(ケース2)について、仕訳日計表を作成しなさい。

(1) 掛仕入 　　　　　　10,000円
(2) 現金仕入 　　　　　　9,000円
(3) 手形仕入 　　　　　　8,000円
(4) 商品7,000円を仕入れ、代金の内5,000円は現金で支払い、残額は掛とした。
(5) 商品6,000円を仕入れ、代金の内4,000円は約束手形を振り出し、残額は掛とした。
(6) 備品5,000円を購入し、代金の内3,000円は現金で支払い、残額は未払金とした。なお、全部振替方式(取引の総額をまず振替取引として記入する方法)によること。

(ケース1)　3伝票制

　　　　(4)は、全部振替方式(取引の総額をまず振替取引として記入する方法)によること。

　　　　(5)は、分解方式(単純取引に分解する方法)によること。

(ケース2)　5伝票制

Chapter 19

総合問題

問題 1 総合問題 1 B (40分) 応用

以下の【資料1】および【資料2】にもとづいて、ひばり株式会社(以下、「当社」)の第24期(自×21年4月1日 至×22年3月31日)における貸借対照表および損益計算書を、会社法および会社計算規則に準拠して、答案用紙の所定の箇所に解答を記入し作成しなさい。

【解答上の留意事項】
イ 消費税および地方消費税は考慮しなくてよい。
ロ 外貨建資産・負債の期末換算にあたっては、「外貨建取引等会計処理基準」に準拠しており、期末日現在の為替相場は1ユーロ136円である。
ハ 貸借対照表の表示に関して、繰延税金資産と繰延税金負債は相殺すること。
ニ 損益計算書の表示に関して、為替差益と為替差損は相殺して区分掲記すること。
ホ 会計処理および表示方法については、特に指示のない限り原則的方法によるものとし、金額の重要性は考慮しないものとし、注記事項については解答する必要はない。

【資料1】 ×22年3月31日現在の当社の決算整理前残高試算表

残 高 試 算 表 (単位：千円)

勘 定 科 目	金 額	勘 定 科 目	金 額
現 金	5,382	支 払 手 形	17,890
当 座 預 金	9,510	買 掛 金	12,300
受 取 手 形	11,500	賞 与 引 当 金	280
売 掛 金	15,770	貸 倒 引 当 金	200
有 価 証 券	10,516	退 職 給 付 引 当 金	2,100
商 品	4,800	建物減価償却累計額	16,500
貸 付 金	5,670	器具備品減価償却累計額	1,125
仮 払 法 人 税 等	7,350	長 期 借 入 金	5,000
建 物	50,000	資 本 金	80,000
器 具 備 品	5,000	利 益 準 備 金	1,330
車 両	10,000	繰 越 利 益 剰 余 金	17,033
土 地	89,000	売 上 高	215,418
繰 延 税 金 資 産	945	受 取 利 息 及 び 配 当 金	183
商 品 仕 入 高	92,528	有 価 証 券 利 息	195
販売費及び一般管理費	51,114		
支 払 利 息	200		
為 替 差 損 益	269		
合 計	369,554	合 計	369,554

【資料2】 決算整理の未済事項および参考事項
1 決算日現在、のぞみ銀行の当座預金の帳簿残高は9,510千円であるが、銀行残高確認書の当座勘定残高は10,380千円であった。調査したところ以下の差額の原因が判明した。
(1) 仕入代金支払のために当座預金口座より振り出した小切手300千円が未取付であった。
(2) 商品販売促進用の広告費支払いのための小切手150千円が未渡しであった。
(3) 得意先相武社に対する売掛金の当座振込みの当社への通知漏れが600千円あった。

(4) 得意先北川社からの振込入金570千円を記帳担当者が誤って750千円と処理していた。

2　期末日現在における営業債権残高の内訳(上記1修正前)は次のとおりである。

取　引　先	受　取　手　形	売　掛　金
相　武　社	5,100千円	7,770千円
小　倉　社	—	2,700千円
北　川　社	6,400千円	5,300千円

(注)小倉社に対する売掛金は、同社の資金繰りの悪化から貸倒れが懸念されるため、貸倒懸念債権に分類した。なお、担保および保証による回収見込額は1,100千円である。

3　貸付金の内訳は以下のとおりである。
(1) 相武社に対するもの1,800千円(返済期日：×23年5月31日)
(2) ES工業に対するもの30千ユーロ(返済期日：×22年11月30日)

　　ES工業に対する貸付金は×21年12月1日に貸し付けたものであり、×22年2月1日に為替予約を付していたが、当該為替予約については会計上、未処理であった。なお、×21年12月1日の直物為替相場は1ユーロ129円、×22年2月1日の直物為替相場は1ユーロ131円(先物為替相場は1ユーロ135円)であり、振当処理を採用する。

4　一般債権については、過去の貸倒実績率にもとづき受取手形、売掛金、貸付金の期末残高に対して2％の貸倒引当金を設定する。貸倒懸念債権については、債権金額から回収見込額を控除した残額に対して50％の貸倒引当金を設定する。

　　損益計算書上、一般債権は差額補充法による繰入額を営業債権と営業外債権の期末残高の比率により按分し適切な区分に表示することとする(残高試算表の貸倒引当金は、すべて前期末の一般債権に対するものである)。

5　有価証券の内訳は次のとおりである。

銘　　柄	帳簿価額	期末時価	市場価格	備　　考
A社社債	47,000ユーロ	48,000ユーロ	市場価格あり	下記(2)参照
K社株式	3,100千円	—	市場価格なし	下記(3)参照
B社株式	1,400千円	1,600千円	市場価格あり	下記(3)参照

(1) A社社債以外は、すべて「その他有価証券」に該当する。
(2) A社社債(取得価額6,016千円)は下記の内容のユーロ建ての社債であり、×21年7月1日に満期まで所有する意図をもって1口94ユーロで500口取得したものである。取得価額と額面金額との差額はすべて金利の調整部分であり、償却原価法(定額法)を適用する。

　　　額面金額：50,000ユーロ
　　　満　期　日：×24年6月30日
　　　券面利率：年利6％
　　　利　払　日：毎年6月末日および12月末日
　　　×21年7月1日～×22年3月31日の期中平均為替相場：1ユーロ132円

　　なお、×21年12月末の利息は適切に処理されているが、期末の未収利息計算が未了である(未収利息は期末の為替相場を用いて換算すること)。

11 組織再編
12 リース会計II
13 純資産会計II
14 連結会計
15 キャッシュ・フロー会計
16 デリバティブ
17 帳簿組織
18 伝票会計
19 総合問題

(3)　「その他有価証券」の評価は、市場価格のあるものは決算日の市場価格にもとづく時価法（評価差額は全部純資産直入法（税効果会計を適用）により処理する）、市場価格のないものは原価法によっている。

6　商品の実地棚卸を行った結果、帳簿棚卸高と実地棚卸高には以下のような差異が生じていた。

帳簿棚卸高		実地棚卸高		差　　異	
数　量	仕入原価	数　量	期末時価	数　量	金　　額
500個	@11,000円	520個	@11,250円	20個	350千円

差異の原因を調査したところ、当社の仕入計上基準は検収基準であるが、実地棚卸において検収未了分を誤ってカウントしていたことが判明した。

7　減価償却費等の計算は、以下に示す事項を除き適正に終了している。なお、いずれも残存価額は取得原価の10％とする。

種　　類	取得原価	期首減価償却累計額	償却方法	償却率	備　　考
器具備品	5,000千円	1,125千円	定額法	0.200	
車　　両	10,000千円	—	定率法	0.369	下記(1)参照

(1)　残高試算表の支払手形には、車両を×22年2月1日に取得したさいに振り出したもの10,000千円が含まれている。なお、当該手形の決済日は×22年4月30日である。

(2)　駐車場として利用している当社所有の土地に24,000千円の減損損失が認められたため、適切な会計処理を行う。

8　当社は、確定給付型の企業年金制度を採用しており、退職給付に関する会計基準を適用している。期中に支出した退職一時金1,455千円は退職給付費用（販売費及び一般管理費）として処理していたため、修正する。なお、他の退職給付にかかる処理は適正に行われている。

9　残高試算表の賞与引当金は、×21年6月の夏期賞与に備えて前期末に計上したものであるが、期中に支払額を全額賞与手当（販売費及び一般管理費）として処理していた。

　　また、×22年6月の夏期賞与の支給額は360千円と見込まれるため、当期末において支給対象期間（11月1日から4月30日）に応じた金額を引当計上する。

10　当期の確定年税額（中間納付税額および源泉徴収税額控除前）は、法人税及び住民税11,500千円ならびに事業税2,700千円であり、決算整理前残高試算表の仮払法人税等には法人税及び住民税5,970千円、事業税1,290千円の中間納付額ならびに源泉徴収された所得税90千円が計上されている。

　　なお、法人事業税の外形標準課税制度については考慮しなくてよい。

11　その他有価証券の評価差額を除く前期末および当期末における一時差異は、以下のとおりである。

(1)　将来減算一時差異2,690千円（前期末3,150千円）

(2)　前期及び当期の法定実効税率は30％である。

(3)　繰延税金資産の回収可能性には問題がないものとする。

問題 2　総合問題 2　職B（60分）　応用

以下の【資料1】および【資料2】にもとづいて、ＮＳ商事株式会社(以下、「当社」)の第10期(自×21年4月1日　至×22年3月31日)における貸借対照表、損益計算書およびそれらに必要な注記を会社法および会社計算規則に準拠して、答案用紙の所定の箇所に解答を記入し作成しなさい。

【解答上の留意事項】

イ　消費税および地方消費税(以下「消費税等」という)の会計処理は、税抜方式で処理されているものとし、特に指示のない限り消費税等については考慮する必要はないものとする。

ロ　法人税、住民税及び事業税(以下「法人税等」という)の実効税率は30％とする。なお、事業税の外形標準課税制度については考慮する必要はない。

ハ　貸借対照表の表示に関して、繰延税金資産と繰延税金負債は相殺すること。また、1年内に返済する長期借入金は短期借入金に含めて表示すること。

ニ　会計処理および表示方法については、特に指示のない限り原則的方法によるものとし、金額の重要性は考慮しないものとする。

ホ　注記事項は、答案用紙に示した事項のみ解答すること。

【資料1】　×22年3月31日現在の当社の決算整理前残高試算表

残　高　試　算　表　　　　　　　(単位：千円)

勘 定 科 目	金 額	勘 定 科 目	金 額
現　　　　　金	8,888	支　払　手　形	58,230
当　座　預　金	69,550	買　　掛　　金	234,312
定　期　預　金	120,000	借　　入　　金	160,000
受　取　手　形	107,300	預　　り　　金	3,196
売　　掛　　金	375,920	仮　　受　　金	125,000
有　価　証　券	359,300	仮　受　消　費　税	402,500
商　　　　　品	58,000	貸　倒　引　当　金	1,900
貯　　蔵　　品	4,615	減 価 償 却 累 計 額	146,000
前　　渡　　金	1,600	社　　　　　債	300,000
未　収　収　益	485	退 職 給 付 引 当 金	115,000
仮　　払　　金	27,295	資　　本　　金	950,000
仮　払　消　費　税	352,270	資　本　準　備　金	70,000
建　　　　　物	700,320	その他資本剰余金	1,100
備　　　　　品	80,000	利　益　準　備　金	45,000
土　　　　　地	498,600	繰 越 利 益 剰 余 金	14,872
建　設　仮　勘　定	16,500	売　　　上　　　高	4,044,670
繰　延　税　金　資　産	41,625	受 取 利 息 配 当 金	4,135
商　品　仕　入　高	2,192,700	雑　　収　　入	3,810
販売費及び一般管理費	1,624,592	投資有価証券売却益	6,300
支　払　利　息	7,750		
社　債　利　息	12,000		
雑　　損　　失	6,415		
法　人　税　等	20,300		
合　　　　計	6,686,025	合　　　　計	6,686,025

【資料２】 決算整理の未済事項および参考事項

1 現金預金に関する事項

(1) 期末に金庫内に新幹線の回数券122千円(購入時に費用処理済み)および買掛金の支払いのために甲銀行口座より振り出した小切手255千円が発見された。

(2) 甲銀行の当座預金の帳簿残高と、銀行残高確認書の当座勘定残高に差額があった。差額の原因を調査したところ、(1)のほかに、買掛金の支払いのために振り出した小切手2,460千円が未取付であったことおよび得意先からの売掛金の振込入金5,380千円を記帳担当者が誤って5,830千円と処理したためと判明した。

(3) 乙銀行の当座預金の帳簿残高は△2,700千円(借越)であり、銀行残高確認書の当座勘定残高と一致していた。なお、乙銀行とは当座借越契約を締結しており、当該借越高について当社は当座預金勘定から減額する処理を行っていた。

(4) 定期預金の内訳は次のとおりである。なお、利息は未収分も含めすべて適正に処理されているものとする。

帳簿残高	預 入 日	満 期 日	備 考
82,000千円	×20年5月29日	×23年5月28日	当座借越契約の担保に供している
38,000千円	×21年12月24日	×22年6月23日	―

2 営業債権に関する事項

(1) 得意先に対して行った売掛金の残高確認の結果、上記「1 現金預金に関する事項(2)」の原因を除き、以下の取引先で差異が生じている。

得意先名	当社残高	得意先回答額	差 異	備 考
神田錦社	7,315千円	6,645千円	670千円	下記①参照
千代田社	9,300千円	8,150千円	1,150千円	下記②参照

① 当社の記帳担当者が、販売単価を誤って過大に記帳したための差異である。

② 得意先の検収未了による差異である。

(2) 業績が悪化していた得意先ＰＡ物産(株)は、2度の不渡りを出し銀行取引停止処分を受けていることが決算手続中に判明したため、同社に対する債権(受取手形2,300千円および売掛金700千円)について適切な科目に振り替える。なお、当該債権の回収には長期間を要する見込みであり、同社から営業保証金(長期性)として預かっている1,000千円は、預り金として処理している。その他の預り金は、従業員給料の源泉徴収額である。

3 貸倒引当金に関する事項

営業債権の期末残高に対して次の要領で貸倒引当金を設定する。一般債権については、過去の貸倒実績率にもとづき受取手形および売掛金の期末残高の2.0％を引当計上する。破産更生債権等については、債権総額から担保処分見込額を控除した残額を引当計上する。

貸倒引当金の貸借対照表の表示は、流動資産の部および固定資産の部(投資その他の資産の区分)の末尾に、それぞれ一括した控除科目とする。損益計算書においては、繰入額と戻入額とを相殺した差額で表示するが、破産更生債権等にかかるものについては、特別損失に計上する。なお、決算整理前残高試算表上の貸倒引当金は、すべて前期末の一般債権にかかるものである。

4 有価証券に関する事項

有価証券の内訳は以下のとおりである。なお、有価証券の評価は「金融商品に関する会計基準」に準拠し、その他有価証券の評価差額は全部純資産直入法(税効果会計を適用)により処理する。

銘　柄	帳簿価額	期末時価	備　考
ＡＡ社株式	14,900千円	14,400千円	下記(1)参照
ＢＡ社株式	230,000千円	246,000千円	下記(2)参照
ＣＡ社株式	89,600千円	89,950千円	下記(3)参照
自己株式	24,800千円	—	下記(4)参照

(1) 当社はＡＡ社株式を売買目的で保有している。

(2) 当社はＢＡ社株式の35％を前々期から保有している。

(3) 当社はＣＡ社株式の5％を取引上の都合で当期首から保有している。なお、期中にその他利益剰余金1,800千円、その他資本剰余金800千円を内訳とする配当を受けたが、源泉所得税520千円控除後の現金受取額を受取利息配当金として処理していた。

(4) 自己株式は退職した役員から200株を24,800千円で買い取ったものであるが、増資にあたりこのすべてを処分していた(下記「12増資に関する事項」を参照)。

5 棚卸資産に関する事項

棚卸資産の期末棚卸の結果は、以下のとおりである。

区　分	帳簿棚卸高	実地棚卸高	差　異	備　考
商　品	52,500千円	48,200千円	4,300千円	下記(1)参照
貯蔵品	—	5,000千円	—	下記(2)参照

(1) 決算整理前残高試算表の商品の残高は、前期末残高である。差異のうち2,500千円については、期中に見本品として払い出していたものと判明したため見本費(販売費及び一般管理費)に振り替え、残額は経常的に発生する棚卸減耗であることが判明した。棚卸減耗損は売上原価の内訳項目とし、評価損は確認されなかった。

(2) 決算整理前残高試算表の貯蔵品は、前期末における消耗品の未使用高である。消耗品は、購入時に消耗品費(販売費及び一般管理費)として費用処理し、期末に実地棚卸にもとづく未使用分を振り替えている。なお、貯蔵品の期末実地棚卸高には「1現金預金に関する事項(1)」にかかるものは含まれていない。

6 有形固定資産に関する事項

(1) ×21年9月15日に土地100,000千円とその土地にある老朽化した建物320千円をともに取得し、それぞれの科目に取得原価を計上しているが、この取引は更地を取得することを目的としており、当該建物は取得後ただちに取り壊している。なお、取壊費用1,080千円は仮払金に計上している。

(2) 決算整理前残高試算表の建設仮勘定は、すべて当期末に引渡しを受けた新しい商品倉庫にかかるものである。なお、当該倉庫の使用開始は翌期中を予定している。

(3) 上記を考慮の上、有形固定資産の減価償却について以下の条件で行う。なお、(1)および(2)以外の有形固定資産については、期中に増減はなかった。

種　類	取得原価	期首減価償却累計額	償却方法	償却率	残存価額
建　物	各自算定	126,000千円	定額法	0.050	10%
備　品	80,000千円	20,000千円	定率法	0.250	10%

7　無形固定資産に関する事項

　　社内利用の完成品のソフトウェアを外部から購入し、×21年9月1日から事業の用に供している。このソフトウェアの利用により将来の費用削減は確実と認められるため、資産計上し5年間で償却する（減価償却計算は未了であり、無形固定資産として計上されない支出についてはソフトウェア導入費（販売費及び一般管理費）として処理する）。

　　なお、当該ソフトウェアの購入に関する支出の内訳は次のとおりであり、すべて仮払金に計上されている。

支払金額	内　　　容
8,760千円	ソフトウェア代
3,240千円	当社の仕様にあわせるための修正作業費用
315千円	操作研修のための講師派遣費用およびテキスト代

8　借入金に関する事項

　　借入金の内訳は以下のとおりである。

借　入　先	期　末　残　高	借　入　日	（最終）返済日	備　　　考
丙　銀　行	30,000千円	×21年8月1日	×22年7月31日	下記(1)参照
丁　銀　行	130,000千円	×20年7月1日	×25年6月30日	下記(2)参照

(1)　利率は年6.0％であり、利息は元本の返済と合わせて一括して支払う。なお、期末における利息の見越計上の処理が未済である。

(2)　×20年9月末日を初回として、3カ月ごとに返済期日（毎回均等額）が到来する契約のものである。なお、利息は返済期日毎に利用高に応じて支払っており、当期の返済および利息の支払いの処理は適切に行われている。

9　社債に関する事項

　　社債の内訳は以下のとおりである。なお、いずれの社債も額面で発行しており、社債利息はすべて適正に処理されている。

社債の内容	期末残高	発　行　日	満　期　日
第9期普通社債	100,000千円	×20年4月1日	×23年3月31日
第10期普通社債	200,000千円	×21年4月1日	×26年3月31日

10　退職給付引当金に関する事項

　　当社は、従業員の退職給付に備えるため、以前から退職一時金制度および企業年金制度を採用しており、退職給付に関する会計処理は「退職給付に関する会計基準」を採用している。なお、過去勤務費用はないものとする。

(1)　当期における退職給付に関する内容
　　①　当期首の退職給付債務：155,000千円
　　②　当期首の年金資産：40,000千円
　　③　期首に見積もられた勤務費用：9,890千円
　　④　割引率：3.0％
　　⑤　長期期待運用収益率：2.6％
　　⑥　数理計算上の差異は生じていないものとする。

(2)　当社は、期中に支出した退職一時金5,150千円および年金基金への掛金拠出額6,350千円を仮払金として処理した以外は未処理である。

11 従業員賞与に関する事項

　従業員賞与については、×22年6月の夏期賞与の支給が36,000千円と見込まれるため、支給対象期間(12月1日から5月31日まで)に応じた金額を引当計上する。

12 増資に関する事項

　第三者割当てによる株式の募集(1,000株)を下記の条件で行うことを決議し、増資を実行したが、会計上は、払込金額を仮受金で、株式交付費用の支払額2,400千円を仮払金で処理しているのみである。

(1)　発行新株式数：800株

(2)　自己株式の処分株式数：200株(上記「4 有価証券に関する事項(4)」参照)

(3)　払込金額の総額：125,000千円

(4)　資本金組入額：会社法が定める最低限度額

13 諸税金に関する事項

(1)　各税目とも前期末未払計上額と納付額に過不足はなかった。

(2)　当期の法人税等の確定年税額(中間納付税額および源泉徴収税額控除前)は34,275千円であり、決算整理前残高試算表の法人税等の金額は、法人税等の中間納付税額である。

(3)　仮受消費税と仮払消費税の差額を未払消費税等に計上する。

14 税効果会計に関する事項

　その他有価証券の評価差額を除く前期末および当期末における一時差異は、以下のとおりである。なお、繰延税金資産の回収可能性には問題がないものとする。

　　将来減算一時差異：143,000千円(前期末：138,750千円)

15 その他の事項

(1)　当社は、期末においてＵＡ社より同社の商標権の侵害を理由として33,000千円の損害賠償請求を受けており、現在係争中である。

(2)　売上高のうち544,000千円はＢＡ社に対するものである。なお、期末において同社に対する債権債務はなかった。

11 組織再編
12 リース会計Ⅱ
13 純資産会計Ⅱ
14 連結会計
15 キャッシュ・フロー会計
16 デリバティブ
17 帳簿組織
18 伝票会計
19 総合問題

········ *Memorandum Sheet* ········

解答解説編

Chapter 1
特殊商品売買

損 益 計 算 書　　（単位：千円）

科　　目	金　　額	
Ⅰ　売　　上　　高		
1　一　般　売　上　高	（　　850,000　　）	
2　割　賦　売　上　高	（　　375,000　　）	（　　1,225,000　　）
Ⅱ　売　　上　　原　　価		
1　期首商品棚卸高	（　　185,000　　）	
2　当期商品仕入高	（　　957,500　　）	
合　　　　計	（　1,142,500　）	
3　期末商品棚卸高	（　　200,000　　）	（　　942,500　　）
売　上　総　利　益		（　　282,500　　）

解 説

　本問のように、商品販売方法ごとに違う条件（利益率、利益加算率など）が与えられると混同しやすいので、注意が必要です。

原価ボックス

期首	売上原価		売上
185,000千円	一般　680,000千円 [01]	÷125%	一般　850,000千円
	割賦　262,500千円 [02]	×70%	割賦　375,000千円
当期仕入	期末（差額）		
957,500千円	200,000千円		

01）一般販売は、原価に25％の利益加算率が加えられているので、払出原価を算定するには売上を125％（＝100％＋利益加算率25％）で割り戻す必要があります。

$$\frac{850,000千円}{125\%}=680,000千円$$

02）割賦販売は利益率30％であることから、原価率は70％（＝100％－利益率30％）です。
　　　375,000千円×70％＝262,500千円

1 特殊商品売買

2 退職給付会計Ⅱ

3 資産除去債務

4 収益認識

5 本支店会計

6 商的工業簿記

7 本社工場会計

8 建設業会計

9 無形固定資産Ⅱ

10 過年度遡及会計

(1) 定額法によった場合　　　　　　　　　　　　　　　　　　（単位：千円）

	×2年3月期	×3年3月期	×4年3月期
割 賦 売 上	6,345	0	0
売 上 原 価	5,076	0	0
受 取 利 息	85	85	85
割 賦 売 掛 金	4,230	2,115	0

(2) 利息法によった場合　　　　　　　　　　　　　　　　　　（単位：千円）

	×2年3月期	×3年3月期	×4年3月期
割 賦 売 上	6,345	0	0
売 上 原 価	5,076	0	0
受 取 利 息	127	85	43
割 賦 売 掛 金	4,272	2,157	0

解 説

1．定額法による場合

　定額法では、利息の総額を代金回収期間にわたって均等に配分し、受取利息を計算します。

(1) ×1年4月1日

　　商品引渡し時に、現金正価で割賦売上を計上します。

（借）割賦売掛金 6,345 　（貸）割 賦 売 上 6,345

(2) ×2年3月31日

　　利息総額のうち当期分を受取利息として計上します。

（借）当 座 預 金 2,200 　（貸）割賦売掛金[01] 2,200
　　　割賦売掛金[01] 85 　　　　受 取 利 息 85[02]

　01）借方と貸方の割賦売掛金を相殺しても可。
　　　（借）当 座 預 金 2,200 （貸）割賦売掛金 2,115
　　　　　　　　　　　　　　　　　　受取利息 85
　02）（6,600千円－6,345千円）÷3年＝85千円

(3) ×3年3月31日

（借）当 座 預 金 2,200 　（貸）割賦売掛金 2,200
　　　割賦売掛金 85 　　　　受 取 利 息 85

(4) ×4年3月31日

（借）当 座 預 金 2,200 　（貸）割賦売掛金 2,200
　　　割賦売掛金 85 　　　　受 取 利 息 85

2．利息法による場合

　利息法では、割賦代金の未回収元本残高に利子率を掛けて、受取利息を計算します。

(1) ×1年4月1日

（借）割賦売掛金 6,345 　（貸）割 賦 売 上 6,345

(2) ×2年3月31日

（借）当 座 預 金 2,200 　（貸）割賦売掛金[03] 2,200
　　　割賦売掛金[03] 127 　　　受 取 利 息 127[04]

　03）借方と貸方の割賦売掛金を相殺しても可。
　　　（借）当 座 預 金 2,200 （貸）割賦売掛金 2,073
　　　　　　　　　　　　　　　　　　受取利息 127
　04）6,345千円×2％＝126.9→127千円

(3) ×3年3月31日

（借）当 座 預 金 2,200 　（貸）割賦売掛金 2,200
　　　割賦売掛金 85 　　　　受 取 利 息 85[05]

　05）前期元本返済額：2,200千円－127千円
　　　＝2,073千円
　　　（6,345千円－2,073千円）×2％
　　　＝85.44→85千円

(4) ×4年3月31日

（借）当 座 預 金 2,200 　（貸）割賦売掛金 2,200
　　　割賦売掛金 43 　　　　受 取 利 息 43[06]

06) 前期元本返済額：2,200 千円 - 85 千円
　　　　　　　　　= 2,115 千円
最終年度は元本返済額から先に計算し、利息を差額で計算します。
当期元本返済額：6,345 千円 - 2,073 千円
　　　　　　　　　- 2,115 千円 = 2,157 千円
受取利息：2,200 千円 - 2,157 千円 = 43 千円

(1) 定額法によった場合　　　　　　　　　　　　　　　　　　（単位：千円）

	×2年3月期	×3年3月期	×4年3月期
割 賦 売 上	6,345	0	0
売 上 原 価	5,076	0	0
受 取 利 息	85	85	85
割 賦 売 掛 金	4,400	2,200	0
利 息 調 整 勘 定	170	85	0

(2) 利息法によった場合　　　　　　　　　　　　　　　　　　（単位：千円）

	×2年3月期	×3年3月期	×4年3月期
割 賦 売 上	6,345	0	0
売 上 原 価	5,076	0	0
受 取 利 息	127	85	43
割 賦 売 掛 金	4,400	2,200	0
利 息 調 整 勘 定	128	43	0

解説

1. 定額法による場合

(1) ×1年4月1日

商品引渡し時に、現金正価で割賦売上を計上し、割賦売価との差額を利息調整勘定で処理します。

（借）割賦売掛金　6,600　（貸）割賦売上　6,345
　　　　　　　　　　　　　　利息調整勘定　255

(2) ×2年3月31日

利息総額のうち当期分を利息調整勘定から受取利息に振り替えます。

（借）当座預金　2,200　（貸）割賦売掛金　2,200
　　　利息調整勘定　85　　　受取利息　85[01]

01) 255千円÷3年＝85千円

(3) ×3年3月31日

（借）当座預金　2,200　（貸）割賦売掛金　2,200
　　　利息調整勘定　85　　　受取利息　85

(4) ×4年3月31日

（借）当座預金　2,200　（貸）割賦売掛金　2,200
　　　利息調整勘定　85　　　受取利息　85

2. 利息法による場合

(1) ×1年4月1日

（借）割賦売掛金　6,600　（貸）割賦売上　6,345
　　　　　　　　　　　　　　利息調整勘定　255

(2) ×2年3月31日

（借）当座預金　2,200　（貸）割賦売掛金　2,200
　　　利息調整勘定　127　　　受取利息　127[02]

02) 6,345千円×2%＝126.9→127千円

(3) ×3年3月31日

（借）当座預金　2,200　（貸）割賦売掛金　2,200
　　　利息調整勘定　85　　　受取利息　85[03]

03) 前期元本返済額：2,200千円－127千円
　　　　　　　　　　＝2,073千円
　（6,345千円－2,073千円）×2%
　　＝85.44→85千円

(4) ×4年3月31日

（借）当座預金　2,200　（貸）割賦売掛金　2,200
　　　利息調整勘定　43　　　受取利息　43[04]

04) 前期元本返済額：2,200千円－85千円
　　　　　　　　　　＝2,115千円
　最終年度は元本返済額から先に計算し、利息を差額で計算します。
　当期元本返済額：6,345千円－2,073円－2,115円
　　　　　　　　　　＝2,157千円
　受取利息：2,200千円－2,157千円＝43千円

$$損 \quad 益 \quad 計 \quad 算 \quad 書 \qquad （単位：円）$$

Ⅰ 売　上　高
　　1　一　般　売　上　高　（　　537,500　）
　　2　割　賦　売　上　高　（　　500,000　）　（　　1,037,500　）
Ⅱ 売　上　原　価
　　1　期首商品棚卸高　（　　150,000　）
　　2　当期商品仕入高　（　　825,000　）
　　　　　合　　　　計　（　　975,000　）
　　3　期末商品棚卸高　（　　145,000　）　（　　830,000　）
　　　　　売　上　総　利　益　　　　　　　　　（　　207,500　）
Ⅲ 販売費及び一般管理費
　　1　戻　り　商　品　損　失　（　　85,000　）
　　2　貸倒引当金繰入　（　　4,180　）　（　　89,180　）
　　　　　営　業　利　益　　　　　　　　　　　（　　118,320　）
Ⅳ 営　業　外　収　益
　　1　受　取　利　息　　　　　　　　　　　　（　　19,000　）
　　　　　経　常　利　益　　　　　　　　　　　（　　137,320　）

解説

1．戻り商品の処理

(1) 当期分

① 割賦売掛金の回収

（借）現 金 預 金 11,000	（貸）割 賦 売 掛 金 11,000
利息調整勘定 1,000[01]	受 取 利 息 1,000

01) （55,000円－50,000円）÷5回＝1,000円

② 貸倒れ

　割賦売掛金を消去し利息調整勘定を減らすとともに、取り戻した商品の評価額を戻り商品勘定に計上し、差額を戻り商品損失とします。

（借）利息調整勘定 4,000[02]	（貸）割賦売掛金 44,000
戻 り 商 品 10,000	
戻り商品損失 30,000[03]	

02) （55,000円－50,000円）－1,000円＝4,000円
03) 差額で計算

(2) 前期分

　割賦売掛金を消去し利息調整勘定および貸倒引当金を減らすとともに、取り戻した商品の評価額を戻り商品勘定に計上し、差額を戻り商品損失とします。

（借）利息調整勘定 8,000[04]	（貸）割賦売掛金 88,000
戻 り 商 品 15,000	
貸倒引当金 10,000	
戻り商品損失 55,000[05]	

04) （110,000円－100,000円）－2,000円
　　＝8,000円
05) 差額で計算

2．売上原価の算定

　戻り商品が期末に未販売のため、期末商品に含めます。

（借）仕　　　　入 25,000	（貸）戻 り 商 品 25,000
仕　　　　入 150,000	繰 越 商 品 150,000
繰 越 商 品 145,000[06]	仕　　　　入 145,000

06) 120,000円＋10,000円＋15,000円＝145,000円

3．貸倒引当金の計上

（借）貸倒引当金繰入 4,180[07]	（貸）貸倒引当金 4,180

07) （352,000円－11,000円－44,000円
　　－88,000円）×2％＝4,180円

損 益 計 算 書 (単位：千円)

Ⅰ　売上高
1　一般売上高 （ 40,000 ）
2　試用品売上高 （ 11,000 ） （ 51,000 ）
Ⅱ　売上原価
1　期首商品棚卸高 （ 7,000 ）
2　当期商品仕入高 （ 42,000 ）
合　　　計 （ 49,000 ）
3　期末商品棚卸高 （ 9,000 ） （ 40,000 ）
売 上 総 利 益 （ 11,000 ）

解説

決算整理前残高試算表（前Ｔ／Ｂ）の金額をもとに、ボックスで数値分析をすると、次のようになります。

原価ボックス

期首手許商品	5,400	一般売上原価	
期首試用品	1,600		（ 32,000 ）⁰¹
		試用売上原価	
仕　　入			（ 8,000 ）⁰²
	42,000	期末手許商品 (8,200)⁰³	
		期末試用品	800 ⁰⁴

01）　40,000 千円 × 80%
02）　11,000 千円 × $\frac{80\%}{110\%}$
03）　差額
04）　1,100 千円 × $\frac{80\%}{110\%}$

試用品は毎期一般販売の10％増の売価を設定しているので、110％で割ることにより、試用品売価をいったん一般売価に戻し、さらに一般売価の原価率80％を掛けて原価を算定します。

〈参考〉

試用販売契約

期首	2,200	試用品売上	
当期試送			11,000
	（ 9,900 ）	期末	1,100

問1　対照勘定法 （単位：円）

	借方科目	金　額	貸方科目	金　　額
(1)	仕　　入	60,000	買　掛　金	60,000
(2)	試用販売契約	40,000	試用仮売上	40,000
(3)	売　掛　金	30,000	試用品売上	30,000
	試用仮売上	30,000	試用販売契約	30,000
(4)	試用仮売上	4,000	試用販売契約	4,000
(5)	繰越商品	36,000	仕　　入	36,000

問2　期末一括法 （単位：円）

	借方科目	金　額	貸方科目	金　　額
(1)	仕　　入	60,000	買　掛　金	60,000
(2)	試　用　品	32,000	仕　　入	32,000
(3)	売　掛　金	30,000	試用品売上	30,000
(4)	仕　　入	3,200	試　用　品	3,200
(5)	繰越商品	31,200	仕　　入	31,200
	仕　　入	28,800	試　用　品	28,800
	試　用　品	4,800	仕　　入	4,800

問3　売上の都度、仕入に売上原価を振替える方法（その都度法） （単位：円）

	借方科目	金　額	貸方科目	金　　額
(1)	仕　　入	60,000	買　掛　金	60,000
(2)	試　用　品	32,000	仕　　入	32,000
(3)	売　掛　金	30,000	試用品売上	30,000
	仕　　入	24,000	試　用　品	24,000
(4)	仕　　入	3,200	試　用　品	3,200
(5)	繰越商品	31,200	仕　　入	31,200

解説

問1　対照勘定法

(1)　一般商品も試用品も購入したさいには、『仕入』で処理します。

(2)　対照勘定を用いて売価による備忘記録を行います。

(3)　試用品売上を計上すると同時に、対照勘定を貸借逆にして取り消す処理をします。

(4)　試送していた商品が戻されるため、試用品を送ったさいに行った仕訳を貸借逆にした仕訳を行います。

(5)　決算整理前残高試算表は、次のようになります。

1 特殊商品売買
2 退職給付会計Ⅱ
3 資産除去債務
4 収益認識
5 本支店会計
6 商的工業簿記
7 本社工場会計
8 建設業会計
9 無形固定資産Ⅱ
10 過年度遡及会計

決算整理前残高試算表（一部）

試用販売契約	6,000	試用仮売上		6,000
仕　　　入	60,000	試用品売上		30,000

　一連の取引を勘定記入すると、次のようになります。

仕　入

	(5)	4,800 円
	(5)	31,200 円
(1)　60,000 円	売上原価 24,000 円	

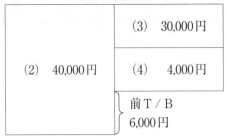

試用販売契約

	(3)	30,000 円
(2)　40,000 円	(4)	4,000 円
	前 T / B 6,000 円	

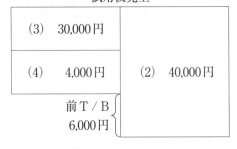

試用仮売上

(3)　30,000 円		
(4)　4,000 円	(2)	40,000 円
前 T / B 6,000 円		

問2　期末一括法

(2)　原価で『**試用品**』に振り替えます。この仕訳によって、結果的に一般販売用の商品と試用販売用の商品とを区分することになります（手許商品区分法というのはそのためです）。

(4)　試送していた商品が戻されたため、試用品を送ったさいに行った (2) の仕訳の逆仕訳を行います。

(5)　決算整理前残高試算表は、次のようになります。

決算整理前残高試算表（一部）

試 用 品	28,800	試用品売上		30,000
仕　　入	31,200			

期末試用品原価：

$$\underset{当期試送}{32,000\,円} - \underset{販売}{24,000\,円} - \underset{返品}{3,200\,円} = 4,800\,円$$

　返品された商品は手許に戻ってきたため、期末には繰越商品として計上します。

　一連の取引を勘定記入すると、次のようになります。

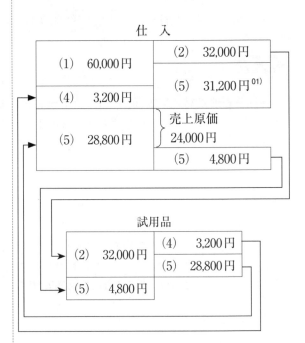

仕　入

(1)　60,000 円	(2)	32,000 円
	(5)	31,200 円 [01]
(4)　3,200 円	売上原価 24,000 円	
(5)　28,800 円	(5)	4,800 円

試用品

(2)　32,000 円	(4)	3,200 円
	(5)	28,800 円
(5)　4,800 円		

01）繰越商品 31,200 円には返品分の原価も含まれています。

問3　売上の都度、仕入に売上原価を振替える方法（その都度法）

　問2の分割法と異なる点を解説します。

(3)　試用販売の売上原価を仕入勘定に戻す仕訳が、期中処理において期末一括法と異なる処理です。

(5)　決算整理前残高試算表は、次のようになります。

決算整理前残高試算表（一部）

試 用 品	4,800	試用品売上		30,000
仕　　入	55,200			

一連の取引を勘定記入すると、次のようになります。

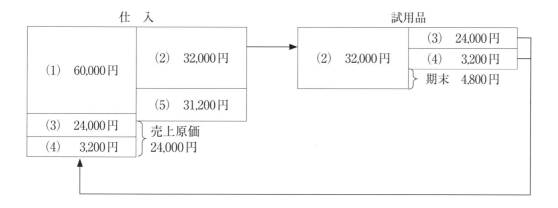

1 特殊商品売買
2 退職給付会計II
3 資産除去債務
4 収益認識
5 本支店会計
6 商的工業簿記
7 本社工場会計
8 建設業会計
9 無形固定資産II
10 過年度遡及会計

問題7　解答

損　益　計　算　書　　　　（単位：千円）

科　　　目	金　　額	
I　売　上　高		
一　般　売　上　高	2,000,000	
〔試　用　品　売　上　高〕	（　350,000　）	（　2,350,000　）
II　売　上　原　価		
期　首　商　品　棚　卸　高	（　98,000　）	
当　期　商　品　仕　入　高	（　850,000　）	
合　　　計	（　948,000　）	
期　末　商　品　棚　卸　高	（　154,900　）	（　793,100　）
売　上　総　利　益		（　1,556,900　）

解説

試用販売が出題された場合、『試用未収金』の分析を行います。

試用未収金

期　　　首	—	
当期試送高　457,000千円	当期売上	350,000千円
	期　　末	107,000千円

本問では、当期から試用販売を開始したため、期首における『試用未収金』は存在しません。したがって、決算整理前残高試算表（以下前T／B）の『試用未収金』は、当期試送分の期末残高を示し、前T／Bの『試用売上』も当期分のみです。

次に、期末商品棚卸高は、手許商品と試用品をまとめて表示します。試用販売の期末棚卸高は、107,000千円×70％＝74,900千円となり、一般商品の棚卸高を合算すると、80,000千円＋74,900千円＝154,900千円となります。

なお、売上高は、試用販売と一般売上を分けて独立表示します。

損　益　計　算　書　　　（単位：千円）

科　　目	金	額
Ⅰ　売　上　高		
一　般　売　上　高	2,000,000	
〔試用品売上高〕	(350,000)	(2,350,000)
Ⅱ　売　上　原　価		
期首商品棚卸高	(154,000)	
当期商品仕入高	(850,000)	
合　　　計	(1,004,000)	
期末商品棚卸高	(154,900)	(849,100)
売　上　総　利　益		(1,500,900)

解説

　試用販売が出題された場合、『試用未収金』の分析を行います。

試用未収金

期　　　首 80,000千円	当期売上　80,000千円
	期　　末　　　 0千円
当期試送高 377,000千円	当期売上　270,000千円
	期　　末　107,000千円

　本問では、前期から試用販売を開始したため、期首における『試用未収金』の分析を行います。
　前Ｔ／Ｂの『試用品売上高』が前期試送分と当期試送分の合計額であることから、350,000千円 − 80,000千円 = 270,000千円が当期試送分の当期売上になり、期末残高も107,000千円と求められます。

　次に、期末商品棚卸高は、手許商品と試用品をまとめて表示します。試用販売の期末棚卸高は、107,000千円 × 70 % = 74,900千円となり、一般商品の棚卸高を合算すると、80,000千円 + 74,900千円 = 154,900千円となります。

　なお、売上高は、試用販売と一般売上を分けて独立表示します。

（A）手許商品区分法・その都度法

問1

（単位：千円）

取引	借方科目	金　額	貸方科目	金　額
①	仕　　　入	15,000	買　掛　金	15,000
②	積　送　品	9,300	仕　　　入	9,000
			現　金　預　金	300
③	委　託　販　売	8,200	積　送　品　売　上	8,200
	仕　　　入	6,000	積　送　品	6,000
④	売　掛　金	9,000	一　般　売　上	9,000
⑤	委　託　販　売	5,000	積　送　品　売　上	5,000
	仕　　　入	3,100	積　送　品	3,100

問2

決算整理前残高試算表（一部）（単位：千円）

勘定科目	金　額	勘定科目	金　額
繰　越　商　品	(11,000)	一　般　売　上	(9,000)
積　送　品	(6,200)	積　送　品　売　上	(13,200)
仕　　　入	(15,100)		

問3

（単位：千円）

借方科目	金　額	貸方科目	金　額
仕　　　入	11,000	繰　越　商　品	11,000
繰　越　商　品	8,000	仕　　　入	8,000

問4

決算整理後残高試算表　（単位：千円）

勘定科目	金　額	勘定科目	金　額
繰　越　商　品	(8,000)	一　般　売　上	(9,000)
積　送　品	(6,200)	積　送　品　売　上	(13,200)
仕　　　入	(18,100)		

（B）手許商品区分法・期末一括法

問1

（単位：千円）

取引	借方科目	金　額	貸方科目	金　額
①	仕　　　入	15,000	買　掛　金	15,000
②	積　送　品	9,300	仕　　　入	9,000
			現　金　預　金	300
③	委　託　販　売	8,200	積　送　品　売　上	8,200
④	売　掛　金	9,000	一　般　売　上	9,000
⑤	委　託　販　売	5,000	積　送　品　売　上	5,000

問2

決算整理前残高試算表（一部）（単位：千円）

勘定科目	金　額	勘定科目	金　額
繰　越　商　品	(11,000)	一　般　売　上	(9,000)
積　送　品	(15,300)	積　送　品　売　上	(13,200)
仕　　　入	(6,000)		

問3

（単位：千円）

借方科目	金　額	貸方科目	金　額
仕　　　入	11,000	繰　越　商　品	11,000
繰　越　商　品	8,000	仕　　　入	8,000
仕　　　入	15,300	積　送　品	15,300
積　送　品	6,200	仕　　　入	6,200

問4

決算整理後残高試算表　（単位：千円）

勘定科目	金　額	勘定科目	金　額
繰　越　商　品	(8,000)	一　般　売　上	(9,000)
積　送　品	(6,200)	積　送　品　売　上	(13,200)
仕　　　入	(18,100)		

解説

（A）手許商品区分法・売上の都度、仕入に売上原価を振替える方法（その都度法）

問1

② 積送に要した諸掛は、問題文の指示に従って積送品原価に含めて処理します。

③ 積送品売上は、問題文の指示に従って手取額（＝売上高−諸掛）を計上します。

積送品売上：9,000千円 − 800千円

　　　　　　＝ 8,200千円

1 特殊商品売買　2 退職給付会計Ⅱ　3 資産除去債務　4 収益認識　5 本支店会計　6 商的工業簿記　7 本社工場会計　8 建設業会計　9 無形固定資産Ⅱ　10 遡及会計　過年度会計

また、その都度法なので販売分の積送品原価 6,000 千円を『積送品』から『仕入』に振り替えます。

⑤ これも③と同様に、手取額を『積送品売上』として計上します。

積送品売上：5,500 千円 − 500 千円

$$= 5,000 千円$$

また、販売分の積送品原価を『積送品』から『仕入』に振り替えます。

販売分の積送品原価：

$$(@ 150 千円 × 60 個 + 300 千円) × \frac{20 個}{60 個}$$
$$= 3,100 千円$$

問2

手許商品区分法・その都度法における決算整理前残高試算表の金額には、次のような意味があります。

決算整理前残高試算表			（単位：千円）
繰 越 商 品[01]	11,000	一 般 売 上[04]	9,000
積 送 品[02]	6,200	積 送 品 売 上[05]	13,200
仕 入[03]	15,100		

01） 期首手許商品
02） 期末積送品
03） 手許商品仕入原価＋積送品売上原価
04） 一般売上高
05） 積送品売上高

（B）手許商品区分法・期末一括法

問1

③・⑤ 期末一括法の場合、積送品が販売されてもその時点では積送品原価を『仕入』に振り替えない点が、その都度法と異なる点です。

問2

手許商品区分法・期末一括法における決算整理前残高試算表の金額には、以下のような意味があります。その都度法と異なる点を理解しておきましょう。

決算整理前残高試算表			（単位：千円）
繰 越 商 品[06]	11,000	一 般 売 上[09]	9,000
積 送 品[07]	15,300	積 送 品 売 上[10]	13,200
仕 入[08]	6,000		

06） 期首手許商品
07） 期首積送品＋当期積送高
08） 手許商品仕入原価
09） 一般売上高
10） 積送品売上高

問4

その都度法であっても期末一括法であっても、決算整理後残高試算表の金額は一致します。

損 益 計 算 書　　　　（単位：千円）

Ⅰ　売　　上　　高
　　　　一 般 売 上 高　〔　1,094,000　〕
　　　　積 送 品 売 上 高　〔　570,000　〕　〔　1,664,000　〕
Ⅱ　売　上　原　価
　　　　期首商品棚卸高　〔　208,000　〕
　　　　当期商品仕入高　〔　1,234,500　〕
　　　　　　合　　　計　〔　1,442,500　〕
　　　　期末商品棚卸高　〔　223,000　〕　〔　1,219,500　〕
　　　　　　売 上 総 利 益　　　　　　　〔　444,500　〕
Ⅲ　販売費及び一般管理費
　　　　営　　業　　費　〔　108,000　〕
　　　　積 送 諸 掛 費　〔　2,394　〕
　　　　棚 卸 減 耗 損　〔　1,500　〕

整理後　　　　　　　　残 高 試 算 表　　　　（単位：千円）

委 託 売 掛 金	101,000	一 般 売 上	1,094,000
繰 越 商 品	183,500	積 送 品 売 上	570,000
積 送 品	38,000	：	
仕 入	1,219,500		
：			

解説

1. 勘定分析（単位：千円）

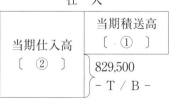

①　当期積送高：437,000 千円 − 32,000 千円
　　　　　　　　　＝ 405,000 千円
②　当期仕入高：① ＋ 829,500 千円
　　　　　　　　　＝ 1,234,500 千円

1 特殊商品売買
2 退職給付会計Ⅱ
3 資産除去債務
4 収益認識
5 本支店会計
6 商的工業簿記
7 本社工場会計
8 建設業会計
9 無形固定資産Ⅱ
10 過年度遡及会計

２．委託販売（期末一括法）（単位：千円）

（1）　未処理事項（【資料３】２．(1)）

（委託売掛金）	16,000	（積送品売上）	18,000
（営　業　費）	2,000		

（2）　決算整理仕訳

（仕　　　　　入）	437,000	（積　送　品）	437,000
（積　送　品）	38,000	（仕　　　　　入）	38,000
（繰延積送諸掛費）	228 ※	（積送諸掛費）	228

※　諸掛の按分（単位：千円）

積送品

期首	32,000	売原	
積送高	405,000		
	－上記①－	期末	38,000

積送諸掛費

前Ｔ／Ｂ	2,622	販売費	2,394
		－差額－	
		期末繰延	228

期末繰延額：$\dfrac{2,622\,千円}{32,000\,千円 + 405,000\,千円} \times 38,000\,千円$

$= 228\,千円$

または

$2,622\,千円 \times \dfrac{38,000\,千円}{32,000\,千円 + 405,000\,千円}$

$= 228\,千円$

（注）　期首積送品に係る繰延積送諸掛費は決算整理前残高試算表に記載されていませんので、ゼロであったか、または期首に積送諸掛費勘定に振替えられていると考えられます。いずれにしても諸掛の按分計算は上記のとおりとなります。

３．一般販売（三分法）

（1）　決算整理仕訳（単位：千円）

（仕　　　　　入）	176,000	（繰 越 商 品）	176,000
（繰 越 商 品）	185,000	（仕　　　　　入）	185,000
（棚卸減耗損）	1,500	（繰 越 商 品）	1,500

（2）　整理後の仕入ａ／ｃ残高

期首手許 176,000 千円 ＋ 整理前仕入 829,500 千円 － 期末手許 185,000 千円 ＋ 前Ｔ／Ｂ積送品 437,000 千円 － 期末積送品 38,000 千円

＝ 1,219,500 千円

1 特殊商品売買

2 退職給付会計Ⅱ

3 資産除去債務

4 収益認識

5 本支店会計

6 商的工業簿記

7 本社工場会計

8 建設業会計

9 無形固定資産Ⅱ

10 過年度遡及会計

損 益 計 算 書　　　　（単位：千円）

科　　　目	金　　　額	
Ⅰ　売　上　高		
〔一 般 売 上 高〕	（　　830,000　　）	
〔積 送 品 売 上 高〕	（　　125,000　　）	（　　955,000　　）
Ⅱ　売　上　原　価		
期首商品棚卸高	（　　68,100　　）	
当期商品仕入高	（　　844,900　　）	
合　　　計	（　　913,000　　）	
期末商品棚卸高	（　　163,350　　）	（　　749,650　　）
売 上 総 利 益		（　　205,350　　）

解説

積送品売上高：

$\underset{\text{当期積送品売上高}}{120,000\,千円} + \underset{\text{仕切精算書分}}{5,000\,千円} = 125,000\,千円$

期首商品棚卸高：

$\underset{\text{期首一般商品}}{34,000\,千円} + \underset{\text{期首積送品}}{34,100\,千円} = 68,100\,千円$

期末商品棚卸高：

$\underset{\text{期末一般商品}}{108,000\,千円} + \underset{\text{期末積送品}}{(59,000\,千円 - 3,650\,千円)}$

$= 163,350\,千円$

委託販売原価率：

$$\frac{\overset{(期首)}{34,100\,千円} + \overset{(積送)}{112,500\,千円} - \overset{(期末)}{59,000\,千円}}{\underset{(積送品売上)}{120,000\,千円}}$$

$= 73\%$

期末販売分原価：5,000 千円 × 73% = 3,650 千円

委託販売では、売上高の部分で、『積送品売上高』は『一般売上高』と区別して計上しなければなりません。さらに、「受託者販売日基準」を用いているので「仕切精算書分」も当期の積送品売上高に加える必要があります。

次に、売上原価部分は、売上高とは異なり、一般商品等とまとめて表示する必要があります。

〈勘定連絡図〉

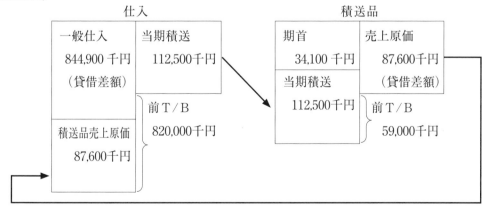

（単位：千円）

	借方科目	金　額	貸方科目	金　額
(1)	受 託 販 売	200	現 金 預 金	200
(2)	現 金 預 金	7,000	受 託 販 売	7,000
	受 託 販 売	300	現 金 預 金	300
(3)	受 託 販 売	500	受 取 手 数 料	500
(4)	受 託 販 売	6,000	現 金 預 金	6,000

解説

　受託販売とは、委託者から商品を預かり、その販売を代行する形態をいいます。

　受託販売では、受託者は売上収益の計上は行わず、販売手数料を『受取手数料』として計上し、委託者に対する債権・債務は『受託販売』で処理するのがポイントです。

　なお、本問で『受託販売』は以下のように記入されます。

受託販売　　　　　（単位：千円）

(1)引取費	200	(2)販売代金	7,000
(2)発送費	300		
(3)受取手数料	500		
(4)送金	6,000		
	7,000		7,000

(1)

（単位：千円）

借方科目	金　額	貸方科目	金　額
仕　　　入	5,500	繰 越 商 品	5,500
繰 越 商 品	6,000	仕　　　入	6,000
仕　　　入	47,000	未　着　品	47,000
未　着　品	4,500	仕　　　入	4,500

(2)

決算整理後残高試算表　（単位：千円）

勘定科目	金　額	勘定科目	金　額
繰 越 商 品	(6,000)	一 般 売 上	(160,000)
未　着　品	(4,500)	未着品売上	(50,000)
仕　　　入	(170,500)		

解説

(1) 期末一括法

①決算整理前残高試算表

　勘定連絡図で前Ｔ／Ｂまでの商品の流れを確認します。

②決算整理仕訳（単位：千円）

手許商品についての決算整理仕訳と、未着品の売上原価算定の決算整理仕訳を行います。

(借)仕	入	5,500	(貸)繰 越 商 品	5,500
(借)繰 越 商 品	6,000	(貸)仕	入	6,000
(借)仕	入	47,000	(貸)未 着 品	47,000
(借)未 着 品	4,500	(貸)仕	入	4,500

③決算整理後残高試算表

①の前Ｔ／Ｂの金額に②の決算整理仕訳を加減すれば、後Ｔ／Ｂの完成です。

（2）その都度法
①決算整理前残高試算表

勘定連絡図で前Ｔ／Ｂまでの商品の流れを確認します。

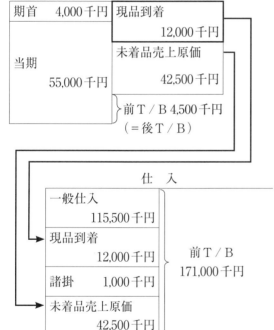

未着品売上原価：50,000 千円 × 85% = 42,500 千円

②決算整理仕訳

(借)仕	入	5,500	(貸)繰 越 商 品	5,500
繰 越 商 品	6,000	仕	入	6,000

③決算整理後残高試算表

①の前Ｔ／Ｂの金額に②の決算整理仕訳を加減すれば、後Ｔ／Ｂの完成です。

1 特殊商品売買
2 退職給付会計Ⅱ
3 資産除去債務
4 収益認識
5 本支店会計
6 商的工業簿記
7 本社工場会計
8 建設業会計
9 無形固定資産Ⅱ
10 過年度遡及会計

(1) 　| 64.375 |　%

(2)

決算整理後残高試算表　　　　　　　　（単位：千円）

勘　定　科　目	金　　　額	勘　定　科　目	金　　　額
繰　越　商　品	(44,000)	一　　般　　売　　上	(800,000)
未　　着　　品	(65,000)	未　着　品　売　上	(400,000)
仕　　　　　入	(775,000)		
棚　卸　減　耗　損	(1,000)		

解説

1　勘定分析

一般商品ボックス

期首　　　　35,000千円 （資料1より） 一般商品当期仕入高 　　　　525,000千円 （仕入勘定分析より）	売上原価　　515,000千円 ※貸借差額 期末 帳簿棚卸高　45,000千円 （資料2−1より）

64.375％[01]　→　一般売上
　　　　800,000千円
　　　　（資料1より）

01) 515,000千円÷800,000千円＝64.375％

未着品ボックス（その都度法）

期首未着品　　70,000千円 （資料2−2①より） 当期貨物代表証券取得額 　　　　520,000千円 ※貸借差額	現品到着　　265,000千円 （資料2−2②より） 未着品売上原価 　　260,000千円[02] 期末未着品 　　　　65,000千円 （資料1より）

65％　←　未着品売上
　　　400,000千円
　　　（資料1より）
（資料2−2④より）

02) 400,000千円×65％＝260,000千円

1 特殊商品売買
2 退職給付会計Ⅱ
3 資産除去債務
4 収益認識
5 本支店会計
6 商的工業簿記
7 本社工場会計
8 建設業会計
9 無形固定資産Ⅱ
10 過年度遡及会計

仕入（前T／B）

一般商品
当期仕入高
525,000千円

| 一般商品仕入 250,000千円（差額） |
| 現品到着 275,000千円 03)（資料2−2②より） |
| 未着品売上原価 260,000千円 02) |

前T／B仕入 785,000千円
（資料1より）

03) 265,000千円＋10,000千円＝275,000千円
（引取費用）

2 解く手順

(1) 下書用紙に一般商品ボックス、未着品ボックス、『仕入』を描き、資料から読み取れる数字を順にうめていきます。

(2) 次に、下書きの空欄のどこがうまりそうかを考えます。本問では、未着品の原価率が資料2−2④で与えられているので、未着品売上高 400,000千円×未着品原価率65％＝未着品売上原価 260,000千円が求められます。

(3) その都度法で処理されている未着品の売上原価部分が判明したので、『仕入』に振り替えられた 260,000千円を前T／B仕入 785,000千円から控除し、一般商品の当期仕入高 525,000千円が判明します。

(4) 一般商品ボックスの貸借差額から一般商品売上原価 515,000千円が求められ、

$$\frac{一般商品売上原価\ 515,000千円}{一般売上\ 800,000千円}$$

＝一般販売原価率64.375％が求められます。

(5) 後T/B繰越商品および棚卸減耗損は

| 期末手許商品実地棚卸高（後T／B繰越商品 44,000千円） | 棚卸減耗損 1,000千円 |

45,000千円

上記のように考えて算定します。

後T／B『未着品』は前T／B『未着品』と同額の 65,000千円

後T／B『仕入』は三分法で処理している商品販売の売上原価を合算した額になるので 515,000千円＋260,000千円＝775,000千円

一般売上と未着品売上の額は決算整理で動かないので、前T／Bと同額の 800,000千円と 400,000千円となります。

勘定連絡図

勘定連絡図で前T／Bまでの商品の流れを確認します。

未着品

期首 70,000千円	現品到着 265,000千円
当期（差額）520,000千円	未着品売上原価 260,000千円
	前T／B 65,000千円

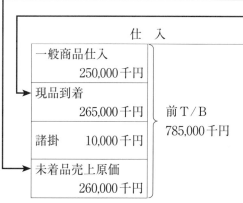

仕 入

| 一般商品仕入 250,000千円 |
| 現品到着 265,000千円 |
| 諸掛 10,000千円 |
| 未着品売上原価 260,000千円 |

前T／B 785,000千円

未着品売上原価：

$$\underset{未着品売上}{400,000千円} \times 65\% = 260,000千円$$

上記の勘定連絡図だけで解答に必要な数値の算定は可能ですが、参考としてその他の仕訳を示しておきます。なお、貨物代表証券の購入・転売は掛取引によるものとして処理しています。

①貨物代表証券購入時

（借）未　着　品 520,000　（貸）買　掛　金 520,000

②現品到着時

（借）仕　　　　入 275,000　（貸）未　着　品 265,000
　　　　　　　　　　　　　　　現　金　預　金 10,000

③貨物代表証券転売時

（借）売　掛　金 400,000　（貸）未着品売上 400,000
　　　仕　　　　入 260,000　　　未　着　品 260,000

問題 15　解答

決算整理後残高試算表　（単位：千円）

勘定科目	金　額	勘定科目	金　額
繰越商品	(17,110)	売　　　上	(171,500)
未　着　品	(13,590)	未着品売上	(23,000)
仕　　　入	(140,400)	仕入割引	(450)
棚卸減耗損	(590)		

解説

　値引き・返品を含む原価率算定問題です。未着品から一般商品への流れをイメージし、仕訳を行います。

(1) 船荷証券の入手

（借）未　着　品 5,650　（貸）買　掛　金 5,650

(2) 売上値引等の相殺

（借）売　　　上 740　（貸）売　上　値　引 500
　　　　　　　　　　　　　　売　上　戻　り 240

(3) 仕入値引等の相殺

（借）仕　入　値　引 210　（貸）仕　　　入 484
　　　仕　入　戻　し 274

(4) 売上原価の算定と棚卸減耗（一般販売）

（借）仕　　　入 18,150　（貸）繰　越　商　品 18,150
　　　繰　越　商　品 17,700　　　仕　　　入 17,700
　　　棚　卸　減　耗　損 590　　　繰　越　商　品 590

(5) 原価率の算定

原価ボックス

期首	18,150 千円	売上原価	
前 T / B	123,874 千円	123,840 千円	←
仕入値引	△210 千円		
仕入戻し	△274 千円	期末	17,700 千円

原価率　前 T / B売上　172,240 千円
72%　　売上戻り　　△240 千円
　　　　　　　172,000 千円 [01]

01）原価率の算定上、売上値引は控除しません。

(6) 売上原価の算定（未着品販売）

　問題文より一般商品販売の原価率と同じため、未着品販売原価率は72%です。

（借）仕　　　入 30,150 [02]　（貸）未　着　品 30,150
　　　未　着　品 13,590 [03]　　　仕　　　入 13,590

02）24,500 千円 + 5,650 千円 = 30,150 千円
　　　 前T/B　　　 未処理
03）23,000 千円 × 72% = 16,560 千円
　　 未着品売上
　　 30,150 千円 − 16,560 千円 = 13,590 千円

(7) 勘定連絡図（決算整理仕訳等）

未着品

前 T / B 24,500 千円	未着品売上原価 16,560 千円
未処理 5,650 千円	後 T / B 13,590 千円

仕　入

	仕入値引　210 千円
前 T / B 123,874 千円	仕入戻し　274 千円
	期末　17,700 千円
期首 18,150 千円	後 T / B 140,400 千円
未着品売上原価 16,560 千円	

（単位：千円）

①	4,000	②	4,200	③	2,500	④	330

解 説

（単位：千円）

積送品ボックス

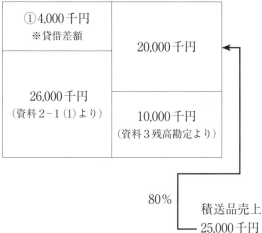

80%

積送品売上
25,000千円

（資料3　損益勘定より）

積送諸掛費ボックス

120千円 （資料1　残高勘定より）	300千円 （資料3損益勘定より）
④330千円 ※貸借差額	150千円 （資料3残高勘定より）

試用品ボックス（試用販売：対照勘定法）

01) 15,000 千円 × 75% = 11,250 千円
02) 11,250 千円 − 5,400 千円 = 5,850 千円
03) 5,850 千円 ÷ 75% = 7,800 千円
04) 13,800 千円 − 7,800 千円 = 6,000 千円
05) 6,000 千円 × 70% = 4,200 千円
06) 13,800 千円（資料3損益勘定より）

受 託 販 売

なお、仕訳を示すと次のようになります。

1．委託販売に関する事項

（1）商品積送時・販売時（期中仕訳）

（i）手許商品区分法・期末一括法で記帳していた場合

（借）積 送 品 26,000　（貸）仕　　　　入 26,000
（借）積送諸掛費　330　（貸）現 金 預 金　330
（借）委 託 販 売 25,000　（貸）積送品売上 25,000

1 特殊商品売買

2 退職給付会計II

3 資産除去債務

4 収益認識

5 本支店会計

6 商的工業簿記

7 本社工場会計

8 建設業会計

9 無形固定資産II

10 遡及会計 過年度

(ii)手許商品区分法・売上の都度、仕入に売上
原価を振替える方法(その都度法)で記帳し
ていた場合

(借)積　送　品	26,000	(貸)仕　　　　入	26,000
(借)積送諸掛費	330	(貸)現 金 預 金	330
(借)委 託 販 売	25,000	(貸)積 送 品 売 上	25,000
(借)仕　　　　入	20,000	(貸)積　送　品	20,000

(2) 売上原価算定（決算整理仕訳）

(i)手許商品区分法・期末一括法で記帳してい
た場合

| (借)仕　　　　入 | 30,000 | (貸)積　送　品 | 30,000 |
| (借)積　送　品 | 10,000 | (貸)仕　　　　入 | 10,000 |

(ii)手許商品区分法・売上の都度、仕入に売上
原価を振替える方法(その都度法)で記帳し
ていた場合

仕訳なし

(3) 積送諸掛の繰延べ（決算整理仕訳）

| (借)積送諸掛費 | 120 | (貸)繰延積送諸掛 | 120 |
| (借)繰延積送諸掛 | 150 | (貸)積送諸掛費 | 150 |

2．試用販売に関する事項

(1) 商品試送時（期中仕訳）

| (借)試用未収金 | 15,000 | (貸)試用仮売上 | 15,000 |

(2) 得意先の買取の意思表示（期中仕訳）

| (借)売　掛　金 | 13,800 | (貸)試用品売上 | 13,800 |
| (借)試用仮売上 | 13,800 | (貸)試用未収金 | 13,800 |

(3) 売上原価の算定（決算整理仕訳）

| (借)仕　　　　入 | 4,200 | (貸)繰越試用品 | 4,200 |
| (借)繰越試用品 | 5,400 | (貸)仕　　　　入 | 5,400 |

3．受託販売に関する事項

(1) 受託品売上時

| (借)現 金 預 金 | 7,800 | (貸)受 託 販 売 | 7,800 |

(2) 引取費用支払い時

| (借)受 託 販 売 | 300 | (貸)現 金 預 金 | 300 |

(3) 受託販売手数料受取り時

| (借)受 託 販 売 | 200 | (貸)受託販売手数料 | 200 |

問題 17　　　　　　　　　　　　　　　　　　　　　　　解答

損 益 計 算 書　　　　　（単位：円）

I 売　上　高			
1．一 般 売 上 高	〔 150,000 〕		
2．積 送 品 売 上 高	〔 84,000 〕		
3．試 用 売 上 高	〔 80,000 〕	〔 314,000 〕
II 売　上　原　価			
1．期 首 商 品 棚 卸 高	〔 46,500 〕		
2．当 期 商 品 仕 入 高	〔 248,000 〕		
計	〔 294,500 〕		
3．期 末 商 品 棚 卸 高	〔 40,000 〕	〔 254,500 〕
売 上 総 利 益		〔 59,500 〕

決算整理後残高試算表　　　　　　　　（単位：円）

売　掛　金	（ 45,000 ）	貸 倒 引 当 金	（ 1,200 ）
委 託 売 掛 金	（ 15,000 ）	試 用 仮 売 上	（ 10,000 ）
試 用 未 収 金	（ 10,000 ）	一 般 売 上	（ 150,000 ）
繰 越 商 品	（ 25,000 ）	積 送 品 売 上	（ 84,000 ）
積 送 品	（ 15,000 ）	試 用 売 上	（ 80,000 ）
仕 入	（ 254,500 ）		
貸 倒 引 当 金 繰 入	（ 200 ）		

解説

1．勘定分析

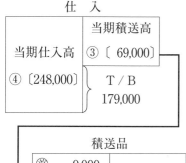

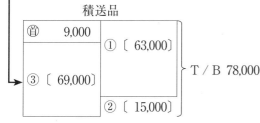

① 積送品売上原価：84,000 円 × 75％ ＝ 63,000 円

② 期末積送品：78,000 円 － 63,000 円 ＝ 15,000 円

③ 当期積送高：$\underset{-T/B-}{78,000\ 円}$ － 9,000 円 ＝ 69,000 円

④ 当期仕入高：$\underset{-③-}{69,000\ 円}$ ＋ $\underset{-T/B-}{179,000\ 円}$

　　　＝ 248,000 円

2．P／L金額の算定

期首商品：$\underset{-繰越商品-}{37,500\ 円}$ ＋ $\underset{-積送品-}{9,000\ 円}$ ＝ 46,500 円

期末商品：$\underset{-手許商品-}{17,000\ 円}$ ＋ $\underset{-積送品-}{15,000\ 円}$ ＋ $\underset{-試用品-}{8,000\ 円}$ （注）

　　　　＝ 40,000 円

（注）$\underset{-T/B対照勘定-}{10,000\ 円}$ × 80％ ＝ 8,000 円

貸倒引当金繰入：（45,000 円 ＋ 15,000 円）×

　　　　　　2 ％ － $\underset{-T/B-}{1,000}$ 円 ＝ 200 円

3．決算整理仕訳

(1) 一般販売と試用販売

（仕　　　　入）	37,500	（繰 越 商 品）	37,500
（繰 越 商 品）	25,000 ※	（仕　　　　入）	25,000

※ 期末手許品 17,000 円 ＋ 期末試用品 8,000 円
　 ＝ 25,000 円

(2) 委託販売

（仕　　　　入）	78,000	（積 送 品）	78,000
（積 送 品）	15,000	（仕　　　　入）	15,000

(3) 貸倒引当金

（貸倒引当金繰入）	200	（貸 倒 引 当 金）	200

問1　決算整理仕訳（単位：円）

(1)　試用販売の売上原価算定

借方科目	金　額	貸方科目	金　額
仕　　入	16,800	繰越試用品	16,800
繰越試用品	18,000	仕　　入	18,000

(2)　未着品売買の売上原価算定

借方科目	金　額	貸方科目	金　額
仕　　入	187,000	未　着　品	187,000
未　着　品	7,000	仕　　入	7,000

問2　決算整理後残高試算表（一部）

残　高　試　算　表　（単位：円）

繰　越　商　品	52,000	試　用　仮　売　上	30,000
繰　越　試　用　品	18,000	一　般　売　上	800,000
未　着　品	7,000	試　用　売　上	398,000
試　用　未　収　金	30,000	未　着　品　売　上	200,000
仕　　入	1,058,800		

問3　損益計算書（売上原価の内訳）

損　益　計　算　書　（単位：円）

期首商品棚卸高	78,800		
当期商品仕入高	1,057,000	期末商品棚卸高	77,000

解説

1．勘定分析

(1)　未着品a／c・仕入a／c

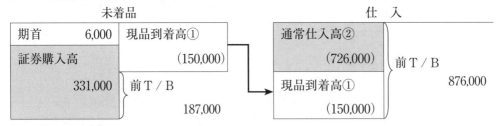

① 　現品到着高：6,000円＋331,000円－前T／B 187,000円＝150,000円

② 　通常仕入高：前T／B 876,000円－①＝726,000円

③ 　未着品売上原価：未着品売上200,000円×原価率90％＝180,000円

④ 　期末未着品：前T／B 187,000円－③＝7,000円

⑤ 　P／L当期商品仕入高：証券購入高331,000円＋通常仕入高726,000円＝1,057,000円

1 特殊商品売買

2 退職給付会計Ⅱ

3 資産除去債務

4 収益認識

5 本支店会計

6 商的工業簿記

7 本社工場会計

8 建設業会計

9 無形固定資産Ⅱ

10 過年度遡及会計

(2) 試用未収金 a／c

試用未収金

期首①	（28,000）	試用売上	
当期試送②			398,000
	（400,000）		
		前T／B 30,000	

（参考）

① 期首：原価16,800円÷原価率60％＝28,000円

② 当期試送売価：差額

×原価率60％＝期末試用品18,000円

2．P／L売上原価

(1) 期首商品棚卸高：手許 56,000 円＋試用 16,800 円＋未着 6,000 円＝78,800 円

(2) 当期商品仕入高：1,057,000 円（上記 1．(1)⑤参照）

(3) 期末商品棚卸高：手許 52,000 円＋試用 18,000 円＋未着 7,000 円＝77,000 円

∴ 売上原価：合計 1,058,800 円

3．後T／B仕入 a／c

前T／B 876,000 円＋一般（56,000 円－52,000 円）＋試用（16,800 円－18,000 円）

＋未着（187,000 円－7,000 円）＝1,058,800 円（売上原価）

（参 考）

一 般 売 上 800,000 円×原価率80％＝640,000 円

試 用 売 上 398,000 円×原価率60％＝238,800 円

未着品売上 200,000 円×原価率90％＝180,000 円

∴ 売上原価：合計 1,058,800 円

問題 19 解答 解説

（単位：千円）

借方科目	金　　額	貸方科目	金　　額
仕　　　　入	975	繰 越 商 品	975
繰 越 商 品	780	仕　　　　入	780
仕　　　　入	650	繰 越 試 用 品	650
繰 越 試 用 品	520	仕　　　　入	520
仕　　　　入	1,950	積 送 品	1,950
積 送 品	390	仕　　　　入	390

1．原価率

試用原価率： $\dfrac{0.78}{1.2} = \boxed{0.65}$

積送品原価率： $\dfrac{0.78}{1.25} = \boxed{0.624}$

２．試用販売について（単位：千円）

試用未収金

期首	試用売上	3,200
当期試送	期末	800

期末試用品原価：800 千円 × 0.65 ＝ 520 千円

３．委託販売について

(1) 期末積送品原価の算定

① 積送品売上原価：売上 2,500 千円 × 0.624 ＝ 1,560 千円

② 期末積送品：Ｔ／Ｂ 1,950 千円 － 1,560 千円 ＝ 390 千円

(2) 期末一括法なので、仕入 a ／ c で売上原価を算定するための決算整理仕訳を行います。

Chapter 2
退職給付会計 Ⅱ

1 特殊商品売買
2 退職給付会計Ⅱ
3 資産除去債務
4 収益認識
5 本支店会計
6 商的工業簿記
7 本社工場会計
8 建設業会計
9 無形固定資産Ⅱ
10 過年度遡及会計

問題 1　　解答

問1	(1)	16,400 千円	(2)	1,400 千円
問2	(1)	16,400 千円	(2)	△ 5,600 千円

解説

（以下、仕訳の単位：千円）

問1

(1) 当期退職給付費用の計算

①勤務費用：15,000千円

②利息費用：120,000千円 × 0.05 ＝ 6,000千円

③期待運用収益：115,000千円 × 0.04 ＝ 4,600千円

④合計：15,000千円 ＋ 6,000千円 － 4,600千円
　　　＝ 16,400千円

（借）退職給付費用　16,400　　（貸）退職給付引当金　16,400

(2) 期末退職給付引当金の計算

期末退職給付引当金：

期首退職給付引当金＋退職給付費用－年金掛金の拠出

　＝ 5,000千円 [01] ＋ 16,400千円 － 20,000千円

　＝ 1,400千円

　01）期首退職給付引当金：

　　　120,000千円 － 115,000千円 ＝ 5,000千円

・年金掛金の拠出

（借）退職給付引当金　20,000　　（貸）現 金 預 金　20,000

【勘定連絡図】

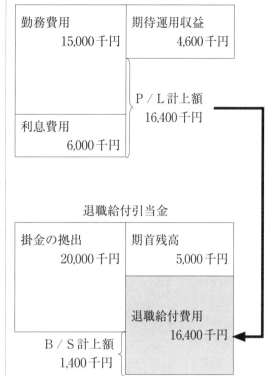

退職給付費用

勤務費用　15,000千円	期待運用収益　4,600千円
利息費用　6,000千円	P ／ L 計上額　16,400千円

退職給付引当金

掛金の拠出　20,000千円	期首残高　5,000千円
B ／ S 計上額　1,400千円	退職給付費用　16,400千円

問2

(1) 当期退職給付費用の計算：

　16,400千円（問1と同様）

(2) 期末退職給付引当金の計算

期末退職給付引当金：

期首退職給付引当金＋退職給付費用

　－年金掛金の拠出－退職一時金の支払い

　＝ 5,000千円 ＋ 16,400千円 － 20,000千円 － 7,000千円

　＝ △5,600千円

・年金掛金の拠出・退職一時金の支払い

（借）退職給付引当金　27,000　　（貸）現 金 預 金　27,000

・前払年金費用の計上

（借）前払年金費用　5,600　　（貸）退職給付引当金　5,600

【勘定連絡図】

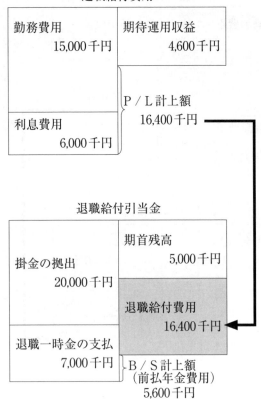

退職給付費用

| 勤務費用 15,000千円 | 期待運用収益 4,600千円 |
| 利息費用 6,000千円 | |

P／L計上額
16,400千円

退職給付引当金

掛金の拠出 20,000千円	期首残高 5,000千円
	退職給付費用 16,400千円
退職一時金の支払 7,000千円	

B／S計上額
（前払年金費用）
5,600千円

1 特殊商品売買

2 退職給付会計Ⅱ

3 資産除去債務

4 収益認識

5 本支店会計

6 商的工業簿記

7 本社工場会計

8 建設業会計

9 無形固定資産Ⅱ

10 過年度遡及会計

Chapter 3 資産除去債務

問題1 解答

（単位：千円）

	借方科目	金 額	貸方科目	金 額
(1)	機械装置	44,400	現金預金	42,000
			資産除去債務	2,400
(2)	利息費用	96	資産除去債務	96
	減価償却費	14,800	減価償却累計額	14,800
(3)	利息費用	100	資産除去債務	100
	減価償却費	14,800	減価償却累計額	14,800
(4)	利息費用	104	資産除去債務	104
	減価償却費	14,800	減価償却累計額	14,800
	減価償却累計額	44,400	機械装置	44,400
	資産除去債務	2,700	現金預金	2,750
	履行差額	50		

解説

(1) ×1年4月1日（取得時）

除去に要する将来キャッシュ・フローの割引現在価値を『資産除去債務』として負債に計上し、同額を機械装置の取得原価に加えます。

資産除去債務：

$2,700$ 千円 $÷ (1.04)^3 ≒ 2,400$ 千円

機械装置（取得原価）：

$40,000$ 千円 $+ \underset{\text{据付・試運転費}}{2,000 \text{ 千円}} + \underset{\text{除去費用}}{2,400 \text{ 千円}}$

$= 44,400$ 千円

(2) ×2年3月31日（決算）

① 時の経過にともなう資産除去債務の増加額を、『利息費用』として計上します。

利息費用：$2,400$ 千円 $× 0.04 = 96$ 千円

② 減価償却費は、本体部分と資産除去債務

に対応する除去費用をそれぞれ分けて計算します。

本体部分：$42,000$ 千円 $÷ 3$ 年 $= 14,000$ 千円

除去費用部分：$2,400$ 千円 $÷ 3$ 年 $= 800$ 千円

減価償却費：$14,000$ 千円 $+ 800$ 千円

$= 14,800$ 千円

(3) ×3年3月31日（決算）

時の経過にともなう資産除去債務の増加額を、『利息費用』として計上します。このさい、前期末に増加した金額を含める点に注意しましょう。減価償却費は定額法なので、前期末と同じ金額となります。

利息費用：$(2,400$ 千円 $+ 96$ 千円$) × 0.04$

$≒ 100$ 千円

(4) ×4年3月31日（除去時）

① 利息費用：

$(2,400$ 千円 $+ 96$ 千円 $+ 100$ 千円$)$

$× 0.04 ≒ 104$ 千円

② 実際の除去費用と当初の見積りによって計上した資産除去債務との差額は、『履行差額』として処理します。

履行差額：$2,750$ 千円 $- 2,700$ 千円

$= 50$ 千円

問題2 解答

（単位：千円）

	借方科目	金 額	貸方科目	金 額
(1)	機械装置	33,000	現金預金	30,000
			資産除去債務	3,000
(2)	利息費用	90	資産除去債務	90
	減価償却費	6,600	機械装置減価償却累計額	6,600
(3)	利息費用	93	資産除去債務	93
	減価償却費	6,600	機械装置減価償却累計額	6,600
(4)	利息費用	102	資産除去債務	102
	減価償却費	6,600	機械装置減価償却累計額	6,600
	機械装置減価償却累計額	33,000	機械装置	33,000
	資産除去債務	3,478	現金預金	3,500
	履行差額	22		

(1) ×1年4月1日

機械装置の取得原価を計上するとともに、『**資産除去債務**』を計上します。

資産除去債務：

$3,478 千円 ÷ (1.03)^5 ≒ 3,000 千円$

機械装置の帳簿価額：

$30,000 千円 + \underset{\text{資産除去債務}}{3,000 千円} = 33,000 千円$

(2) ×2年3月31日

時の経過にともなう資産除去債務の追加計上を行うとともに、機械装置の減価償却を行います。

利息費用：$3,000 千円 × 0.03 = 90 千円$

減価償却費：$33,000 千円 ÷ 5 年 = 6,600 千円$

(3) ×3年3月31日

時の経過にともなう資産除去債務の追加計上を行うとともに、機械装置の減価償却を行います。

利息費用：$(3,000 千円 + 90 千円) × 0.03$
$≒ 93 千円$

減価償却費：$33,000 千円 ÷ 5 年 = 6,600 千円$

(4) ×6年3月31日

機械装置の除去を行うとともに、実際の除去費用と当初の見積りとの差額を費用処理します。

①当期の利息費用・減価償却費の計上

利息費用：

×4年3月31日

$(3,000 千円 + 90 千円 + 93 千円) × 0.03$
$≒ 95 千円$

×5年3月31日

$(3,000 千円 + 90 千円 + 93 千円 + 95 千円)$
$× 0.03 ≒ 98 千円$

×6年3月31日

$3,478 千円 - (3,000 千円 + 90 千円$
$+ 93 千円 + 95 千円 + 98 千円) = 102 千円$

減価償却費：$33,000 千円 ÷ 5 年 = 6,600 千円$

②除去に関する処理

資産除去債務：

$3,000 千円 + 90 千円 + 93 千円 + 95 千円$
$+ 98 千円 + 102 千円 = 3,478 千円$

履行差額：

$3,500 千円 - 3,478 千円 = 22 千円$

1 特殊商品売買
2 退職給付会計Ⅱ
3 資産除去債務
4 収益認識
5 本支店会計
6 商的工業簿記
7 本社工場会計
8 建設業会計
9 無形固定資産Ⅱ
10 過年度遡及会計

Chapter 4 収益認識

問題 1 解答

①	履 行 義 務	②	取 引 価 格	③	履 行 義 務
④	取 引 価 格	⑤	変 動 対 価	⑥	変 動 対 価
⑦	返 金 負 債	⑧	契 約 資 産	⑨	契 約 負 債

解説

1　収益認識の基本原則

　　収益認識の基本原則は、財またはサービスの顧客への移転と交換に、**企業が権利を得ると見込む対価の額で収益を認識**することです。

2　収益認識の5つのステップ

　　企業が権利を得ると見込む対価の額で収益を認識するために、収益を認識するまでの過程を5つのステップに分解し、このステップに従って収益を認識します。

ステップ1　**顧客との契約の識別**
⇩
ステップ2　**履行義務の識別**
⇩
｝収益の計上単位の決定
（どの単位で収益を計上するか）

ステップ3　**取引価格の算定**
⇩
ステップ4　**取引価格を履行義務へ配分**
⇩
｝収益の計上金額の決定
（いくらで収益を計上するか）

ステップ5　**履行義務の充足時に収益を認識**　｝収益の計上時期の決定
（いつ収益を計上するか）

3 取引価格算定上の考慮事項

取引価格の算定にあたり考慮すべきもの [01]

(1) 変動対価

(2) 契約における重要な金融要素

(3) 現金以外の対価

(4) 顧客に支払われる対価

取引価格から除くもの

(1) 第三者のために回収する額

01)「現金以外の対価」と「顧客に支払われる対価」については、本試験の重要性から本書では割愛しています。

4 変動対価

変動対価のうち、収益の著しい減額が発生する可能性が高い部分については、ステップ3の取引価格に含めず、返金負債などとして計上します。変動対価の例としては、売上割戻、返品権付き販売などがあります。

5 使用する科目

種　類	内　　　容	
顧客との契約から生じた債権（売掛金など）	企業が顧客に移転した商品またはサービスと交換に受け取る対価に対する企業の権利のうち、	相手に支払義務が発生し、**法的な請求権があるもの**。
契約資産		相手にいまだ支払義務が発生せず、**法的な請求権がないもの**。
契約負債	商品またはサービスを顧客に移転する**企業の義務**に対して、企業が**顧客から対価を受け取った**もの。	
返金負債	顧客から対価を受け取っているものの、その**対価の一部または全部を顧客に返金する義務**。	

1 特殊商品売買

2 退職給付会計Ⅱ

3 資産除去債務

4 収益認識

5 本支店会計

6 商的工業簿記

7 本社工場会計

8 建設業会計

9 無形固定資産Ⅱ

10 過年度遡及会計

<table>
<tr><td colspan="2">貸 借 対 照 表</td></tr>
</table>

貸 借 対 照 表	
流動資産	
売　　掛　　金	(*150,000*)
貸 倒 引 当 金	(*3,000*)
：	
流動負債	
契　　約　　負　債	(*5,500*)

損 益 計 算 書	
売　　　　上　　　　高	(*824,500*)
：	
販売費及び一般管理費	
貸倒引当金繰入	(*2,000*)

解説

1．商品販売

（1）取引価格の配分

取引価格を、独立販売価格にもとづいて各履行義務に配分します。

商品の販売：

$$\underset{\text{取引価格}}{30{,}000\,\text{円}} \times \frac{28{,}000\,\text{円}}{28{,}000\,\text{円} + 7{,}000\,\text{円}} = 24{,}000\,\text{円}$$

サービスの提供：

$$\underset{\text{取引価格}}{30{,}000\,\text{円}} \times \frac{7{,}000\,\text{円}}{28{,}000\,\text{円} + 7{,}000\,\text{円}} = 6{,}000\,\text{円}$$

（2）履行義務の充足

① 商品の販売

商品を引渡し顧客の検収が完了した時点（一時点）で収益を計上します。

② サービスの提供

当期に2カ月分500円 [01] を計上します。

01）$6{,}000\,\text{円} \times \dfrac{2\,\text{カ月}}{24\,\text{カ月}} = 500\,\text{円}$

（3）仕訳

① 取引時（×3年2月1日）

顧客から受取った対価のうち、未だ果たしていない履行義務（サービスの提供義務）は契約負債 [02] として処理します。なお、商品引渡し時にA社の支払義務が確定しているため、借方は売掛金とします。

（借）売　掛　金	30,000	（貸）売　　　　上	24,000
		契 約 負 債 [02]	6,000

02）前受金とすることもあります。

② 決算時（×3年3月31日）

（借）契 約 負 債	500	（貸）売　　　　上	500

2．貸倒引当金の計上

（借）貸倒引当金繰入	2,000 [03]	（貸）貸倒引当金	2,000

03）（120,000円＋30,000円）× 2％＝3,000円

3,000円－1,000円＝2,000円

<table>
<tr><th colspan="2">貸 借 対 照 表</th></tr>
</table>

貸 借 対 照 表

流動資産

　売　　掛　　金 （　*150,000*　）

　貸 倒 引 当 金 （　　*3,000*　）

　　　　　：

流動負債

　返　金　負　債 （　　*1,000*　）

損 益 計 算 書

売　　　上　　　高 （　　*819,000*　）

　　　　　：

販売費及び一般管理費

　貸倒引当金繰入 　　　　（　　*2,000*　）

解 説

変動対価とは、**顧客と約束した対価のうち変動する可能性のある部分**をいいます。

　契約において約束された対価に変動性のある金額を含んでいる場合には、その金額を見積もる必要があります。変動対価のうち、収益の著しい減額が発生する可能性が高い部分については、ステップ3の取引価格に含めず、**返金負債**などとして計上します。変動対価の例としては、売上割戻、返品権付き販売などがあります。

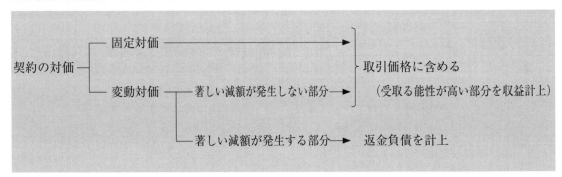

1．リベート（売上割戻）

　リベートとは、一定期間に多額または多量の販売をした顧客に対して行う商品代金の免除や金銭の払戻しをいいます。リベート（売上割戻）のうち収益の著しい減額が発生する可能性が高い部分については、売上計上せずに**返金負債**として計上します。

　返金負債とは、顧客に返金する義務を負債として計上したものです。

（借)売　掛　金 20,000 　(貸)売　　　　上 19,000
　　　　　　　　　　　　　　　　　　返　金　負　債　1,000

　なお、実際には商品販売時に販売金額で売上計上し、期末などリベート見積り時に返金負債を計上する処理も考えられます。

　① 販売時

（借)売　掛　金 20,000 　(貸)売　　　　上 20,000

　② リベート見積り時

（借)売　　　　上　1,000 　(貸)返 金 負 債　1,000

2．貸倒引当金の計上

（借)貸倒引当金繰入　2,000 [03] 　(貸)貸倒引当金　2,000

03）(130,000円＋20,000円)×2％＝3,000円

　　3,000円－1,000円＝2,000円

1 特殊商品売買

2 退職給付会計Ⅱ

3 資産除去債務

4 収益認識

5 本支店会計

6 商的工業簿記

7 本社工場会計

8 建設業会計

9 無形固定資産Ⅱ

10 過年度遡及会計

貸借対照表

流動資産

売　掛　金	（	150,000 ）
貸倒引当金	（	3,000 ）
⋮		⋮
商　　　品	（	108,000 ）
返品資産	（	2,400 ）

流動負債

返金負債	（	4,000 ）

損益計算書

売　上　高	（	816,000 ）
売上原価	（	489,600 ）
⋮		⋮

販売費及び一般管理費

貸倒引当金繰入	（	2,000 ）

解説

　返品権付き販売とは、顧客に、商品を返品し支払った代金の返金を受ける権利が付与されている販売契約をいいます。返品権付き販売をしたときは、返品による返金が見込まれる分について売上計上せず、**返金負債**として認識します。また、**顧客から商品を回収する権利**を**返品資産**として認識します。

1．商品販売

（1）　収益計上

（借）売　掛　金	20,000	（貸）売　　　上	16,000
		返金負債	4,000

（2）　売上原価計上

（借）売上原価	9,600[01]	（貸）商　　　品	12,000
返品資産	2,400[02]		

01）（20,000円－4,000円）×60％＝9,600円
02）4,000円×60％＝2,400円

2．貸倒引当金の計上

（借）貸倒引当金繰入	2,000[03]	（貸）貸倒引当金	2,000

03）（130,000円＋20,000円）×2％＝3,000円
　　3,000円－1,000円＝2,000円

貸 借 対 照 表	
流動資産	
売　掛　金	（　1,520,000　）
貸 倒 引 当 金	（　77,020　）

損 益 計 算 書	
売　　上　　高	（　6,000,000　）
⋮	⋮
販売費及び一般管理費	
貸倒引当金繰入	（　7,020　）
⋮	⋮
営 業 外 収 益	
受 取 利 息	（　20,000　）

解 説

　顧客との契約に重要な金融要素（金利部分）が含まれる場合、取引価格の算定にあたっては、約束した対価の額に含まれる金利相当分の影響を調整します。具体的には、収益を現金販売価格で計上し、金利部分については受取利息として決済期日まで配分します。

1．商品販売

（借）売 掛 金 1,000,000　（貸）売　　　上 1,000,000

2．利息の計上

（借）売 掛 金 20,000 $^{01)}$ （貸）受 取 利 息 20,000

01）1,000,000円×2％＝20,000円

3．貸倒引当金の計上

（借）貸倒引当金繰入　7,020 $^{02)}$ （貸）貸倒引当金　7,020

02）（500,000円＋1,040,400円）×5％＝77,020円
　　77,020円－70,000円＝7,020円

1 特殊商品売買

2 退職給付会計 II

3 資産除去債務

4 収益認識

5 本支店会計

6 商的工業簿記

7 本社工場会計

8 建設業会計

9 無形固定資産 II

10 過年度遡及会計

貸借対照表

流動資産		
現 金 預 金	（	*150,000* ）
売 掛 金	（	*500,000* ）
貸 倒 引 当 金	（	*10,000* ）
商 品	（	*250,000* ）
流動負債		
買 掛 金	（	*255,000* ）

損益計算書

売 上 高		
商品売上高	（	*500,000* ）
手数料収入	（	*15,000* ）
売 上 原 価	（	*350,000* ）
売 上 総 利 益	（	*165,000* ）
販売費及び一般管理費		
貸倒引当金繰入	（	*3,000* ）

解説

他社 [01] が顧客に対して行う商品やサービスの提供を、当社が他社から請け負っているにすぎない場合には、当社は取引の代理人に該当します。当社が取引の代理人にすぎないときは、顧客から受け取る額から他社に支払う額を引いた金額を収益として計上します。

01) 厳密には会社からだけでなく個人から請け負うこともありますが、便宜上、他社としています。

1．商品販売時

当社が取引の代理人にすぎない場合、商品の仕入・販売を行っても売上と売上原価を計上せずに、純額の手数料部分を収益に計上します。

（借）現 金 預 金 50,000　（貸）手 数 料 収 入 15,000 [02]
　　　　　　　　　　　　　　買 掛 金 35,000

02) 50,000円－35,000円＝15,000円

2．売上原価の算定

（借）仕　　　　入 220,000　（貸）繰 越 商 品 220,000
（借）繰 越 商 品 250,000　（貸）仕　　　　入 250,000

3．貸倒引当金の計上

（借）貸倒引当金繰入　3,000 [03]　（貸）貸倒引当金　3,000

03) 500,000円×2％＝10,000円
　　10,000円－7,000円＝3,000円

貸 借 対 照 表		損 益 計 算 書	
流動資産		売　　上　　高　（　508,000　）	
売　掛　金　（　100,000　）		⋮　　　　　　⋮	
契　約　資　産　（　8,000　）		販売費及び一般管理費	
貸　倒　引　当　金　（　2,160　）		貸倒引当金繰入　（　160　）	

解説

　1つの契約の中に1つの履行義務がある場合、企業が顧客に対して履行義務を充足したときに、顧客の支払義務（企業の顧客に対する法的な債権）が発生し、売掛金を計上します。

　一方、1つの契約の中に2つの履行義務があり、2つの履行義務を充足してはじめて顧客に支払義務が発生する場合があります。

　その場合、最初の履行義務を充足したときは、顧客の支払義務（法的な債権）が発生していないため、当社では**契約資産を計上します**。[01]

01）顧客に支払義務が発生していなくても、移転した商品と交換に企業が受け取る対価に対する権利は生じるため、契約資産として計上します。

1．商品の販売

（1）　商品Aの引渡し時（×3年3月1日）

（借）契 約 資 産　8,000[02]　（貸）売　　上　8,000

02）商品Aへの配分額：

$$20,000円 \times \frac{8,400円}{8,400円 + 12,600円} = 8,000円$$

（2）　商品Bの引渡し時（×3年5月1日）

（本問では問われていないため参考）

　商品Aと商品Bの両方の引渡しにより顧客に支払義務が発生するため、商品Aに係る契約資産を売掛金に振り替えます。

　また、商品Bについて収益と売掛金の計上を行います。

（借）売 掛 金　20,000　（貸）契 約 資 産　8,000
　　　　　　　　　　　　　　売　　上　12,000[03]

03）商品Bへの配分額：

$$20,000円 \times \frac{12,600円}{8,400円 + 12,600円} = 12,000円$$

2．貸倒引当金の計上

（借）貸倒引当金繰入　160[04]　（貸）貸倒引当金　160

04）（100,000円＋8,000円）×2％＝2,160円
　　2,160円－2,000円＝160円

問題1

解答

(単位：円)

		借　方　科　目	金　額	貸　方　科　目	金　額
(1)	本店	支　　　　　店	3,136,000	売　　掛　　金	3,136,000
	支店	現　金　預　金	3,136,000	本　　　　　店	3,136,000
(2)	本店	支　　　　　店	1,519,840	支　店　売　上	1,519,840
	支店	本　店　仕　入	1,519,840	本　　　　　店	1,519,840
(3)	本店	仕　訳　な　し			
	支店	受　取　手　形	2,100,000	売　　　　　上	2,100,000
(4)	本店	仕　　　　　入	2,093,750	買　　掛　　金	2,093,750
		支　　　　　店	2,345,000	支　店　売　上	2,345,000
	支店	本　店　仕　入	2,345,000	本　　　　　店	2,345,000

解説

(2)振替価格：1,357,000円 × 1.12 = 1,519,840円

(3)売　　価：1,785,000円 ÷ 0.85 = 2,100,000円

(4)振替価格：2,093,750円 × 1.12 = 2,345,000円

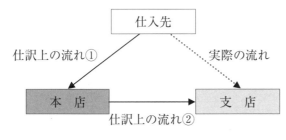

①支店分散計算制度

(単位：円)

		借方科目	金額	貸方科目	金額
(1)	本店	仕訳なし			
	A支店	B支店	132,300	B支店売上	132,300 [01]
	B支店	A支店仕入	132,300	A支店	132,300
(2)	本店	仕訳なし			
	A支店	B支店	150,000	売掛金	150,000
	B支店	現金預金	150,000	A支店	150,000

01) 仕入原価：120,000円＋6,000円＝126,000円
　　振替価格：126,000円×1.05＝132,300円

②本店集中計算制度

(単位：円)

		借方科目	金額	貸方科目	金額
(1)	本店	B支店	132,300	A支店	132,300
	A支店	本店	132,300	本店売上	132,300
	B支店	本店仕入	132,300	本店	132,300
(2)	本店	B支店	150,000	A支店	150,000
	A支店	本店	150,000	売掛金	150,000
	B支店	現金預金	150,000	本店	150,000

解説

①支店分散計算制度の考え方

　支店間取引は本店を介さず、支店同士で直接取引を行っているものと考えて仕訳します。

　この方法での支店間取引については、本店では「仕訳なし」となります。実際の取引の流れに沿っているので処理をイメージしやすい方法です。

②本店集中計算制度の考え方

　支店間取引は、すべていったん本店を介して行っているものと考えて仕訳します。この制度での支店間取引については、本店では各支店勘定しか使わないのが特徴です。

①	200	②	293,300	③	70,000
④	162,000	⑤	183,600		

1 特殊商品売買
2 退職給付会計Ⅱ
3 資産除去債務
4 収益認識
5 本支店会計
6 商的工業簿記
7 本社工場会計
8 建設業会計
9 無形固定資産Ⅱ
10 過年度遡及会計

解(説)

1．商品の流れの把握

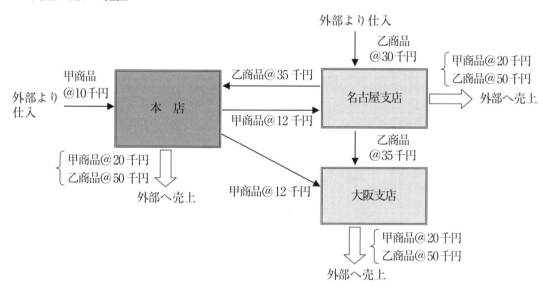

2．各取引の仕訳

　本問を解答するうえでは、本店の仕訳だけを下書用紙に書き出せばよいのですが、各支店の仕訳も必要に応じて適宜下書きに書き出すようにしましょう。

(単位：千円)

		本　店	名古屋支店	大阪支店
3	(1)	(借)名古屋支店 162,000 (貸)名古屋支店売上 162,000	(借)本店仕入 162,000 (貸)本　店 162,000	
		(借)大阪支店 177,600 (貸)大阪支店売上 177,600		(借)本店仕入 177,600 (貸)本　店 177,600
3	(2)	(借)名古屋支店 1,200 (貸)現金預金 2,900	(借)営業費 1,200 (貸)本　店 1,200	(借)営業費 1,700 (貸)本　店 1,700
		(借)大阪支店 1,700		
3	(3)	(借)大阪支店 6,000 (貸)大阪支店売上 6,000		(借)本店仕入 6,000 (貸)本　店 6,000
				(借)売掛金 10,000 (貸)売　上 10,000
3	(4)	(借)名古屋支店 10,000 (貸)現金預金 10,000	(借)現金預金 10,000 (貸)本　店 10,000	
4	(1)	(借)名古屋店仕入 70,000 (貸)名古屋支店 70,000	(借)本　店 70,000 (貸)本店売上 70,000	
		(借)大阪支店 45,500 (貸)名古屋支店 45,500	(借)本　店 45,500 (貸)本店売上 45,500	(借)本店仕入 45,500 (貸)本　店 45,500
4	(2)	(借)現金預金 7,000 (貸)名古屋支店 7,000	(借)本　店 7,000 (貸)現金預金 7,000	
5	(1)	(借)大阪支店 17,500 (貸)名古屋支店 17,500	(借)仕　入 15,000 (貸)買掛金 15,000	(借)本店仕入 17,500 (貸)本　店 17,500
			(借)本　店 17,500 (貸)本店売上 17,500	
5	(2)	(借)大阪支店 41,000 (貸)名古屋支店 41,000	(借)本　店 41,000 (貸)売掛金 41,000	(借)現金預金 41,000 (貸)本　店 41,000
決算整理		(借)減価償却費 20,000 (貸)建物減価償却累計額 20,000	(借)減価償却費 8,000 (貸)本　店 8,000	(借)減価償却費 4,000 (貸)本　店 4,000
		(借)名古屋支店 8,000 (貸)減価償却費 8,000		
		(借)大阪支店 4,000 (貸)減価償却費 4,000		

本店帳簿における『名古屋支店』『大阪支店』『名古屋支店売上』『名古屋支店仕入』『大阪支店売上』の記入状況は、次のようになります。（単位：千円）

名古屋支店

3（1）	162,000	4（1）	70,000
3（2）	1,200	4（1）	45,500
3（4）	10,000	4（2）	7,000
決	8,000	5（1）	17,500
		5（2）	41,000

残高：200 ①

大阪支店

3（1）	177,600	
3（2）	1,700	
3（3）	6,000	
4（1）	45,500	残高：293,300 ②
5（1）	17,500	
5（2）	41,000	
決	4,000	

名古屋支店売上

④残高：162,000 { 3（1） 162,000

大阪支店売上

⑤残高：183,600 { 3（1） 177,600 / 3（3） 6,000

名古屋支店仕入

4（1） 70,000 } 残高：70,000 ③

（単位：千円）

本店元帳

損　益

摘　要	金　額	摘　要	金　額
仕　　　入	38,000	売　　　上	10,000
営　業　費	3,750	支 店 売 上	33,000
雑　損　失	250	雑　収　入	400
総 合 損 益	1,400		
	43,400		43,400

支店元帳

損　益

摘　要	金　額	摘　要	金　額
仕　　　入	10,550	売　　　上	50,000
本 店 仕 入	33,000	雑　収　入	300
営　業　費	5,650		
本　　　店	1,100		
	50,300		50,300

本店元帳

総 合 損 益

摘　要	金　額	摘　要	金　額
繰延内部利益控除	350	損　　　益	1,400
繰越利益剰余金	2,350	支　　　店	1,100
		繰延内部利益戻入	200
	2,700		2,700

本店元帳

閉 鎖 残 高

摘　要	金　額	摘　要	金　額
現 金 預 金	800	買 掛 金	3,500
売 掛 金	1,000	繰延内部利益	*350*
繰 越 商 品	*2,300*	資 本 金	*23,000*
備　　　品	1,800	利 益 準 備 金	1,550
支　　　店	*27,500*	繰越利益剰余金	*5,000*
	33,400		33,400

支店元帳

閉 鎖 残 高

摘　要	金　額	摘　要	金　額
現 金 預 金	9,950	買 掛 金	700
売 掛 金	*8,400*	未 払 営 業 費	*100*
繰 越 商 品	*5,650*	本　　　店	*27,500*
備　　　品	4,300		
	28,300		28,300

1 特殊商品売買
2 退職給付会計 II
3 資産除去債務
4 収益認識
5 本支店会計
6 商的工業簿記
7 本社工場会計
8 建設業会計
9 無形固定資産 II
10 遡及会計 過年度

解説

1．前T/Bの空欄

(1) 繰延内部利益

　支店の期首商品のうち本店仕入分：

　期首商品 3,600 千円 − 外部仕入分 1,400 千円

　　= 2,200 千円

　∴　繰延内部利益：2,200 千円 ÷ 1.1 × 0.1

　　= 200 千円

(2) 資本金

　上記(1)算定後、前T/Bの貸借差額により、

　23,000 千円

2．未達事項（単位：千円）

(1) 未達商品：支店売上 33,000 千円 − 本店仕入

　　　　　　32,450 千円 = 550 千円

　支店の仕訳：（本店仕入） 550 （本　　店） 550

(2) 売掛金回収の未達

	支　　店		
前T/B	26,400		
		整理後	26,400

	本　　店		
売掛金	300	前T/B	26,150
		上記(1)	550
整理後	26,400		

　支店の仕訳：（本　　店） 300 （売　掛　金） 300

3．仕入 a/c

(1) 本　店（単位：千円）

仕　入

前T/B	37,800	期末	2,300
期首	2,500	整理後	38,000

(2) 支　店（単位：千円）

仕　入

前T/B	12,600	期末※	5,650
期首	3,600	整理後	10,550

　※　支店の期末商品：

　　外部仕入分 1,800 千円 + 本店仕入分 3,300 千円

　　+ 未達商品 550 千円 = 5,650 千円

4．支店の未払営業費（単位：千円）

　支店の仕訳：（営　業　費） 100 （未払営業費） 100

5．繰延内部利益控除

　支店の期末商品のうち本店仕入分：

　3,300 千円 + 550 千円 = 3,850 千円

　∴　3,850 千円 ÷ 1.1 × 0.1 = 350 千円

6．その他

(1) 支店 a/c と本店 a/c の期末残高

　未達整理後 26,400 千円 + 支店純利益 1,100 千円

　= 27,500 千円

(2) 繰越利益剰余金の期末残高

　前T/B 2,650 千円 + 総合損益 2,350 千円

　= 5,000 千円

問1

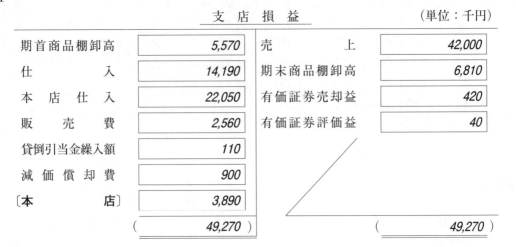

支　店　損　益　　　　　　　（単位：千円）

期首商品棚卸高	5,570	売　　　　上	42,000
仕　　　　入	14,190	期末商品棚卸高	6,810
本　店　仕　入	22,050	有価証券売却益	420
販　　売　　費	2,560	有価証券評価益	40
貸倒引当金繰入額	110		
減　価　償　却　費	900		
〔本　　　店〕	3,890		
（	49,270 ）	（	49,270 ）

問2

本店勘定　　35,950 千円　　　支店勘定　　35,950 千円

問3

総　合　損　益　　　　　　　（単位：千円）

〔繰延内部利益控除〕	110	本　店　損　益	10,310
法　人　税　等	7,130	支　　　　店	3,890
繰越利益剰余金	7,130	〔繰延内部利益戻入〕	170
（	14,370 ）	（	14,370 ）

解説

1．決算整理前残高試算表の推定

（1）本店

　①有価証券：24,000 千円 + 18,000 千円
　　　　　　　= 42,000 千円

　②投資有価証券：17,000 千円

　③繰延内部利益：$3,570 \text{千円} \times \dfrac{0.05}{1.05} = 170 \text{千円}$

　④支店売上：22,050 千円（本店仕入より
　　　　　　　　∴未達事項がないため）

　⑤売　　上：52,000 千円（貸借差額より）

（2）支店

　①有価証券：@ 62.5 千円 × 80 株 = 5,000 千円

　②繰越商品：5,570 千円（貸借差額より）

2．決算整理仕訳等

（1）本店

　①売上原価の算定

（借）仕　　　　入	11,000	（貸）繰　越　商　品	11,000
（借）繰　越　商　品	9,000	（貸）仕　　　　入	9,000
（借）棚　卸　減　耗　損	100	（貸）繰　越　商　品	100

　棚卸減耗損：9,000 千円 − 8,900 千円 = 100 千円

　②貸倒引当金の設定

（借）貸倒引当金繰入	40	（貸）貸倒引当金	40

　貸倒引当金の設定額：
　　21,000 千円 × 0.02 = 420 千円

　貸倒引当金繰入：
　　420 千円 − 380 千円 = 40 千円

　③有価証券の評価

（借）有価証券評価損益	3,800	（貸）有　価　証　券	3,800

有価証券評価損益：

$$(20,000\text{ 千円} - \underbrace{24,000\text{ 千円})}_{\text{A社株式}}$$

$$+ \underbrace{(18,200\text{ 千円} - 18,000\text{ 千円})}_{\text{B社株式}}$$

$$= \triangle 3,800\text{ 千円（評価損）}$$

C社株式の評価差額は部分純資産直入法で処理します。

（借）投資有価証券評価損益	1,000	（貸）投資有価証券	1,000

投資有価証券評価損益：

16,000 千円 − 17,000 千円 ＝ △1,000 千円（評価損）

④減価償却

（借）減価償却費	4,200	（貸）減価償却累計額	4,200

減価償却費：$\dfrac{70,000\text{ 千円} \times 0.9}{15\text{ 年}} = 4,200$ 千円

⑤本店損益勘定

本　店　損　益			（単位：千円）
期首商品棚卸高	11,000	売　　　　上	52,000
仕　　　　入	46,600	支　店　売　上	22,050
棚　卸　減　耗　損	100	期末商品棚卸高	9,000
販　　売　　費	13,200	受　取　配　当　金	7,200
貸倒引当金繰入額	40		
減　価　償　却　費	4,200		
有価証券評価損	3,800		
投資有価証券評価損	1,000		
総　合　損　益	10,310		
	90,250		90,250

(2) 支店

①売上原価の算定

（借）仕　　　　入	5,570	（貸）繰　越　商　品	5,570
（借）繰　越　商　品	6,810	（貸）仕　　　　入	6,810

②貸倒引当金の設定

（借）貸倒引当金繰入	110	（貸）貸　倒　引　当　金	110

貸倒引当金の設定額：

14,000 千円 × 0.02 ＝ 280 千円

貸倒引当金繰入：

280 千円 − 170 千円 ＝ 110 千円

③有価証券の評価

（借）有　価　証　券	40	（貸）有価証券評価損益	40

有価証券評価損益：

$$(@ 63\text{ 千円} - @ 62.5\text{ 千円}) \times 80\text{ 株}$$

$$= 40\text{ 千円（評価益）}$$

④減価償却

（借）減価償却費	900	（貸）減価償却累計額	900

減価償却費：$\dfrac{20,000\text{ 千円} \times 0.9}{20\text{ 年}} = 900$ 千円

⑤支店損益勘定

支　店　損　益			（単位：千円）
期首商品棚卸高	5,570	売　　　　上	42,000
仕　　　　入	14,190	期末商品棚卸高	6,810
本　店　仕　入	22,050	有価証券売却益	420
販　　売　　費	2,560	有価証券評価益	40
貸倒引当金繰入額	110		
減　価　償　却　費	900		
本　　　　店	3,890		
	49,270		49,270

(3) 本店（総合損益）

①繰延内部利益

（借）繰延内部利益	170	（貸）繰延内部利益戻入	170
（借）繰延内部利益控除	110	（貸）繰延内部利益	110

繰延内部利益控除：

$$2,310\text{ 千円} \times \dfrac{0.05}{1.05} = 110\text{ 千円}$$

②総合損益

総　合　損　益			（単位：千円）
繰延内部利益控除	110	本　店　損　益	10,310 [02]
法　人　税　等	7,130 [01]	支　　　　店	3,890 [03]
繰越利益剰余金	7,130 [01]	繰延内部利益戻入	170
	14,370		14,370

01）法人税等（繰越利益剰余金）：

（14,370 千円 − 110 千円）× 0.5 ＝ 7,130 千円

02）本店損益勘定より振替え。

03）支店損益勘定より振替え。なお、支店および本店において次の仕訳が行われています。

支店：

（借）支　店　損　益	3,890	（貸）本　　　　店	3,890

本店：

（借）支　　　　店	3,890	（貸）総　合　損　益	3,890

(4) 本店勘定（支店勘定）の次期繰越額

$$\underbrace{32,060\text{ 千円}}_{\text{前T/B}} + \underbrace{3,890\text{ 千円}}_{\text{支店損益}} = 35,950\text{ 千円}$$

1 特殊商品売買

2 退職給付会計Ⅱ

3 資産除去債務

4 収益認識

5 本支店会計

6 商的工業簿記

7 本社工場会計

8 建設業会計

9 無形固定資産Ⅱ

10 過年度遡及会計

問1

合 併 損 益 計 算 書　　　　（単位：千円）

費　　　　　用	金　　額	収　　　　　益	金　　額
期首商品棚卸高	5,900	売　　上　　高	60,000
当期商品仕入高	50,400	期末商品棚卸高	7,600
営　　業　　費	9,400	雑　　収　　入	700
雑　　損　　失	250		
当　期　純　利　益	2,350		
合　　　　計	68,300	合　　　　計	68,300

合 併 貸 借 対 照 表　　　　（単位：千円）

資　　　　　産	金　　額	負債・純資産	金　　額
現　金　預　金	10,750	買　　掛　　金	4,200
売　　掛　　金	9,400	未　払　費　用	100
商　　　　　品	7,600	資　　本　　金	23,000
備　　　　　品	6,100	利　益　準　備　金	1,550
		繰越利益剰余金	5,000
合　　　　計	33,850	合　　　　計	33,850

問2　　　　　　　　　　　　　　　　　　　　　　　　　　　（単位：千円）

借　方　科　目	金　　額	貸　方　科　目	金　　額
本　　　　　店	26,400	支　　　　　店	26,400

解説

1．未達事項（単位：千円）

(1)　未達商品：支店売上 33,000 千円 － 本店仕入
　　　　　　32,450 千円 ＝ 550 千円（振替価格）

支店の仕訳：（本店仕入）550（本　店）550

(2)　売掛金回収の未達

支店の仕訳：（本　店）300（売　掛　金）300

2．照合 a／c（単位：千円）

支　店

前 T／B	26,400		
		整理後	26,400

本　店

1．(2)	300	前 T／B	26,150
		1．(1)	550
整理後	26,400		

∴　合併整理

帳簿外：（本　店）26,400（支　店）26,400

3．P／Lの主な数値

(1)　売上高：

　　本店 10,000 千円 ＋ 支店 50,000 千円
　　＝ 60,000 千円（内部売上高は含めません。）

(2)　期首商品棚卸高：

　　本店 2,500 千円 ＋ 支店 3,600 千円 － 内部利益
　　200 千円 ＝ 5,900 千円

1 特殊商品売買

2 退職給付会計Ⅱ

3 資産除去債務

4 収益認識

5 本支店会計

6 商的工業簿記

7 本社工場会計

8 建設業会計

9 無形固定資産Ⅱ

10 過年度遡及会計

(3) 当期商品仕入高：

本店 37,800 千円 + 支店 12,600 千円

= 50,400 千円（内部仕入高は含めません。）

(4) 期末商品棚卸高：

本店 2,300 千円 + 支店（1,800 千円 + 3,300

千円 + 未達 550 千円）− 内部利益※ 350 千円

= 7,600 千円

※ 本店仕入分（3,300 千円 + 550 千円）

÷ 1.1 × 0.1 = 350 千円

(5) 営業費：

本店 3,750 千円 + 支店 5,550 千円 + 見越 100

千円 = 9,400 千円

(6) 当期純利益（差額）：2,350 千円

4．B／Sの主な数値

(1) 売掛金：本店 1,000 千円 + 支店 8,700 千円 −

未達 300 千円 = 9,400 千円

(2) 商品：P／L期末商品棚卸高より

(3) 繰越利益剰余金：本店（決算整理後）2,650

千円 + 当期純利益 2,350 千円 = 5,000 千円

問題 7　解答

問1

未達取引整理後の

支 店 勘 定　　45,000　千円　　支店売上勘定　　53,550　千円

未達取引整理前の

本 店 勘 定　　34,350　千円　　本店仕入勘定　　44,100　千円

問2

合 併 損 益 計 算 書
自×2年4月1日　至×3年3月31日　　（単位：千円）

科　　目	金	額
Ⅰ　売　上　高		（ 1,147,700 ）
Ⅱ　売　上　原　価		
1　期首商品棚卸高	（ 99,500 ）	
2　当期商品仕入高	（ 945,250 ）	
合　　　計	（ 1,044,750 ）	
3　期末商品棚卸高	（ 104,250 ）	（ 940,500 ）
売　上　総　利　益		（ 207,200 ）
Ⅲ　販売費及び一般管理費		
1　販　売　費	（ 20,100 ）	
2　棚　卸　減　耗　損	（ 1,000 ）	
3　貸倒引当金繰入額	（ 600 ）	
4　減　価　償　却　費	（ 4,200 ）	（ 25,900 ）
営　業　利　益		（ 181,300 ）
Ⅳ　営　業　外　費　用		
1　支　払　利　息		（ 2,800 ）
税引前当期純利益		（ 178,500 ）
法　人　税　等		（ 89,250 ）
当　期　純　利　益		（ 89,250 ）

合 併 貸 借 対 照 表

×3年3月31日　　　　　　　　　　（単位：千円）

科　　　　目	金　　　額		科　　　　目	金　　　額
現　金　預　金		（　107,060　）	買　　掛　　金	（　72,000　）
売　　掛　　金	（　93,000　）		借　　入　　金	（　85,000　）
貸　倒　引　当　金	（△　1,860　）	（　91,140　）	未　払　法　人　税　等	（　89,250　）
商　　　　品		（　103,250　）	資　　本　　金	（　500,000　）
建　　　　物	（　170,000　）		繰　越　利　益　剰　余　金	（　209,250　）
減　価　償　却　累　計　額	（△　55,950　）	（　114,050　）		
土　　　　地		（　540,000　）		
資　産　合　計		（　955,500　）	負債及び純資産合計	（　955,500　）

解説

（以下、仕訳の単位：千円）

1．未達事項の仕訳（問1）

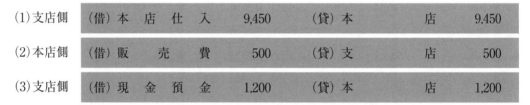

(1)支店側	（借）本　店　仕　入	9,450		（貸）本　　　　店	9,450			
(2)本店側	（借）販　　売　　費	500		（貸）支　　　　店	500			
(3)支店側	（借）現　金　預　金	1,200		（貸）本　　　　店	1,200			

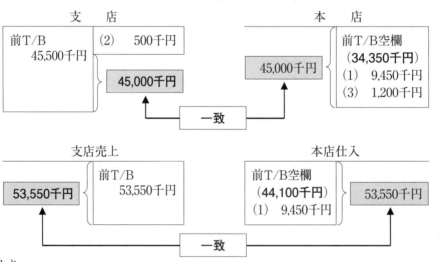

以上より、

　　支店勘定、本店勘定：45,000千円

　　支店売上勘定、本店仕入勘定：53,550千円

2．合併財務諸表の作成(問2)

(1)売上高

同一の商品を外部と支店に販売しています。そこで、外部販売分と支店売上分を分けて考える必要があります。

①前T/B・本店の空欄推定「売上」

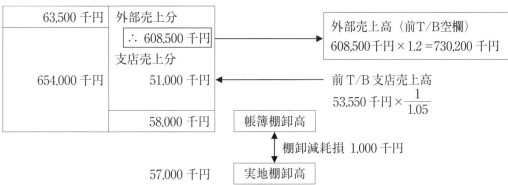

②前T/B・支店の空欄推定「売上」

支店＜商品＞本店仕入分

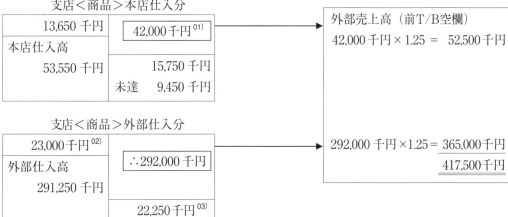

01）支店は振替価格を原価としているので、42,000千円を売上原価と考えます。

02）36,650千円 − 13,650千円 ＝ 23,000千円
　　　前T/B　　　本店仕入分

03）38,000千円 − 15,750千円 ＝ 22,250千円

1 特殊商品売買
2 退職給付会計Ⅱ
3 資産除去債務
4 収益認識
5 本支店会計
6 商的工業簿記
7 本社工場会計
8 建設業会計
9 無形固定資産Ⅱ
10 過年度遡及会計

(2) 売上原価の内訳

①期首商品棚卸高：

$$\underset{\text{本店}}{63,500\,千円} + \underset{\text{支店}}{36,650\,千円} - \underset{\text{内部利益の控除}}{650\,千円}^{\text{04)}}$$

$$= 99,500\,千円$$

04) $13,650\,千円 \times \dfrac{0.05}{1.05} = 650\,千円$

　　　　　　　⇒ 前T/B・本店の空欄推定「繰延内部利益」

②当期商品仕入高：

$$\underset{\text{本店外部仕入高}}{654,000\,千円} + \underset{\text{支店外部仕入高}}{291,250\,千円} = 945,250\,千円$$

③期末商品棚卸高：

$$\underset{\text{本店}}{58,000\,千円} + (\underset{\text{支店}}{38,000\,千円} + \underset{\text{未達分}}{9,450\,千円})$$

$$- \underset{\text{内部利益の控除}}{1,200\,千円}^{\text{05)}} = 104,250\,千円$$

05) $(15,750\,千円 + \underset{\text{未達分}}{9,450\,千円}) \times \dfrac{0.05}{1.05} = 1,200\,千円$

(3) 販売費

本　店：$13,400\,千円 + \underset{\text{未達分}}{500\,千円} = 13,900\,千円$

支　店：　　　　　　　　　　$6,200\,千円$

　　　　　　　　　　　　　$20,100\,千円$

(4) 棚卸減耗損

本　店：　$58,000\,千円 - 57,000\,千円 = 1,000\,千円$

(5) 貸倒引当金繰入

本　店：$72,000\,千円 \times 0.02 - 1,050\,千円 = 390\,千円$

支　店：$21,000\,千円 \times 0.02 - 210\,千円 = 210\,千円$

　　　　　　　　　　　　　　　$600\,千円$

(6) 建物減価償却費

本　店：$\dfrac{120,000\,千円 \times 0.9}{40\,年} = 2,700\,千円$

支　店：$\dfrac{50,000\,千円 \times 0.9}{30\,年} = 1,500\,千円$

　　　　　　　　　　　　$4,200\,千円$

(7) 法人税等

$\underset{\text{税引前当期純利益}}{178,500\,千円} \times 0.5 = 89,250\,千円$

(8) 現金預金：

$$\underset{\text{本店}}{94,050\,千円} + \underset{\text{支店}}{11,810\,千円} + \underset{\text{未達分}}{1,200\,千円}$$

$$= 107,060\,千円$$

(9) 商　　品：

$$\underset{\text{(P/L)期末商品棚卸高}}{104,250\,千円} - \underset{\text{棚卸減耗損}}{1,000\,千円} = 103,250\,千円$$

3．前T/B・本店の空欄推定「資本金」

　2．(1) ①「売上」の空欄をうめ、2．(2) ①「繰延内部利益」をうめると、貸方の空欄は「資本金」だけになります。そこで、借方合計金額との差額で「資本金」を求めます。

4．前T/B・支店の空欄推定「土地」

　問1で求めた支店の本店勘定をうめ、2．(1) ②で求めた支店の「売上」をうめます。そこで貸方はすべて空欄がうまるので、貸方の合計金額を出します。

　次に、借方の「本店仕入」をうめ、貸方合計金額との差額で「土地」を求めます。

問　題 8

解　答

問1

（a）	23,670 千円	（b）	1,880 千円

問2

（単位：千円）

【資料5】5 の仕訳	借 方 科 目	金 額	貸 方 科 目	金 額
	仮　払　金	100	本　　　店	100

問3

（a）	6,000 千円	（b）	13,810 千円	（c）	119,820 千円	（d）	33,000 千円
（e）	160 千円	（f）	270 千円	（g）	7,600 千円		

解　説

（以下仕訳の単位：千円）

　本問は、通常の本支店会計とは異なる流れで本支店合併財務諸表の作成や帳簿の締切りを行っています。特殊な問題なので、問題文の指示に忠実に従って解答することが重要です。

〔通常の本支店会計の流れ〕

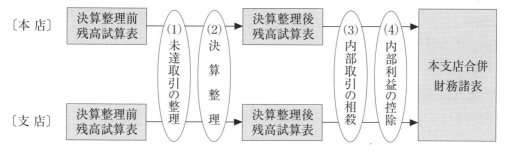

〔本問の流れ〕

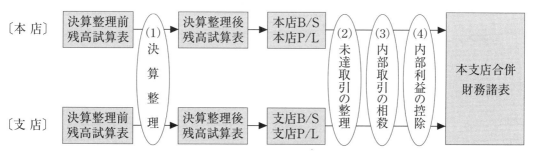

1　特殊商品売買

2　退職給付会計 II

3　資産除去債務

4　収益認識

5　本支店会計

6　商的工業簿記

7　本社工場会計

8　建設業会計

9　無形固定資産 II

10　過年度遡及会計

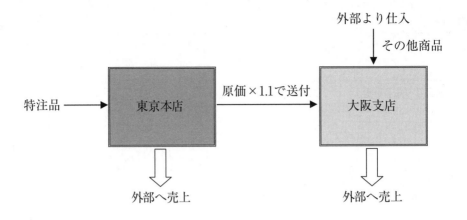

外部より仕入

その他商品

特注品 →　東京本店　—原価×1.1で送付→　大阪支店

↓　　　　　　　　　　　　　　↓

外部へ売上　　　　　　　　　外部へ売上

１．大阪支店の決算整理事項（問１）

（1）減価償却費

（借）営業費（減価償却費）	150	（貸）備品減価償却累計額	150

（2）貸倒引当金

$$\underset{\text{売掛金}}{3,000 \text{千円}} \times 0.02 - \underset{\text{決算整理前 T/B残高}}{10 \text{千円}} = 50 \text{千円}$$

（借）営業費（貸倒引当金繰入額）	50	（貸）貸倒引当金	50

（3）売上原価算定

【資料３】３より、本店からの特注品仕入の期末残高は、期別先入先出法を採用しているので最終仕入の 4,060 個の中の 1,300 個ということになり、単価は＠1,100 円となります。

∴『繰越商品』期末残高：

$$\underset{\text{特注品}}{@1,100 \text{円} \times 1,300 \text{個}} + \underset{\text{その他の商品}}{340 \text{千円}} = 1,770 \text{千円}$$

（借）売上原価	1,640[01]	（貸）繰越商品	1,640
（借）売上原価	9,280	（貸）仕入	9,280
（借）売上原価	14,520	（貸）本店仕入	14,520
（借）繰越商品	1,770[02]	（貸）売上原価	1,770

01) $\underset{\text{その他商品・期首残高}}{760 \text{千円}} + \underset{\text{特注品・期首残高}}{880 \text{千円}} = 1,640 \text{千円}$

02) $\underset{\text{その他商品・期末残高}}{340 \text{千円}} + \underset{\text{特注品・期末残高}}{1,430 \text{千円}} = 1,770 \text{千円}$

商品（大阪支店）

その他の商品・期首残高 760千円	売上原価 23,670千円	売上 36,500千円
特注品・期首残高 880千円		
当期商品仕入高 その他の商品 9,280千円	その他の商品・期末残高 340千円	
特注品 14,520千円	特注品・期末残高 1,430千円	

（4）支店負担分の振替え

（借）一般管理費	1,000	（貸）本店	1,000

大阪支店損益計算書　（単位：千円）

勘定科目	金　額	勘定科目	金　額
売上原価	（a 23,670）	売　上	36,500
営業費	8,950		
一般管理費	2,000		
当期純利益	（b 1,880）		
	36,500		36,500

なお、問１を解答するうえでは必要ありませんが、本店の決算整理事項および本店の損益計算書は次のようになります。

東京本店の決算整理事項等

①減価償却費

(借)	営　業　費 （減価償却費）	1,250	(貸)	建物減価償却累計額	1,000
			(貸)	備品減価償却累計額	250

②貸倒引当金

$$(\underbrace{4{,}800 \text{千円}}_{\text{売掛金}} + \underbrace{6{,}000 \text{千円}}_{\text{受取手形}}) \times 0.02 - \underbrace{60 \text{千円}}_{\text{前T/B残高}}$$
$$= 156 \text{千円}$$

(借)	営　業　費 （貸倒引当金繰入額）	156	(貸)	貸倒引当金	156

③売上原価算定

(借)	売 上 原 価	2,000	(貸)	繰 越 商 品	2,000
(借)	売 上 原 価	112,900	(貸)	仕　　　入	112,900
(借)	繰 越 商 品	3,900	(貸)	売 上 原 価	3,900

④支店負担分の振替え

(借)	支　　　店	1,000	(貸)	一般管理費	1,000

東京本店損益計算書　（単位：千円）

勘定科目	金　額	勘定科目	金　額
売 上 原 価	111,000	売　　　上	135,000
営 業 費	24,006	支 店 売 上	14,850
一般管理費	9,000		
当期純利益	5,844		
	149,850		149,850

２．未達取引の整理（問２）

（1）商品送付未達：大阪支店

(借)	本 店 仕 入	330	(貸)	本　　　店	330

（2）現金送付未達：大阪支店

(借)	現 金 預 金	200	(貸)	本　　　店	200

（3）売掛金回収未達：東京本店

(借)	支　　　店	300	(貸)	売 掛 金	300

（4）運送費立替未達：大阪支店

(借)	営 業 費	50	(貸)	本　　　店	50

（5）仮払い未達：大阪支店・・・（問２の答え）

(借)	仮 払 金	100	(貸)	本　　　店	100

1 特殊商品売買
2 退職給付会計II
3 資産除去債務
4 収益認識
5 本支店会計
6 商的工業簿記
7 本社工場会計
8 建設業会計
9 無形固定資産II
10 過年度遡及会計

問3

(単位：千円)

勘定科目	本店試算表 借方	本店試算表 貸方	支店試算表 借方	支店試算表 貸方	未達整理記入 借方	未達整理記入 貸方	合併・決算整理記入 借方	合併・決算整理記入 貸方	損益計算書 借方	損益計算書 貸方	貸借対照表 借方	貸借対照表 貸方
現 金 預 金	3,000		1,200		200						4,400	
受 取 手 形	6,000										6,000	
売 掛 金	4,800		3,000			300					7,500	
未 収 金	400		200								600	
立 替 金			150								150	
仮 払 金	290		60		100						450	
繰 越 商 品	2,000		1,640				(a)6,000	3,640			6,000	
建 物	60,000										60,000	
備 品	7,500		13,200								20,700	
買 掛 金		7,200		2,230								9,430
未 払 金		990		660								1,650
貸 倒 引 当 金		60		10				200				(f) 270
建物減価償却累計額		8,000						1,000				9,000
備品減価償却累計額		2,000		1,470				400				3,870
支 店	12,510				300		1,000	13,810				
本 店				12,130		330	(b)13,810	1,000				
						200						
						50						
						100						
内 部 利 益		80					80	160				160
資 本 金		60,000										60,000
剰 余 金		13,820										13,820
売 上		135,000			36,500					171,500		
支 店 売 上		14,850					14,850					
仕 入	112,900		9,280				122,180					
本 店 仕 入			14,520		330			14,850				
売 上 原 価							122,180		(c)119,820			
							3,640	6,000				
営 業 費	22,600		8,750		50		200		(d)33,000			
							1,000					
							400					
一 般 管 理 費	10,000		1,000				1,000	1,000	11,000			
内 部 利 益 控 除							160		(e) 160			
内 部 利 益 戻 入								80		80		
当 期 純 利 益									7,600			(g)7,600
合 計	242,000	242,000	53,000	53,000	980	980	164,320	164,320	171,580	171,580	105,800	105,800

問1では〔決算整理〕→〔未達取引の整理〕→···という流れになっています。これに対し、問3は精算表上の話なので、通常の本支店会計と同様の手順により〔未達取引の整理〕→〔決算整理〕→···と処理しています。つまり、未達事項を反映させたあとの金額で〔決算整理〕を行うことになります。〔未達取引の整理〕によって売掛金の額や期末商品の数量は変わっているので、〔決算整理〕の仕訳の金額は問1と異なることに注意が必要です。

⑴東京本店の決算整理事項等（未達事項考慮後）

①減価償却費

(借)営　業　費　1,250　　(貸)建物減価償却累計額　1,000
　　　（減価償却費）
　　　　　　　　　　　　　(貸)備品減価償却累計額　250

②貸倒引当金

$$\{(4,800 \text{千円} - \underset{\text{売掛金}}{300 \text{千円}}) + \underset{\text{受取手形}}{6,000 \text{千円}}\}$$
$$\times 0.02 - \underset{\text{前T/B残高}}{60 \text{千円}} = 150 \text{千円}$$

(借)営　業　費　150　　(貸)貸倒引当金　150
　　　（貸倒引当金繰入額）

③売上原価算定

(借)売 上 原 価　2,000　　(貸)繰 越 商 品　2,000
(借)売 上 原 価 112,900　　(貸)仕　　　　入 112,900
(借)繰 越 商 品　3,900　　(貸)売 上 原 価　3,900

④支店負担分の振替え

(借)支　　　店　1,000　　(貸)一般管理費　1,000

⑵大阪支店の決算整理事項

①減価償却費

(借)営　業　費　150　　(貸)備品減価償却累計額　150
　　　（減価償却費）

②貸倒引当金

$$\underset{\text{売掛金}}{3,000 \text{千円}} \times 0.02 - \underset{\text{前T/B残高}}{10 \text{千円}} = 50 \text{千円}$$

(借)営　業　費　50　　(貸)貸倒引当金　50
　　　（貸倒引当金繰入額）

③売上原価算定

(借)売 上 原 価　1,640　　(貸)繰 越 商 品　1,640
(借)売 上 原 価　9,280　　(貸)仕　　　入　9,280
(借)繰 越 商 品　2,100[03]　　(貸)売 上 原 価　2,100

03)　$\underset{\text{その他商品·期末残高}}{340 \text{千円}} + (\underset{\text{特注品·期末残高}}{1,430 \text{千円} + 330 \text{千円}})$
　　　$= 2,100 \text{千円}$

④支店負担分の振替え

(借)一般管理費　1,000　　(貸)本　　　店　1,000

⑶ 照合勘定（『本店』と『支店』、『支店へ売上』と『本店より仕入』）の相殺消去

(借)本　　　店　13,810　　(貸)支　　　店　13,810

(借)支 店 売 上　14,850　　(貸)本 店 仕 入　14,850

⑷内部利益の消去

(借)内 部 利 益　80　　(貸)内部利益戻入　80

(借)内部利益控除[04]　160　　(貸)内 部 利 益　160

04)　$(\underset{\text{特注品·期末残高}}{1,430 \text{千円} + 330 \text{千円}}) \times \dfrac{0.1}{1.1} = 160 \text{千円}$

1 特殊商品売買
2 退職給付会計Ⅱ
3 資産除去債務
4 収益認識
5 本支店会計
6 商的工業簿記
7 本社工場会計
8 建設業会計
9 無形固定資産Ⅱ
10 過年度遡及会計

（単位：千円）

		借　方　科　目	金　額	貸　方　科　目	金　額
(1)	本　店	現　金　預　金	250,000	支　　　　　店	250,000
	支　店	本　　　　　店	250,000	売　　掛　　金	250,000
(2)	本　店	支　　　　　店	168,000	支　店　売　上	168,000
	支　店	本　店　仕　入	168,000	本　　　　　店	168,000
(3)	本　店	仕　訳　な　し			
	支　店	売　　掛　　金	157,500	売　　　　　上	157,500

解説

(2)振替価格：160,000千円 × 1.05 ＝ 168,000千円

(3)売上金額：126,000千円 ÷ 0.8 ＝ 157,500千円

貸　借　対　照　表　　　　　（単位：千円）

資　産　の　部		負　債　の　部	
科　　　　　目	金　　額	科　　　　　目	金　　額
Ⅰ　流　動　資　産	(827,838)	Ⅰ　流　動　負　債	(648,613)
現　金　預　金	(167,898)	支　払　手　形	(319,813)
受　取　手　形	(330,600)	買　　掛　　金	(212,160)
売　　掛　　金	(207,400)	短　期　借　入　金	(60,000)
有　価　証　券	(17,310)	未　払　法　人　税　等	(54,540)
商　　　　　品	(115,390)	預　り　保　証　金	(1,000)
貸　倒　引　当　金	(△　10,760)	〔前　受　収　益〕	(1,100)
Ⅱ　固　定　資　産	(1,516,830)	Ⅱ　固　定　負　債	(329,855)
1　有形固定資産	(1,071,575)	長　期　借　入　金	(240,000)
建　　　　　物	(800,000)	退　職　給　付　引　当　金	(89,855)
器　具　備　品	(208,800)	負　債　合　計	(978,468)
減価償却累計額	(△　396,225)	純　資　産　の　部	
土　　　　　地	(459,000)	Ⅰ　株　主　資　本	(1,364,100)
2　無形固定資産	(5,525)	1　資　　本　　金	(1,000,000)
〔商　標　権〕	(5,525)	2　資　本　剰　余　金	(80,000)
3　投資その他の資産	(439,730)	資　本　準　備　金	(80,000)
〔投　資　有　価　証　券〕	(78,000)	3　利　益　剰　余　金	(284,100)
長　期　性　預　金	(100,000)	利　益　準　備　金	(15,000)
長　期　貸　付　金	(35,000)	繰　越　利　益　剰　余　金	(269,100)
〔投　資　土　地〕	(200,000)	Ⅱ　評価・換算差額等	(2,100)
破　産　更　生　債　権　等	(2,400)	〔その他有価証券評価差額金〕	(2,100)
繰　延　税　金　資　産	(26,430)	純　資　産　合　計	(1,366,200)
貸　倒　引　当　金	(△　2,100)		
資　　産　　合　　計	(2,344,668)	負債及び純資産合計	(2,344,668)

1 特殊商品売買
2 退職給付会計Ⅱ
3 資産除去債務
4 収益認識
5 本支店会計
6 商的工業簿記
7 本社工場会計
8 建設業会計
9 無形固定資産Ⅱ
10 過年度遡及会計

損 益 計 算 書

（単位：千円）

科　　　目	金　　　額	
Ⅰ　売　上　高		（　　2,200,000　）
Ⅱ　売　上　原　価		
期首商品棚卸高	（　　106,590　）	
当期商品仕入高	（　1,308,800　）	
合　　　計	（　1,415,390　）	
期末商品棚卸高	（　　115,390　）	（　　1,300,000　）
売　上　総　利　益		（　　900,000　）
Ⅲ　販売費及び一般管理費		（　　567,000　）
営　業　利　益		（　　333,000　）
Ⅳ　営　業　外　収　益		
受取利息配当金	（　　7,000　）	
受　取　地　代	（　　12,000　）	
〔有価証券評価益〕	（　　2,310　）	
雑　　収　　入	（　　1,887　）	（　　23,197　）
Ⅴ　営　業　外　費　用		
〔貸倒引当金繰入額〕	（　　700　）	
支　払　利　息	（　　8,000　）	
雑　　損　　失	（　　4,387　）	（　　13,087　）
経　常　利　益		（　　343,110　）
Ⅵ　特　別　損　失		
〔貸倒引当金繰入額〕		（　　1,400　）
税引前当期純利益		（　　341,710　）
法人税、住民税及び事業税	（　　92,040　）	
法人税等調整額	（　△　　330　）	（　　91,710　）
当　期　純　利　益		（　　250,000　）

貸借対照表等に関する注記事項

1	長期性預金の全額を**長期借入金240,000千円**の担保に供している。
2	取締役に対する**金銭債務が10,000千円**ある。

解説

　本問は、本支店合併の財務諸表を作成する総合問題です。ただし、本支店会計特有の論点は少なく、残りは通常の決算整理に関する事項です。本店に関する事項か支店に関する事項かを問題文から読み取り、落ち着いて解きましょう。

【資料2】未達取引

1．本店：

（借）買　掛　金 12,340	（貸）支　　　店 12,340

2．本店：

（借）旅費交通費　　77 （販売費及び一般管理費）	（貸）支　　　店　　77

3．支店：

（借）本　店　仕　入 10,857[01]	（貸）本　　　店 10,857

01）9,870千円×1.1 = 10,857千円

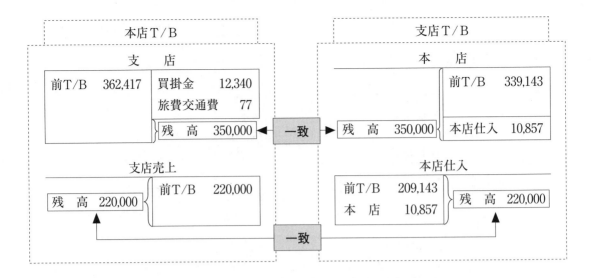

本店T/B

支　店
前T/B	362,417	買掛金	12,340
		旅費交通費	77
		残　高	350,000

支店売上
| | | 前T/B | 220,000 |
| 残　高 | 220,000 | | |

支店T/B

本　店
| | | 前T/B | 339,143 |
| 残　高 | 350,000 | 本店仕入 | 10,857 |

本店仕入
| 前T/B | 209,143 | | |
| 本　店 | 10,857 | 残　高 | 220,000 |

一致

一致

【資料3】決算整理事項等

1．現金預金

(1) 定期預金の満期日は翌々期のため、長期性預金に該当します。なお、担保提供資産につき注記（担保提供資産の内容・金額と債務の金額）が必要です。

本店：

(借) 長期性預金 100,000　(貸) 現 金 預 金 100,000

(2) 実際有高と帳簿残高との差異につき処理を行います。

支店：

(借) 販売費及び一般管理費 29,215　(貸) 現 金 預 金 29,215

支店：

(借) 現 金 預 金 32,400　(貸) 売 掛 金 32,400

支店：

(借) 現 金 預 金 150 [02)]　(貸) 雑 収 入 150

02) 帳簿残高：
$$\underset{(T/B)}{76,400\text{ 千円}} - 29,215\text{ 千円} + 32,400\text{ 千円}$$
$$= 79,585\text{ 千円}$$

雑損益：
$$\underset{(実際)}{79,735\text{ 千円}} - \underset{(帳簿)}{79,585\text{ 千円}} = \underset{(雑収入)}{150\text{ 千円}}$$

2．受取手形

民事再生法の適用申請を行っていることから、破産更生債権等に該当します。

本店：

(借) 破産更生債権等 2,400　(貸) 受 取 手 形 2,400

なお、営業保証金（預り金）は「預り保証金」（問題文の指示により流動負債に計上）とします。

本店：

(借) 預 り 金 1,000　(貸) 預り保証金 1,000

3．貸付金

貸付金の満期日は翌々期のため、長期貸付金に該当します。

本店：

(借) 長期貸付金 35,000　(貸) 貸 付 金 35,000

4．貸倒引当金

(1) 一般債権

①受取手形、売掛金

本店：

(借) 貸倒引当金繰入額 1,210 [03)]　(貸) 貸倒引当金 1,210
　　（販売費及び一般管理費）

03) $(\underset{T/B受取手形}{203,000\text{ 千円}} + \underset{T/B売掛金}{137,400\text{ 千円}} - \underset{破産更生債権等}{2,400\text{ 千円}})$
$\times 0.02 - \underset{T/B貸倒引当金}{5,550\text{ 千円}} = 1,210\text{ 千円}$

支店：

(借) 貸倒引当金繰入額 293 [04)]　(貸) 貸倒引当金 293
　　（販売費及び一般管理費）

04) $(\underset{T/B受取手形}{130,000\text{ 千円}} + \underset{T/B売掛金}{102,400\text{ 千円}} - \underset{1(2)で回収}{32,400\text{ 千円}})$
$\times 0.02 - \underset{T/B貸倒引当金}{3,707\text{ 千円}} = 293\text{ 千円}$

②長期貸付金

本店：

(借) 貸倒引当金繰入額 700 [05)]　(貸) 貸倒引当金 700
　　（営業外費用）

05) 35,000 千円 × 0.02 ＝ 700 千円

（2）破産更生債権等

本店：

（借）貸倒引当金繰入額　1,400 [06]　（貸）貸倒引当金　1,400
　　　（特別損失）

06）2,400千円 − 1,000千円 = 1,400千円
　　　　　　　　営業保証金

（3）B／S表示

　貸借対照表上、受取手形および売掛金に対するものは流動資産に、長期貸付金および破産更生債権等に対するものは固定資産（投資その他の資産）に計上します。なお、答案用紙より、表示は一括間接控除方式により行います。

５．棚卸資産（売上原価の算定）

（1）期首商品棚卸高（支店の内部利益を直接控除します）

$$\underset{（本店）}{83,350\text{千円}} + \underset{（支店）}{24,890\text{千円}} - 1,650\text{千円}^{07)}$$
$$= 106,590\text{千円}$$

07）内部利益：$18,150\text{千円} \times \dfrac{0.1}{1.1} = 1,650\text{千円}$
　　　　または　T／Bの繰延内部利益

（2）当期商品仕入高

$$\underset{（本店）}{1,010,100\text{千円}} + \underset{（支店）}{298,700\text{千円}} = 1,308,800\text{千円}$$

（3）期末商品棚卸高（支店の内部利益を直接控除します）

$$\underset{（本店）}{92,170\text{千円}} + \underset{（支店）}{13,720\text{千円}} + \underset{（未達）}{10,857\text{千円}}$$
$$- 1,357\text{千円}^{08)} = 115,390\text{千円}$$

08）内部利益：$(4,070\text{千円} + 10,857\text{千円}) \times \dfrac{0.1}{1.1}$
$$= 1,357\text{千円}$$

６．有価証券

（1）C社株式：売買目的→時価で評価（評価差額は営業外損益）

本店：

（借）有価証券　2,310　（貸）有価証券評価益　2,310 [09]

09）17,310千円 − 15,000千円 = 2,310千円

（2）D社社債：満期保有→取得原価で評価

　満期日が翌々期以後とあるため、B／S表示は投資有価証券となります。

（借）投資有価証券　35,000　（貸）有価証券　35,000

（3）E社社債：その　他→時価で評価（評価差額は全部純資産直入法＋税効果で処理）

　満期日が翌々期以後とあるため、B／S表示は投資有価証券となります。

本店：

（借）投資有価証券　40,000　（貸）有価証券　40,000
（借）投資有価証券　3,000 [10]　（貸）繰延税金負債　900 [11]
　　　　　　　　　　　　　　その他有価証券評価差額金　2,100 [12]

10）43,000千円 − 40,000千円 = 3,000千円
11）3,000千円 × 0.3 = 900千円
　　　　　　　　（資料3の12.より）
12）3,000千円 − 900千円 = 2,100千円

７．有形固定資産

（1）減価償却

①建　　物（本店）

本店：

（借）減価償却費　36,000 [13]　（貸）減価償却累計額　36,000
　　　（販売費及び一般管理費）

13）800,000千円 × 0.9 × 0.050 = 36,000千円

②器具備品（本店）

本店：

（借）減価償却費　16,875 [14]　（貸）減価償却累計額　16,875
　　　（販売費及び一般管理費）

14）（120,000千円 − 52,500千円）× 0.250
　　　= 16,875千円

③器具備品（支店）

支店：

（借）減価償却費　16,650 [15]　（貸）減価償却累計額　16,650
　　　（販売費及び一般管理費）

15）（88,800千円 − 22,200千円）× 0.250
　　　= 16,650千円

（2）土地

　主たる営業目的以外で使用する固定資産は、投資その他の資産に表示します。

本店：

（借）投資土地　200,000　（貸）土　地　200,000

なお、前受地代につき繰延の処理を行います。

本店：

（借）受取地代　1,100　（貸）前受収益　1,100

1 特殊商品売買

2 退職給付会計Ⅱ

3 資産除去債務

4 収益認識

5 本支店会計

6 商的工業簿記

7 本社工場会計

8 建設業会計

9 無形固定資産Ⅱ

10 過年度遡及会計

8．無形固定資産

商標権は、取得日から前期末までの23カ月分が償却された金額がT／Bの金額である点に注意して償却します。

本店：

（借）商標権償却 （販売費及び一般管理費）	780[16]	（貸）商 標 権	780

16）$6,305 千円 × \dfrac{12 カ月}{97 カ月} = 780 千円$

9．借入金

（1）F銀行

前期に借りて翌期に返済するので、一年内返済長期借入金に該当しますが、問題文の指示により短期借入金に含めて処理します。

本店：

（借）借 入 金	50,000	（貸）短期借入金	50,000

（2）G銀行

返済日が翌々期以後のため、長期借入金に該当します。

本店：

（借）借 入 金	240,000	（貸）長期借入金	240,000

（3）当社取締役

当期に借りて翌期に返済するので、短期借入金に該当します。なお、取締役に対する金銭債務につき注記（金銭債務の総額）が必要です。

本店：

（借）借 入 金	10,000	（貸）短期借入金	10,000

10．退職給付

（1）退職給付費用

退職給付費用の計上が未処理であるため、処理を行います。

本店：

（借）退職給付費用 （販売費及び一般管理費）	5,555	（貸）退職給付引当金	5,555

（2）企業年金拠出、退職一時金支払

仮払金で処理をしているため、正しい処理に修正します。

①正しい仕訳

本店：

（借）退職給付引当金	2,700[17]	（貸）現 金 預 金	2,700

17）$1,000 千円 + 1,700 千円 = 2,700 千円$

②当社が行った仕訳

本店：

（借）仮 払 金	2,700	（貸）現 金 預 金	2,700

③修正仕訳（①－②）

本店：

（借）退職給付引当金	2,700	（貸）仮 払 金	2,700

11．法人税等

確定年税額を「法人税、住民税及び事業税」とし、確定年税額と仮払法人税等（仮払金で処理）との差額を未払法人税等とします。

本店：

（借）法人税、住民税及び事業税	92,040	（貸）仮 払 金	37,500
		未払法人税等	54,540

12．税効果会計

将来減算一時差異の当期末金額と前期末金額との差額に法定実効税率を乗じて、法人税等調整額を求めます。

本店：

（借）繰延税金資産	330	（貸）法人税等調整額	330[18]

18）$(91,100 千円 - 90,000 千円) × 0.3 = 330 千円$

以上の決算整理仕訳等とT／Bの金額より、本支店合併の財務諸表を作成します。なお、支店・本店、支店売上・本店仕入は内部取引に関する勘定なので、外部公表用の財務諸表には記載しません。

最後に、P／Lで計算された当期純利益を、B／S繰越利益剰余金に振り替えます。

（借）当期純利益	250,000	（貸）繰越利益剰余金	250,000

＜参考＞販売費及び一般管理費の計算（単位：千円）

	摘　　要	金　額
前T／B	本　　　　　店　　　　　分	345,678
前T／B	支　　　　　店　　　　　分	114,667
未達取引	旅　費　交　通　費	77
1（2）	販売費及び一般管理費	29,215
4（1）	貸倒引当金繰入額（本店）	1,210
	貸倒引当金繰入額（支店）	293
7（1）	減価償却費（本店）	52,875
	減価償却費（支店）	16,650
8	商　標　権　償　却	780
10	退　職　給　付　費　用	5,555
	合　　　　　計	567,000

1 特殊商品売買

2 退職給付会計Ⅱ

3 資産除去債務

4 収益認識

5 本支店会計

6 商的工業簿記

7 本社工場会計

8 建設業会計

9 無形固定資産Ⅱ

10 過年度遡及会計

Chapter 6 商的工業簿記

解説

1. 当期総製造費用の計算

材料費：25,000千円 + 465,000千円 − 22,000千円
$\underset{\text{期首材料}}{} \quad \underset{\text{当期材料仕入}}{} \quad \underset{\text{期末材料}}{}$
= 468,000千円①

賃　金：175,992千円 + 12,500千円
= 188,492千円②

製造経費：210,160千円③

当期総製造費用　866,652千円（① + ② + ③）

2. 期末仕掛品と当期製品製造原価の計算

期末仕掛品の進捗度50% ≧ 仕損の発生点20%
⇒ 完成品・期末仕掛品の両者負担

材料費：$468,000\,千円 \times \dfrac{180\,個}{1,500\,個} = 56,160\,千円④$

加工費：$(188,492\,千円 + 210,160\,千円)$
$\times \dfrac{90\,個}{1,434\,個} = 25,020\,千円⑤$

期末仕掛品　81,180千円（④ + ⑤）

当期製品製造原価：

$\underset{\text{期首仕掛品}}{64,728\,千円} + \underset{\text{当期総製造費用}}{866,652\,千円} - \underset{\text{期末仕掛品}}{81,180\,千円}$
= 850,200 千円

問題1　解答

製　　　　造　（単位：千円）

仕 掛 品	64,728	製　　品	850,200
材料仕入	468,000	仕 掛 品	81,180
賃　　金	188,492		
製造経費	210,160		
	（ 931,380 ）		（ 931,380 ）

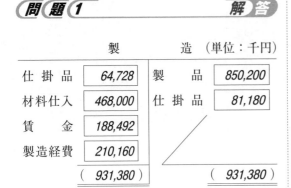

生 産 デ ー タ

		期首仕掛品	120個（ 96個）	当 期 製 品製 造 原 価	1,440個	850,200千円（貸借差額）
@312千円（@278千円）	64,728千円468,000千円（398,652千円）（賃金＋製造経費）	当 期総製造費用	1,500個（1,434個）	期末仕掛品	180個（ 90個）	56,160千円（25,020千円）} 81,180千円

※ （　　）内は加工進捗度を加味した換算量および加工費の金額を示しています。

1 特殊商品売買

2 退職給付会計Ⅱ

3 資産除去債務

4 収益認識

5 本支店会計

6 商的工業簿記

7 本社工場会計

8 建設業会計

9 無形固定資産Ⅱ

10 過年度遡及会計

問題2　解答

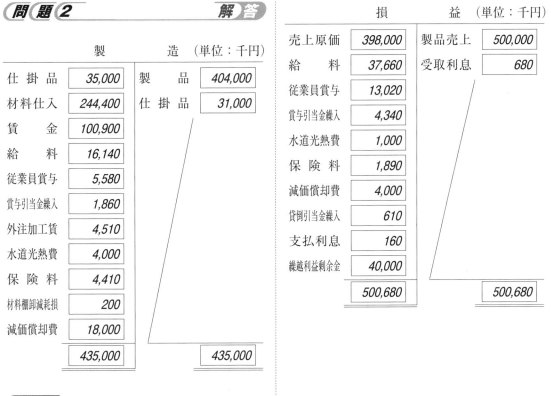

製　　　造　（単位：千円）

仕 掛 品	35,000	製 品	404,000
材 料 仕 入	244,400	仕 掛 品	31,000
賃 　 金	100,900		
給 　 料	16,140		
従 業 員 賞 与	5,580		
賞与引当金繰入	1,860		
外 注 加 工 賃	4,510		
水 道 光 熱 費	4,000		
保 険 料	4,410		
材料棚卸減耗損	200		
減 価 償 却 費	18,000		
	435,000		435,000

損　　　益　（単位：千円）

売 上 原 価	398,000	製 品 売 上	500,000
給 　 料	37,660	受 取 利 息	680
従 業 員 賞 与	13,020		
賞与引当金繰入	4,340		
水 道 光 熱 費	1,000		
保 険 料	1,890		
減 価 償 却 費	4,000		
貸倒引当金繰入	610		
支 払 利 息	160		
繰越利益剰余金	40,000		
	500,680		500,680

解説

1. 当期材料費

期首材料 21,200 千円＋当期仕入 242,900 千円－期末材料（帳簿）19,700 千円

＝ 244,400 千円（製造 a／c へ）

2. 当期労務費（単位：千円）

費　　目		製造a／cへ	損益a／cへ
賃　　　　　金	前T／B 96,500 ＋見越 4,400 ＝ 100,900	100,900	―
給　　　　　料	前T／B 52,100 ＋見越 1,700 ＝ 53,800	（30％）　16,140	（70％）　37,660
従 業 員 賞 与	前T／B 18,600	（30％）　5,580	（70％）　13,020
賞与引当金繰入	6,200	（30％）　1,860	（70％）　4,340
当 期 労 務 費		124,480	―

3. 当期経費（単位：千円）

費　　目		製造a／cへ	損益a／cへ
外 注 加 工 賃	前T／B 4,510	4,510	―
水 道 光 熱 費	前T／B 4,600 ＋見越 400 ＝ 5,000	（80％）　4,000	（20％）　1,000
保 　 険 　 料	前T／B 8,400 －繰延 2,100 ＝ 6,300	（70％）　4,410	（30％）　1,890
材料棚卸減耗損	帳簿 19,700 －実地 19,500 ＝ 200	200	―
機 械 減 価 償 却 費	12,000	12,000	―
備 品 減 価 償 却 費	10,000	（60％）　6,000	（40％）　4,000
当 　 期 　 経 　 費		31,120	―

4. 当期総製造費用

材料費 244,400 千円 + 労務費 124,480 千円 + 経費 31,120 千円 = 400,000 千円

5. 当期製品製造原価

期首仕掛品 35,000 千円 + 当期総製造費用 400,000 千円 − 期末仕掛品 31,000 千円

= 404,000 千円

6. 売上原価

期首製品 46,000 千円 + 当期製品製造原価 404,000 千円 − 期末製品 52,000 千円

= 398,000 千円（損益 a／c へ）

7. その他費用・収益（損益 a／c へ）

貸倒引当金繰入：610 千円

支払利息：前 T／B 140 千円 + 見越 20 千円

= 160 千円

受取利息：前 T／B 840 千円 − 繰延 160 千円

= 680 千円

8. 当期純利益

収益合計 500,680 千円 − 費用合計 460,680 千円

= 40,000 千円

問題 3　解答

（設問 1）

① 平 均 法　期末仕掛品原価 | **13,440** | 円　完成品原価 | **174,720** | 円

② 先入先出法　期末仕掛品原価 | **13,200** | 円　完成品原価 | **174,960** | 円

（設問 2）

① 平 均 法　期末仕掛品原価 | **19,680** | 円　完成品原価 | **168,480** | 円

② 先入先出法　期末仕掛品原価 | **21,552** | 円　完成品原価 | **166,608** | 円

解説

（設問 1）

材料費・加工費の換算量

倒 600 個 × 20% = 120 個		
当期投入	完	3,120 個
貸借差額　　3,240 個		
	末 480 個 × 50% = 240 個	

① 平均法

期末仕掛品原価：$(3{,}600 \text{円} + 97{,}200 \text{円}) \times \dfrac{240 \text{個}}{240 \text{個} + 3{,}120 \text{個}}$

$\qquad\qquad + (6{,}360 \text{円} + 45{,}000 \text{円} + 36{,}000 \text{円}) \times \dfrac{240 \text{個}}{240 \text{個} + 3{,}120 \text{個}}$

$\qquad = 13{,}440 \text{円}$

完成品原価：$(3{,}600 \text{円} + 6{,}360 \text{円} + 97{,}200 \text{円} + 45{,}000 \text{円} + 36{,}000 \text{円}) - 13{,}440 \text{円}$

$\qquad = 174{,}720 \text{円}$

② 先入先出法

期末仕掛品原価：$97,200\text{ 円} \times \dfrac{240\text{ 個}}{3,240\text{ 個}} + (45,000\text{ 円} + 36,000\text{ 円}) \times \dfrac{240\text{ 個}}{3,240\text{ 個}}$

$= 13,200\text{ 円}$

完成品原価：$(3,600\text{ 円} + 6,360\text{ 円} + 97,200\text{ 円} + 45,000\text{ 円} + 36,000\text{ 円}) - 13,200\text{ 円}$

$= 174,960\text{ 円}$

（設問2）

材料費数量

宙	600 個		
		完	3,120 個
当期投入	3,000 個		
		末	480 個

加工費の換算量

宙 600 個 × 20% = 120 個			
当期投入		完	3,120 個
貸借差額	3,240 個		
		末 480 個 × 50% = 240 個	

① 平均法

期末仕掛品原価：$(3,600\text{ 円} + 97,200\text{ 円}) \times \dfrac{480\text{ 個}}{480\text{ 個} + 3,120\text{ 個}}$

$+ (6,360\text{ 円} + 45,000\text{ 円} + 36,000\text{ 円}) \times \dfrac{240\text{ 個}}{240\text{ 個} + 3,120\text{ 個}}$

$= 19,680\text{ 円}$

完成品原価：$(3,600\text{ 円} + 6,360\text{ 円} + 97,200\text{ 円} + 45,000\text{ 円} + 36,000\text{ 円}) - 19,680\text{ 円}$

$= 168,480\text{ 円}$

② 先入先出法

期末仕掛品原価：$97,200\text{ 円} \times \dfrac{480\text{ 個}}{3,000\text{ 個}} + (45,000\text{ 円} + 36,000\text{ 円}) \times \dfrac{240\text{ 個}}{3,240\text{ 個}}$

$= 21,552\text{ 円}$

完成品原価：$(3,600\text{ 円} + 6,360\text{ 円} + 97,200\text{ 円} + 45,000\text{ 円} + 36,000\text{ 円}) - 21,552\text{ 円}$

$= 166,608\text{ 円}$

1 特殊商品売買
2 退職給付会計Ⅱ
3 資産除去債務
4 収益認識
5 本支店会計
6 商的工業簿記
7 本社工場会計
8 建設業会計
9 無形固定資産Ⅱ
10 過年度遡及会計

問題 ④ 解答

① 136,370	② 130,984	③ 341,150	④ 808,901

解説

（以下仕訳の単位：千円）

　本問は、本試験問題の改題です。この本試験問題では、３月中取引を集計したあとに決算整理を行って財務諸表の金額が問われています。本問では、３月中取引の一部のみを抜粋しました。

（1）製品売上

（借）売　掛　金	19,030	（貸）製 品 売 上	25,800
現 金 預 金	9,350	仮受消費税	2,580

仮受消費税：

$$(19,030 \text{千円} + 9,350 \text{千円}) \times \frac{0.10}{1.10} = 2,580 \text{千円}$$

（2）材料仕入

（借）材 料 仕 入	10,900	（貸）現 金 預 金	5,720
仮払消費税	1,090	買 　掛　 金	6,270

仮払消費税：

$$(5,720 \text{千円} + 6,270 \text{千円}) \times \frac{0.10}{1.10} = 1,090 \text{千円}$$

（3）売掛金の残高確認
①売上値引

（借）製 品 売 上	400	（貸）売 　掛 　金	440
仮受消費税	40		

仮受消費税：

$$440 \text{千円} \times \frac{0.10}{1.10} = 40 \text{千円}$$

②M社の検収未了

　当社の処理は適正であるため、修正仕訳は不要です。

（4）労務費および製造経費

（借）労 　務 　費	2,864	（貸）現 金 預 金	10,179
製 造 経 費	6,650		
仮払消費税	665		

仮払消費税：

$$\underset{\text{（製造経費）}}{7,315 \text{千円}} \times \frac{0.10}{1.10} = 665 \text{千円}$$

（5）決算整理前残高試算表の金額の計算

　以上の３月中取引の仕訳をもとに、各金額を計算します。

①材料仕入：

　125,470 千円 + 10,900 千円 = **136,370** 千円

②労務費：

　128,120 千円 + 2,864 千円 = **130,984** 千円

③製造経費：

　334,500 千円 + 6,650 千円 = **341,150** 千円

④製品売上：

　783,501 千円 + 25,800 千円 − 400 千円

　= **808,901** 千円

問題 ⑤ 解答

① 634,464	② 1,296	③ 136,320	④ 132,990
⑤ 10,459	⑥ 30,776		

解説

（以下、仕訳の単位：千円）

　本問は、問題４（本試験問題改題）の続きの問題です。本試験では、「期中仕訳⇒決算整理仕訳等⇒財務諸表作成」という一連の流れを問う出題もありますので、前問とあわせて確認してください。

1．修正事項および決算整理事項
（1）修繕費
① 　適正な仕訳

（借）製 造 経 費	27	（貸）現 金 預 金	27

② 　期中に行った誤処理

（借）製 造 経 費	72	（貸）現 金 預 金	72

③ 　修正仕訳（①−②）

（借）現 金 預 金	45	（貸）製 造 経 費	45

（2）材料仕入値引

（借）現 金 預 金	55	（貸）材 料 仕 入	50
		仮払消費税	5

仮払消費税：

$$55 \text{千円} \times \frac{0.10}{1.10} = 5 \text{千円}$$

(3) 工場動力代

| (借)製 造 経 費 | 150 | (貸)現 金 預 金 | 165 |
| 仮払消費税 | 15 | | |

仮払消費税：

$$165 千円 \times \frac{0.10}{1.10} = 15 千円$$

(4) 賞与引当金

| (借)賞与引当金繰入
(C/R) | 2,006 | (貸)賞 与 引 当 金 | 5,014 |
| 賞与引当金繰入
(P/L) | 3,008 | | |

賞与引当金繰入（総額）：

$$7,521 千円 \times \frac{4 カ月}{6 カ月} = 5,014 千円$$

賞与引当金繰入（C/R）：

$$5,014 千円 \times 0.4 = 2,005.6 千円 \rightarrow 2,006 千円$$

賞与引当金繰入（P/L）：

$$5,014 千円 - 2,006 千円 = 3,008 千円$$

(5) 減価償却費

| (借)減価償却費
(C/R) | 10,459 | (貸)減価償却累計額 | 11,093 |
| 減価償却費
(P/L) | 634 | | |

①工場設備その他（C/R 計上分）

建物附属設備：

$$18,760 千円 \times 0.142 = 2,663.92 千円$$
$$\rightarrow 2,664 千円$$

機　　　械：

$$150,200 千円 \times 0.9 \times 0.050 = 6,759 千円$$

車両運搬具：問題文の指示により、取得価額の5％まで減価償却を行います。

（イ）$1,064 千円 \times 0.319 = 339.416 千円$
$$\rightarrow 339 千円$$

（ロ）$1,064 千円 - 9,500 千円 \times 0.05$
$$= 589 千円$$

（ハ）（イ）＜（ロ）　∴ 339 千円

器具備品：問題文の指示により、取得価額の5％まで減価償却を行います。

（イ）$6,000 千円 \times 0.9 \times 0.200 = 1,080 千円$

（ロ）$997 千円 - 6,000 千円 \times 0.05 = 697 千円$

（ハ）（イ）＞（ロ）　∴ 697 千円

減価償却費（C/R）合計：

$$2,664 千円 + 6,759 千円 + 339 千円 + 697 千円$$
$$= 10,459 千円$$

②営業用（P/L 計上分）

車両運搬具：$1,987 千円 \times 0.319$
$$= 633.853 千円 \rightarrow 634 千円$$

2．当期製品製造原価の算定にかかる決算整理事項

(1) 当期総製造費用の計算

①材料仕入

(借)材 料 仕 入	46,804	(貸)繰 越 材 料	46,804
(借)繰 越 材 料	30,624	(貸)材 料 仕 入	30,624
(借)製　　造	152,500	(貸)材 料 仕 入	152,500

当期材料仕入高：

$$136,370 千円 - 50 千円 = 136,320 千円$$

期末材料棚卸高：

$$136,320 千円 \times \frac{2,552kg}{11,360kg} = 30,624 千円$$

当期材料費：

$$46,804 千円 + 136,320 千円 - 30,624 千円$$
$$= 152,500 千円$$

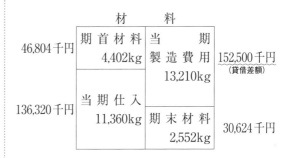

②加工費（労務費・製造経費）

(借)製　　造	484,704	(貸)労　務　費	130,984
		賞与引当金繰入 (C/R)	2,006
		製 造 経 費	341,255
		減価償却費 (C/R)	10,459

製造経費：$341,150 千円 - 45 千円 + 150 千円$
$$= 341,255 千円$$

③当期総製造費用

$$\underset{（材料費）}{152,500 千円} + \underset{（加工費）}{484,704 千円} = 637,204 千円$$

(2) 当期製品製造原価の計算

（借）製 造	28,036	（貸）仕 掛 品	28,036
（借）仕 掛 品	30,776	（貸）製 造	30,776
（借）製 品	634,464	（貸）製 造	634,464

期末仕掛品の進捗度50％ ≧ 仕損の発生点０％
⇒ 完成品・期末仕掛品の両者負担

材料費：

$$152,500 \text{千円} \times \frac{1,032\text{kg}}{12,900\text{kg}} = 12,200 \text{千円}$$

加工費：

$$484,704 \text{千円} \times \frac{516\text{kg}}{13,464\text{kg}} = 18,576 \text{千円}$$

☆　期末仕掛品：30,776 千円

当期製品製造原価：

$$\underset{\text{期首仕掛品}}{28,036 \text{千円}} + \underset{\text{当期総製造費用}}{637,204 \text{千円}} - \underset{\text{期末仕掛品}}{30,776 \text{千円}}$$

$$= 634,464 \text{千円}$$

生産データ

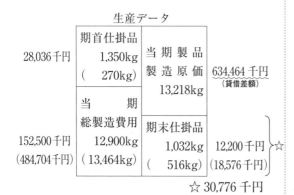

※（　　　）内は加工進捗度を加味した換算量お
よび加工費の金額を示しています。

(3) 売上原価の計算

（借）見 本 品 費	1,296	（貸）製 品	1,296
（借）売 上 原 価	638,064	（貸）製 品	638,064

期末製品：

$$634,464 \text{千円} \times \frac{1,473\text{kg}}{13,218\text{kg}} = 70,704 \text{千円}$$

見本品費：

$$634,464 \text{千円} \times \frac{27\text{kg}}{13,218\text{kg}} = 1,296 \text{千円}$$

売上原価：

$$\underset{\text{期首製品}}{75,600 \text{千円}} + \underset{\text{当期製品製造原価}}{634,464 \text{千円}} - (\underset{\text{期末製品}}{70,704 \text{千円}}$$

$$+ \underset{\text{見本品費}}{1,296 \text{千円}}) = 638,064 \text{千円}$$

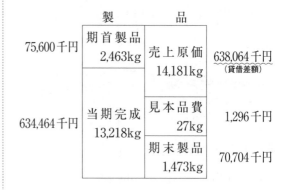

3．以上の仕訳を集計して財務諸表に記入します。

損 益 計 算 書

（自×21年4月1日　至×22年3月31日）（単位：千円）

I	売 上 高		
	製品売上高		808,901
II	売 上 原 価		
	1 期首製品棚卸高	75,600	
	2 当期製品製造原価	① 634,464	
	合　　計	（ 710,064 ）	
	3 期末製品棚卸高	（ 70,704 ）	
	4（見本品費振替高）	② 1,296	（ 638,064 ）
	売上総利益		（ 170,837 ）
III	販売費及び一般管理費		
	見 本 品 費	（ 1,296 ）	
	（賞与引当金繰入額）	（ 3,008 ）	
	（減 価 償 却 費）	（ 634 ）	

製造原価報告書

（自×21年4月1日 至×22年3月31日）（単位：千円）

I　材　料　費
1　期首材料棚卸高　　　　　46,804
2　当期材料仕入高　③ 136,320
　　　合　　計　　（　183,124　）
3　期末材料棚卸高　（　30,624　）　（　152,500　）
II　労　務　費
1　労　務　費　（　130,984　）
2　賞与引当金繰入額　（　2,006　）　④ 132,990
III　経　　費
1　減価償却費　⑤ 10,459
2　その他製造経費　（　341,255　）　（　351,714　）
　　当期総製造費用　　　　　（　637,204　）
　　期首仕掛品棚卸高　　　　　28,036
　　　合　　計　　　　　　（　665,240　）
　　期末仕掛品棚卸高　⑥ 30,776
　　当期製品製造原価　　　　（　634,464　）

問題 6　解答

製造原価報告書（単位：千円）

科　　目	金　額	
I　材　料　費		
期首材料棚卸高	（ **20,000**）	
当期材料仕入高	（ **150,000**）	
合　　計	（ **170,000**）	
期末材料棚卸高	（ **30,000**）	
当期材料費		（ **140,000**）
II　労　務　費		
賃　金　給　料	（ **72,000**）	
〔 **法定福利費** 〕	（ **3,000**）	
当期労務費		（ **75,000**）
III　経　　費		
〔 **減価償却費** 〕	（ **12,000**）	
〔 **水道光熱費** 〕	（ **15,000**）	
〔 **材料棚卸減耗損** 〕	（ **1,000**）	
当　期　経　費		（ **28,000**）
当期総製造費用		（ **243,000**）
期首仕掛品棚卸高		（ **35,000**）
合　　計		（ **278,000**）
期末仕掛品棚卸高		（ **42,000**）
当期製品製造原価		（ **236,000**）

解説

　本問は、製造原価報告書（C／R）の作成に関する基本的な問題です。なお、資料の中にはP／L項目に関するデータも与えられていますが、本問では考慮する必要はありません。

（1）材料費
①棚卸減耗損

　問題文の指示により、本問の材料棚卸減耗損は原価性があるため、C／Rの経費に記載します。

　材料棚卸減耗損：

　　30,000千円 − 29,000千円 ＝ 1,000千円

②材料費の記載について

　C／Rの期末材料棚卸高には、材料費の期末帳簿棚卸高が記載される点に注意が必要です（減耗分は経費に計上されるためです）。なお、B／Sの材料（流動資産）には、実地棚卸高の金額が計上されます。

（2）労務費（C／R計上分の計算）
賃金給料：

　120,000千円 ×（1 − 0.4）＝ 72,000千円

法定福利費：

　5,000千円 ×（1 − 0.4）＝ 3,000千円

（3）経費（C／R計上分の計算）
減価償却費：

　減価償却費は工場の使用面積により、製造経費と営業費（販売費及び一般管理費）に按分します。

$$15,000千円 × \frac{400\,㎡}{400\,㎡ + 100\,㎡} = 12,000千円$$

水道光熱費：

　25,000千円 ×（1 − 0.4）＝ 15,000千円

材料棚卸減耗損：1,000千円（（1）より）

1 特殊商品売買
2 退職給付会計II
3 資産除去債務
4 収益認識
5 本支店会計
6 商的工業簿記
7 本社工場会計
8 建設業会計
9 無形固定資産II
10 過年度遡及会計

の経費には記載されず、Ｐ／Ｌの営業外費用または特別損失に記載されます。

製 造 原 価 報 告 書（単位：千円）

科　　　　　目	金	額
Ⅰ　材　料　費		
期首材料棚卸高	（　18,000）	
当期材料仕入高	（　123,000）	
合　　計	（　141,000）	
〔火災損失振替高〕	（　3,000）	
期末材料棚卸高	（　20,000）	
当 期 材 料 費		（　118,000）
Ⅱ　労　務　費		
賃　金　給　料	（　63,000）	
〔退職給付費用〕	（　14,000）	
〔賞与引当金繰入額〕	（　5,600）	
当 期 労 務 費		（　82,600）
Ⅲ　経　　　　費		
〔減 価 償 却 費〕	（　4,000）	
〔福 利 厚 生 費〕	（　700）	
当 期 経 費		（　4,700）
当期総製造費用		（　205,300）
期首仕掛品棚卸高		（　30,000）
合　　計		（　235,300）
期末仕掛品棚卸高		（　20,000）
当期製品製造原価		（　215,300）

解説

（1）材料費の計算

①当期材料仕入高

　火災による焼失分3,000千円が『材料仕入』から控除されているため、Ｃ／Ｒの表示上はいったん『当期材料仕入高』に加算し、『火災損失振替高』（他勘定振替）を用いて火災損失による材料の減少額を計上します。

　当期材料仕入高：120,000千円＋3,000千円
　　　　　　　　＝123,000千円

　なお、火災損失はＰ／Ｌの特別損失に計上されます（原価性がないため、Ｃ／Ｒの経費には計上されません）。

②期末材料棚卸高

　期末帳簿棚卸高を記載します。

　なお、材料棚卸減耗損4,000千円（＝20,000千円－16,000千円）は原価性がないためＣ／Ｒ

（2）労務費の計算

賃金給料：

$$90,000 \text{千円} \times \frac{350 \text{人}}{500 \text{人}} = 63,000 \text{千円}$$

（Ｃ／Ｒ・賃金給料の欄に記載）

退職給付費用：

$$20,000 \text{千円} \times \frac{350 \text{人}}{500 \text{人}} = 14,000 \text{千円}$$

賞与引当金繰入額：

$$8,000 \text{千円} \times \frac{350 \text{人}}{500 \text{人}} = 5,600 \text{千円}$$

（3）経費の計算

福利厚生費：

$$1,000 \text{千円} \times \frac{350 \text{人}}{500 \text{人}} = 700 \text{千円}$$

減価償却費：

$$5,000 \text{千円} \times \frac{800 \text{㎡}}{1,000 \text{㎡}} = 4,000 \text{千円}$$

製造原価報告書 (単位：千円)

科 目	金	額
I 材 料 費		
期首材料棚卸高	(5,000)	
当期材料仕入高	(50,000)	
合 計	(55,000)	
期末材料棚卸高	(3,000)	
当 期 材 料 費		(52,000)
II 労 務 費		
賃 金 給 料	(17,910)	
〔 退職給付費用 〕	(3,330)	
〔 法 定 福 利 費 〕	(1,560)	
当 期 労 務 費		(22,800)
III 経 費		
減 価 償 却 費	(6,525)	
水 道 光 熱 費	(1,875)	
〔 福 利 厚 生 費 〕	(2,400)	
材料棚卸減耗損	(300)	
当 期 経 費		(11,100)
当期総製造費用		(85,900)
期首仕掛品棚卸高		(3,350)
合 計		(89,250)
期末仕掛品棚卸高		(6,900)
〔 当期製品製造原価 〕		(82,350)

損 益 計 算 書 (単位：千円)

科 目	金	額
I 売 上 高		(150,000)
II 売 上 原 価		
期首製品棚卸高	(7,470)	
〔 当期製品製造原価 〕	(82,350)	
合 計	(89,820)	
期末製品棚卸高	(7,320)	(82,500)
売 上 総 利 益		(67,500)
III 販売費及び一般管理費		
給 料 手 当	(11,940)	
〔 退 職 給 付 費 用 〕	(2,220)	
〔 法 定 福 利 費 〕	(1,040)	
〔 福 利 厚 生 費 〕	(1,600)	
減 価 償 却 費	(2,175)	
水 道 光 熱 費	(625)	(19,600)
営 業 利 益		(47,900)
：		
VII 特 別 損 失		
〔 材料棚卸減耗損 〕		(600)
：		

貸借対照表に記載される金額

製 品	7,320	千円
仕 掛 品	6,900	千円
材 料	2,100	千円

1 特殊商品売買
2 退職給付会計II
3 資産除去債務
4 収益認識
5 本支店会計
6 商的工業簿記
7 本社工場会計
8 建設業会計
9 無形固定資産II
10 遡及会計 過年度

解説

(1) 材料費の計算

当期材料費：5,000千円 + 50,000千円 − 3,000千円 = 52,000千円
　　　　　　　　　　　　　　　　　帳簿棚卸高

材料棚卸減耗損：3,000千円 − 2,100千円 = 900千円 ┬ 300千円（C／R経費）［原価性有］
　　　　　　　　　帳簿棚卸高　実地棚卸高　　　　　　└ 600千円（P／L特損）[01]［原価性無］

01) 問題文の指示により、特別損失に計上します。

(2) 労務費の計算

C／R計上分とP／L計上分を分けます。

前T／B（人件費関係）	C／R計上分		P／L計上分	
賃 金 給 料：29,850千円	× 0.6 =	17,910千円	× (1 − 0.6) =	11,940千円
退職給付費用： 5,550千円	× 0.6 =	3,330千円	× (1 − 0.6) =	2,220千円
法定福利費： 2,600千円	× 0.6 =	1,560千円	× (1 − 0.6) =	1,040千円
	合計	22,800千円	合計	15,200千円

（3）経費の計算

C／R計上分とP／L計上分を分けます。

前T／B（経費・営業費）	C／R計上分	P／L計上分
減価償却費：8,700千円	× 0.75 = 6,525千円	×（1 − 0.75）= 2,175千円
水道光熱費：2,500千円	× 0.75 = 1,875千円	×（1 − 0.75）= 625千円
福利厚生費：4,000千円	× 0.6 = 2,400千円	×（1 − 0.6）= 1,600千円
材料棚卸減耗損：（（1）より）	300千円	600千円
	合計 11,100千円	合計 5,000千円

※ （2）～（3）より当期加工費：22,800千円 + 11,100千円 = 33,900千円

（4）仕掛品の計算（期末仕掛品は平均法により評価）

材 料 費：$(2,000千円 + 52,000千円) \times \dfrac{150個}{1,350個 + 150個} = 5,400千円$ ⎫ 期末仕掛品

加 工 費：$(1,350千円 + 33,900千円) \times \dfrac{60個}{1,350個 + 60個} = 1,500千円$ ⎭ 6,900千円

当期製品製造原価：3,350 千円 + 85,900 千円 − 6,900 千円 = 82,350 千円
　　　　　　　　　　期首仕掛品　　当期総製造費用　　期末仕掛品

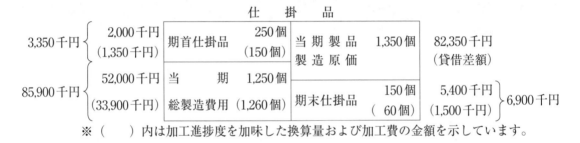

※ （　　）内は加工進捗度を加味した換算量および加工費の金額を示しています。

（5）貸借対照表の各科目に記載される金額

製　　　品：7,320 千円　（期末製品帳簿棚卸高）

仕 掛 品：6,900 千円　（（4）より）

材　　　料：2,100 千円　（実施棚卸高）

Chapter 7
本社工場会計

1 特殊商品売買
2 退職給付会計II
3 資産除去債務
4 収益認識
5 本支店会計
6 商的工業簿記
7 本社工場会計
8 建設業会計
9 無形固定資産II
10 過年度遡及会計

問題1 解答

（単位：千円）

		借方科目	金額	貸方科目	金額
(1)	本社	材料仕入	125,000	買掛金	125,000
	工場	仕訳なし			
(2)	本社	工場	150,000	工場売上	150,000
	工場	本社仕入	150,000	本社	150,000
(3)	本社	工場売上	6,000	工場	6,000
	工場	本社	6,000	本社仕入	6,000
(4)	本社	仕訳なし			
	工場	賃金	200,000	現金預金	200,000
(5)	本社	買掛金	50,000	工場	50,000
	工場	本社	50,000	現金預金	50,000
(6)	本社	工場仕入	395,600	工場	395,600
	工場	本社	395,600	本社売上	395,600
(7)	本社	工場	70,000	現金預金	70,000
	工場	現金預金	70,000	本社	70,000

解説

　本社工場間取引の会計処理の考え方は、基本的に本支店会計の本支店間取引の会計処理と同じです。

(2) 工場売上（本社仕入）：

　125,000 千円 × 1.2 = 150,000 千円

(4) 本問では、工場が賃金を支払っているため、本社での仕訳は不要となります。

(6) 工場から本社へ製品を送付する際は、振替価格により処理します。

問題2 解答

（単位：千円）

		借方科目	金額	貸方科目	金額
(1)	本社	仕訳なし			
	工場	一般管理費	75,000	本社	75,000
(2)	本社	工場仕入	250,000	工場	250,000
	工場	仕訳なし			
(3)	本社	仕訳なし			
	工場	本社仕入	60,000	本社	60,000
(4)	本社	工場売上	36,000	工場	36,000
		買掛金	30,000	材料仕入	30,000
	工場	仕訳なし			
(5)	本社	工場	15,000	売掛金	15,000
	工場	仕訳なし			

解説

(3) 本社仕入：50,000 千円 × 1.2 = 60,000 千円

(4) 工場売上戻り（原価）：

$$\frac{36,000 \text{ 千円}}{1.2} = 30,000 \text{ 千円}$$

　なお、この取引（4）は実際には工場が本社の仕入先に直接返送していますが、会計処理は問題文にもあるようにいったん工場が本社へ返送し、本社を経由して仕入先に返送したと考えます。この流れを図に示すと、次のとおりです。

実際の材料の流れ

会計処理の流れ

本社：材料返送時の会計処理（未処理）

（借）工 場 売 上	36,000	（貸）工　　　　場	36,000
（借）買 掛 金	30,000	（貸）材 料 仕 入	30,000

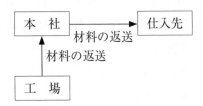

工場：材料返送時の会計処理（処理済み）

（借）本　　　　社	36,000	（貸）本 社 仕 入	36,000

問題 3　　　　　　解答

（単位：千円）

	借方科目	金 額	貸方科目	金 額
(1)	本 社 仕 入	50,000	繰 越 材 料	50,000
	繰 越 材 料	70,000	本 社 仕 入	70,000
(2)	製　　　造	1,600,000	本 社 仕 入	570,000
			賃　　　金	320,000
			製 造 経 費	710,000
(3)	製　　　造	215,000	仕 掛 品	215,000
	仕 掛 品	190,000	製　　　造	190,000
(4)	製　　　品	1,625,000	製　　　造	1,625,000
(5)	売 上 原 価	1,610,000	製　　　品	1,610,000
(6)	損　　　益	1,610,000	売 上 原 価	1,610,000
	本 社 売 上	2,500,000	損　　　益	2,500,000
(7)	損　　　益	890,000	本　　　社	890,000
(8)	繰延内部利益	65,000	繰延内部利益戻入	65,000
	繰延内部利益控除	80,000	繰延内部利益	80,000
(9)	損　　　益	1,500,000	総 合 損 益	1,500,000
	工　　　場	890,000	総 合 損 益	890,000
	繰延内部利益戻入	65,000	総 合 損 益	65,000
	総 合 損 益	80,000	繰延内部利益控除	80,000
	総 合 損 益	2,375,000	繰越利益剰余金	2,375,000

解説

(2) 当期材料費：

50,000 千円 + 590,000 千円 − 70,000 千円
= 570,000 千円

当期総製造費用：

570,000 千円 + 320,000 千円 + 710,000 千円
= 1,600,000 千円

(4) 当期製品製造原価：

215,000 千円 + 1,600,000 千円 − 190,000 千円
= 1,625,000 千円

(5) 本社売上の原価：

345,000 千円 + 1,625,000 千円 − 360,000 千円
= 1,610,000 千円

(7) 工場純利益：

2,500,000 千円 − 1,610,000 千円
= 890,000 千円

(9) 総合損益：

1,500,000 千円 + 890,000 千円 + 65,000 千円
− 80,000 千円 = 2,375,000 千円

・勘定連絡図（単位：千円）

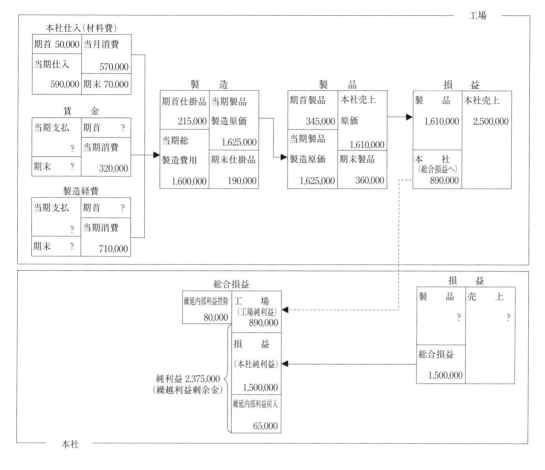

1 特殊商品売買

2 退職給付会計Ⅱ

3 資産除去債務

4 収益認識

5 本支店会計

6 商的工業簿記

7 本社工場会計

8 建設業会計

9 無形固定資産Ⅱ

10 過年度遡及会計

問題 4　**解答**

	本　社	工　場
材　料	*0* 千円	*40,500* 千円
仕 掛 品	—	*79,500* 千円
製　品	*374,200* 千円	*51,405* 千円

解説

　本社・工場間での棚卸資産の送付時に、内部利益が付加されています。工場の棚卸資産は、「①材料にかかる本社付加利益」を考慮する必要があります。これに対し本社の製品は、「①材料にかかる本社付加利益」と「②製品にかかる工場付加利益」との2つを考慮する必要があります。

(1) 工場

材　料：

$$310,500 \text{千円} \times \frac{0.15}{1.15} = 40,500 \text{千円}$$

仕掛品：

$$609,500 \text{千円} \times \frac{0.15}{1.15} = 79,500 \text{千円}$$

製　品：

$$394,105 \text{千円} \times \frac{0.15}{1.15} = 51,405 \text{千円}$$

(2) 本社

材　料：内部利益は含まれていません。

製　品：

　①本社付加利益

　製　品：

$$795,800 千円 \times \frac{0.15}{1.15} = 103,800 千円$$

　②工場付加利益

　製品：270,400 千円

〕374,200 千円

　　前 T/B の『**繰延内部利益**』は、本社が工場へ材料を送付する際に付加した内部利益と、工場が本社へ製品を送付する際に付加した内部利益の合計です。

　　製品の製造原価が不明なため、工場が付加した本社製品に対する内部利益は、前 T/B の『**繰延内部利益**』から、本社が材料に付加した内部利益を控除して算定します。

　545,605 千円 − 40,500 千円 − 79,500 千円

　　− 51,405 千円 − 103,800 千円 = 270,400 千円

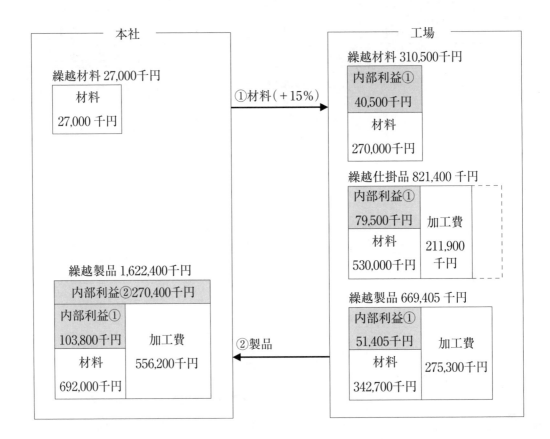

製造原価報告書

（単位：千円）

Ⅰ	材　料　費					
	期首材料棚卸高	（	3,100	）		
	当期材料仕入高	（	19,000	）		
	合　計	（	22,100	）		
	期末材料棚卸高	（	3,100	）	（	19,000	）
Ⅱ	労　務　費				（	13,700	）
Ⅲ	経　費				（	8,700	）
	当期総製造費用				（	41,400	）
	期首仕掛品棚卸高				（	4,010	）
	合　計				（	45,410	）
	期末仕掛品棚卸高				（	3,940	）
	当期製品製造原価				（	41,470	）

損　益　計　算　書

（単位：千円）

Ⅰ	売　上　高				（	64,000	）
Ⅱ	売　上　原　価					
	期首製品棚卸高	（	15,320	）		
	当期製品製造原価	（	41,470	）		
	合　計	（	56,790	）		
	期末製品棚卸高	（	12,740	）	（	44,050	）
	売　上　総　利　益				（	19,950	）

1 特殊商品売買
2 退職給付会計Ⅱ
3 資産除去債務
4 収益認識
5 本支店会計
6 商的工業簿記
7 本社工場会計
8 建設業会計
9 無形固定資産Ⅱ
10 過年度遡及会計

（単位：千円）

本社	材 料	
	1,400	工場へ①
材料仕入	18,900	
	19,000	1,500

工場	材 料	
	1,955	材料費
本社仕入	21,850	
	21,735	1,840

① 21,735 千円 ÷ 1.15 ＝ 18,900 千円

工場	仕掛品		
材	2,185		
加	2,110	材	21,620
		加	22,670
材	21,850		
加	22,400	材	2,415
		加	1,840

工場	製 品		
材	2,530	本社売原	
加	2,070	材	21,850
		加	22,800
材	21,620		
加	22,670	材	2,300
		加	1,940

本社	製 品	（原価）	
材	5,520		
加②	6,250	材	22,770
		加	24,250
材	21,850		
加	22,800	材	4,600
		加	4,800

② 本社期首製品のうち加工費
  振替12,500千円 － 材5,520千円
  － 工場付加利益730千円 ＝ 6,250千円

③ 本社期末製品（振替価格）
  ＠250千円 × 40個 ＝ 10,000千円

本社	製 品	（振替）	
	12,500	製品売原	
工場仕入			50,000
	47,500	③	10,000

１．製造原価報告書

(1) 期首材料棚卸高：本社 1,400 千円 ＋ 工場 1,955 千円 ÷ 1.15 ＝ 3,100 千円
(2) 当期材料仕入高：本社 19,000 千円 （材料仕入）
(3) 期末材料棚卸高：本社 1,500 千円 ＋ 工場 1,840 千円 ÷ 1.15 ＝ 3,100 千円
(4) 当期材料費：工場 21,850 千円 ÷ 1.15 ＝ 19,000 千円
(5) 期首仕掛品棚卸高：材 2,185 千円 ÷ 1.15 ＋ 加 2,110 千円 ＝ 4,010 千円
(6) 期末仕掛品棚卸高：材 2,415 千円 ÷ 1.15 ＋ 加 1,840 千円 ＝ 3,940 千円
(7) 当期製品製造原価：材 21,620 千円 ÷ 1.15 ＋ 加 22,670 千円 ＝ 41,470 千円

２．損益計算書

(1) 売上高：本社 64,000 千円 （製品売上）
(2) 期首製品：工場（材 2,530 千円 ÷ 1.15 ＋ 加 2,070 千円）
  ＋ 本社（材 5,520 千円 ÷ 1.15 ＋ 加 6,250 千円）＝ 15,320 千円
(3) 期末製品：工場（材 2,300 千円 ÷ 1.15 ＋ 加 1,940 千円）
  ＋ 本社（材 4,600 千円 ÷ 1.15 ＋ 加 4,800 千円）＝ 12,740 千円
(4) 売上原価：本社（材 22,770 千円 ÷ 1.15 ＋ 加 24,250 千円）＝ 44,050 千円

３．本社の前Ｔ／Ｂ繰延内部利益（本社付加利益）

（1,955 千円 ＋ 2,185 千円 ＋ 2,530 千円 ＋ 5,520 千円）÷ 1.15 × 0.15 ＝ 1,590 千円

(1)

| ① | 2,545,950 千円 | ② | 7,613,100 千円 | ③ | 340,000 千円 |

(2)

製 造 原 価 報 告 書　　　　　　（単位：千円）

科　　　　　目	金	額
Ⅰ　材　　料　　費		
1　期首材料棚卸高	（　130,000　）	
2　当期材料仕入高	（　2,303,500　）	
合　　計	（　2,433,500　）	
3　期末材料棚卸高	（　126,500　）	
当 期 材 料 費		（　2,307,000　）
Ⅱ　労　　務　　費		（　1,563,620　）
Ⅲ　経　　　　　費		（　2,345,430　）
当 期 総 製 造 費 用		（　6,216,050　）
期首仕掛品棚卸高		（　255,000　）
合　　計		（　6,471,050　）
期末仕掛品棚卸高		（　437,000　）
当 期 製 品 製 造 原 価		（　6,034,050　）

(3)

損 益 計 算 書　　　　　　（単位：千円）

科　　　　　目	金	額
Ⅰ　売　　上　　高		（　9,372,000　）
Ⅱ　売　上　原　価		
1　期首製品棚卸高	（　530,000　）	
2　当期製品製造原価	（　6,034,050　）	
計	（　6,564,050　）	
3　期末製品棚卸高	（　522,050　）	（　6,042,000　）
売 上 総 利 益		（　3,330,000　）

解 説

（金額の単位：千円）

1．未達事項の処理

(1)　未達取引修正仕訳

①工場	（借）本　社　仕　入	7,150[01]	（貸）本　　　　　社	7,150
②本社	（借）工　場　仕　入	168,300	（貸）工　　　　　場	168,300
③本社	（借）工　場　売　上	7,920	（貸）工　　　　　場	7,920
	（借）買　　掛　　金	7,200[02]	（貸）材　料　仕　入	7,200
④本社	（借）工　場　仕　入	48,000	（貸）工　　　　　場	48,000
	（借）売　　掛　　金	70,000	（貸）売　　　　　上	70,000

01）6,500千円×1.1＝7,150千円　　　　　02）$\dfrac{7,920千円}{1.1}$＝7,200千円

1　特殊商品売買

2　退職給付会計Ⅱ

3　資産除去債務

4　収益認識

5　本支店会計

6　商的工業簿記

7　本社工場会計

8　建設業会計

9　無形固定資産Ⅱ

10　遡及会計　過年度会計

(2) 未達修正後残高の算定

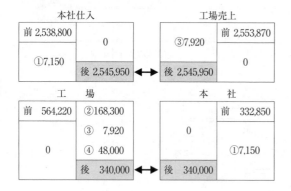

本社仕入	
前 2,538,800	0
①7,150	
	後 2,545,950

工場売上	
③7,920	前 2,553,870
	0
後 2,545,950	

工場仕入	
前 7,396,800	0
②168,300	
④ 48,000	後 7,613,100

本社売上	
0	前 7,613,100
	0
後 7,613,100	

工　場	
前 564,220	②168,300
	③ 7,920
0	④ 48,000
	後 340,000

本　社	
	前 332,850
0	
	①7,150
後 340,000	

材料仕入	
前 2,310,700	③7,200
0	
	後 2,303,500

売　上	
	前 9,302,000
0	
後 9,372,000	④70,000

２．内部利益の算定
(1) 期首
①工場

材　料：$86,900 千円 \times \dfrac{0.1}{1.1} = 7,900 千円$

仕掛品：$220,000 千円 \times \dfrac{0.1}{1.1} = 20,000 千円$

製　品：$88,000 千円 \times \dfrac{0.1}{1.1} = 8,000 千円$

②本社
（ⅰ）本社付加利益
　製　品：

$132,000 千円 \times \dfrac{0.1}{1.1} = 12,000 千円$

（ⅱ）工場付加利益
　製　品：66,000 千円

$\left.\begin{array}{r}\end{array}\right\} 78,000 千円$

$113,900 千円 - 7,900 千円 - 20,000 千円$
$- 8,000 千円 - 12,000 千円 = 66,000 千円$

(2) 期末
①工場

材　料：$95,150 千円 \times \dfrac{0.1}{1.1} = 8,650 千円$

仕掛品：$253,000 千円 \times \dfrac{0.1}{1.1} = 23,000 千円$

製　品：$55,000 千円 \times \dfrac{0.1}{1.1} = 5,000 千円$

②本社
（ⅰ）本社付加利益
　製　品：

$161,700 千円 \times \dfrac{0.1}{1.1} = 14,700 千円$

（ⅱ）工場付加利益
　製　品：80,850 千円

$\left.\begin{array}{r}\end{array}\right\} 95,550 千円$

３．解答数値の算定
(1) 製造原価報告書
①期首材料棚卸高：

51,000 千円 + （86,900 千円 − 7,900 千円）
= 130,000 千円

②当期材料仕入高：

未達事項修正後の材料仕入より 2,303,500 千円

③期末材料棚卸高：

40,000 千円 + （95,150 千円 − 8,650 千円）
= 126,500 千円

④期首仕掛品棚卸高：

275,000 千円 − 20,000 千円 = 255,000 千円

⑤期末仕掛品棚卸高：

460,000 千円 − 23,000 千円 = 437,000 千円

(2) 損益計算書
①期首製品棚卸高：

（396,000 千円 − 78,000 千円） + （220,000 千円
− 8,000 千円） = 530,000 千円

②期末製品棚卸高：

（485,100 千円 − 95,550 千円） + （137,500 千円
− 5,000 千円） = 522,050 千円

（単位：千円）

		借方科目	金　額	貸方科目	金　額
(1)	本社	工　　場	8,880	現金預金	8,880
	工場	賃　　金	8,880	本　　社	8,880
(2)	本社	工　　場	5,250	現金預金	5,250
	工場	経　　費	4,725	本　　社	5,250
		一般管理費	525		
(3)	本社	工　　場	21,000	買　掛　金	21,000
	工場	材料仕入	21,000	本　　社	21,000
(4)	本社	買　掛　金	13,200	工　　場	13,200
	工場	本　　社	13,200	現金預金	13,200

解説

(2)　工場の経費：5,250 千円 × 0.9 ＝ 4,725 千円
　　　工場の一般管理費：貸借差額
(3)　問題文の指示により、買掛金は本社の債務
　　　として、材料は工場が直接仕入れたものとし
　　　て処理します。

（単位：千円）

		借方科目	金　額	貸方科目	金　額
(1)	本社	仕訳なし			
	工場	一般管理費	30,000	本　　社	30,000
(2)	本社	工場仕入	25,000	工　　場	25,000
	工場	仕訳なし			
(3)	本社	仕訳なし			
	工場	本社仕入	12,000	本　　社	12,000
(4)	本社	工　　場	1,500	売　掛　金	1,500
	工場	仕訳なし			

解説

(3)本社仕入の金額：
　　10,000千円×1.2＝12,000千円

貸借対照表　　　　　　　　　　　　　（単位：千円）

資　産　の　部			負　債　の　部		
科　　　目	金　　額		科　　　目	金　　額	
I 流　動　資　産	(316,890	)	I 流　動　負　債	(113,670	)
現　金　預　金	(159,010	)	支　払　手　形	(35,000	)
受　取　手　形	(66,000	)	買　　掛　　金	(31,200	)
売　　掛　　金	(44,000	)	短　期　借　入　金	(33,520	)
製　　　　　品	(23,700	)	未　払　法　人　税　等	(13,950	)
材　　　　　料	(8,740	)	II 固　定　負　債	(23,400	)
短　期　貸　付　金	(18,000	)	〔退職給付引当金〕	(23,400	)
貸　倒　引　当　金	(△ 2,560	)	負　債　合　計	(137,070	)
II 固　定　資　産	(278,600	)	純　資　産　の　部		
1 有　形　固　定　資　産	(240,100	)	I 株　主　資　本	(458,770	)
建　　　　　物	(78,500	)	1 資　　本　　金	(300,000	)
器　具　備　品	(16,875	)	2 資　本　剰　余　金	(38,480	)
機　　　　　械	(116,600	)	資　本　準　備　金	(38,480	)
車　両　運　搬　具	(28,125	)	3 利　益　剰　余　金	(120,290	)
2 無　形　固　定　資　産	(10,600	)	利　益　準　備　金	(28,200	)
特　　許　　権	(10,600	)	繰越利益剰余金	(92,090	)
3 投資その他の資産	(27,900	)	II 評価・換算差額等	(△ 350	)
投　資　有　価　証　券	(8,000	)	その他有価証券評価差額金	(△ 350	)
関　係　会　社　株　式	(13,000	)	純　資　産　合　計	(458,420	)
繰　延　税　金　資　産	(6,900	)			
資　産　合　計	(595,490	)	負債及び純資産合計	(595,490	)

損　益　計　算　書　　　　　　　　（単位：千円）

科　　　目	金　　額			
I 売　　上　　高			(350,500	)
II 売　上　原　価				
期首製品棚卸高	(23,390	)		
当期製品製造原価	(231,240	)		
合　　　計	(254,630	)		
期末製品棚卸高	(23,700	)	(230,930	)
売　上　総　利　益			(119,570	)
III 販売費及び一般管理費			(40,700	)
営　業　利　益			(78,870	)
IV 営　業　外　収　益				
受取利息配当金	(860	)		
〔仕　入　割　引〕	(600	)	(1,460	)
V 営　業　外　費　用				
貸倒引当金繰入額	(360	)		
支　払　利　息	(3,210	)		
〔為　替　差　損〕	(460	)	(4,030	)
税引前当期純利益			(76,300	)
法人税、住民税及び事業税	(23,550	)		
法　人　税　等　調　整　額	(△ 450	)	(23,100	)
当　期　純　利　益			(53,200	)

1 特殊商品売買

2 退職給付会計Ⅱ

3 資産除去債務

4 収益認識

5 本支店会計

6 商的工業簿記

7 本社工場会計

8 建設業会計

9 無形固定資産Ⅱ

10 過年度遡及会計

製 造 原 価 報 告 書 （単位：千円）

科　　　　目	金　　額
Ⅰ　材　料　費	（　76,700　）
Ⅱ　労　務　費	（　40,860　）
Ⅲ　経　　　費	（　113,680　）
当期総製造費用	（　231,240　）
期首仕掛品棚卸高	（　0　）
合　　　計	（　231,240　）
期末仕掛品棚卸高	（　0　）
当期製品製造原価	（　231,240　）

貸借対照表等に関する注記事項

1　　有形固定資産から減価償却累計額 *239,900* 千円が控除されている。
2　　関係会社に対する**売掛金**が *600* 千円ある。

損益計算書に関する注記事項

関係会社との営業取引高(売上高)が *7,800* 千円ある。

解説

【資料2】　未達取引

1．工場：　(借) 本 社 仕 入　3,300　　(貸) 本　　　　社　3,300

2．本社：　(借) 工 場 仕 入　12,600　　(貸) 工　　　　場　12,600

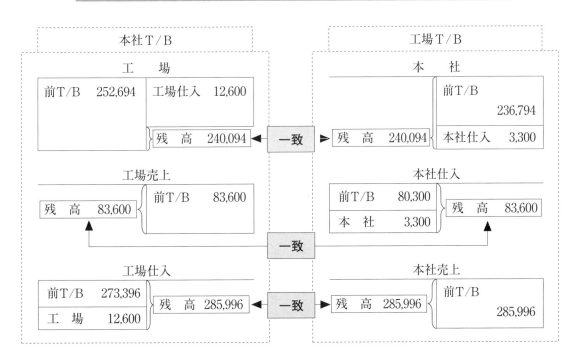

【資料3】

1．現金預金

本社：

（借）為替差損益	460[01]	（貸）現金預金	460

01）（@118円－@122円）×115千ドル
$$\underset{\text{(CR)}}{@118円}-\underset{\text{(HR)}}{@122円}$$

＝△460千円
（為替差損）

2．貸倒引当金の設定

　貸倒引当金繰入額のうち営業債権（受取手形や売掛金）にかかるものは「販売費及び一般管理費」に、営業外債権（短期貸付金）にかかるものは「営業外費用」に計上します。

本社：

（借）貸倒引当金繰入額 （販売費及び一般管理費）	1,740[02]	（貸）貸倒引当金	1,740

本社：

（借）貸倒引当金繰入額 （営業外費用）	360[03]	（貸）貸倒引当金	360

02）（66,000千円＋44,000千円）×0.02＝2,200千円
　　　受取手形　　売掛金
　　2,200千円－460千円＝1,740千円

03）18,000千円×0.02＝360千円
　　短期貸付金

3．有価証券

（1）甲社株式：関係会社→取得原価で評価

本社：

（借）関係会社株式	13,000	（貸）有価証券	13,000

（2）乙社社債：

　その他→時価で評価（評価差額は全部純資産直入法＋税効果で処理）

　解答欄（B／S）の流動資産に『有価証券』がないため、投資有価証券とします。

本社：

（借）投資有価証券	8,500	（貸）有価証券	8,500
（借）その他有価証券評価差額金	350	（貸）投資有価証券	500[04]
繰延税金資産	150[05]		

04）8,500千円－8,000千円＝500千円

05）（8,500千円－8,000千円）×0.3＝150千円

4．棚卸資産

（1）材料

①期首材料棚卸高（工場の内部利益を直接控除します）

$$\underset{\text{(本社)}}{4,240千円}+\underset{\text{(工場)}}{6,270千円}-570千円^{06}=9,940千円$$

06）内部利益：6,270千円×$\dfrac{0.1}{1.1}$＝570千円

②当期材料仕入高

75,500千円（本社T／B・材料仕入より）

③期末材料棚卸高（工場の内部利益を直接控除します）

$$\underset{\text{(本社)}}{3,740千円}+\underset{\text{(工場)}}{2,200千円}+\underset{\text{(未達)}}{3,300千円}-500千円^{07}$$
$$=8,740千円$$

07）内部利益：（2,200千円＋3,300千円）×$\dfrac{0.1}{1.1}$
　　　　　　　＝500千円

（2）製品

①期首製品棚卸高（本社と工場の内部利益を直接控除します）

$$\underset{\text{(本社)}}{19,800千円}+\underset{\text{(工場)}}{7,620千円}-4,030千円^{08}$$
$$=23,390千円$$

08）前T／B繰延内部利益は、繰越材料分（工場）と繰越製品分（本社・工場）の合計です。
　　内部利益：
$$\underset{\text{(前T／B)}}{4,600千円}-\underset{\text{(材料分)}}{570千円}=4,030千円$$

②当期製品製造原価

　決算整理事項をすべて考慮して算定します。
（下記12.参照：231,240千円）

③期末製品棚卸高（本社と工場の内部利益を直接控除します）

$$\underset{\text{(本社)}}{6,900千円}+\underset{\text{(未達)}}{12,600千円}+\underset{\text{(工場)}}{8,200千円}$$
$$-4,000千円^{09}=23,700千円$$

09）問題文より。

5．有形固定資産

　問題文の指示により、表示は直接控除一括注記により表示する点に注意します。

（1）本社建物

本社：

（借）減価償却費 （販売費及び一般管理費）	5,400[10]	（貸）減価償却累計額	5,400

10）120,000千円×0.9×0.050＝5,400千円

(2) 工場建物

工場：

(借) 製 造 経 費	2,880¹¹⁾	(貸) 減価償却累計額	3,600
減価償却費 （販売費及び一般管理費）	720¹²⁾		

11) 80,000 千円 × 0.9 × 0.050 × 0.8 = 2,880 千円
12) 80,000 千円 × 0.9 × 0.050 × 0.2 = 720 千円

(3) 器具備品

工場：

(借) 製 造 経 費	4,500¹³⁾	(貸) 減価償却累計額	5,625
減価償却費 （販売費及び一般管理費）	1,125¹⁴⁾		

13) (30,000 千円 − 7,500 千円) × 0.250 × 0.8
   = 4,500 千円
14) (30,000 千円 − 7,500 千円) × 0.250 × 0.2
   = 1,125 千円

(4) 機械

工場：

(借) 製 造 経 費	83,400¹⁵⁾	(貸) 減価償却累計額	83,400

15) 200,000 千円 × 0.417 = 83,400 千円

(5) 車両運搬具

工場：

(借) 製 造 経 費	7,500¹⁶⁾	(貸) 減価償却累計額	9,375
減価償却費 （販売費及び一般管理費）	1,875¹⁷⁾		

16) (50,000 千円 − 12,500 千円) × 0.250 × 0.8
   = 7,500 千円
17) (50,000 千円 − 12,500 千円) × 0.250 × 0.2
   = 1,875 千円

(6) 表示金額

【資料3】5 の取得原価と「期首減価償却累計額＋減価償却費」から、B／S 価額を求めます。
①本社建物：
   120,000 千円 − (67,500 千円 + 5,400 千円)
   = 47,100 千円

   工場建物：
   80,000 千円 − (45,000 千円 + 3,600 千円)
   = 31,400 千円

   合　　計：78,500 千円（B／S 建物）
②器具備品：
   30,000 千円 − (7,500 千円 + 5,625 千円)
   = 16,875 千円
③機　　械：
   200,000 千円 − 83,400 千円 = 116,600 千円

④車両運搬具：
   50,000 千円 − (12,500 千円 + 9,375 千円)
   = 28,125 千円
⑤減価償却累計額：
   $$\underset{\text{期首減累合計}}{\underline{132,500 \text{千円}}}\text{ }^{18)} + \underset{\text{当期償却費合計}}{\underline{107,400 \text{千円}}}\text{ }^{19)}$$
   = 239,900 千円（注記）

18) T／B の本社・工場の減価償却累計額合計（または【資料3】5 の期首減累合計）より。
19) 5,400 千円 + 3,600 千円 + 5,625 千円
   + 83,400 千円 + 9,375 千円 = 107,400 千円

6．無形固定資産

残高試算表の特許権の金額は、31 カ月分（×18 年 9 月～× 21 年 3 月）が償却された残高です。

(借) 製 造 経 費	2,400²⁰⁾	(貸) 特 許 権	2,400

20) $13,000 \text{千円} \times \dfrac{12 \text{カ月}}{12 \text{カ月} \times 8 \text{年} - 31 \text{カ月}}$
   = 2,400 千円

※なお、厳密には以下の処理を行いますが、財務諸表作成上は上記の仕訳で十分です。

本社：

(借) 工　　　　場	2,400	(貸) 特 許 権	2,400

工場：

(借) 製 造 経 費	2,400	(貸) 本　　　　社	2,400

7．法定福利費

工場：

(借) 製 造 労 務 費	1,200	(貸) 法 定 福 利 費 （販売費及び一般管理費）	1,200

8．退職給付

(借) 製 造 労 務 費	660²¹⁾	(貸) 退職給付引当金	1,650
退職給付費用 （販売費及び一般管理費）	990²²⁾		

21) 1,650 千円 × 40% = 660 千円
22) 1,650 千円 − 660 千円 = 990 千円

※なお、厳密には工員分の退職給付費用について以下の処理を行いますが、財務諸表作成上は上記の仕訳で十分です。

本社：

(借) 工　　　　場	660	(貸) 退職給付引当金	660

工場：

(借) 製 造 労 務 費	660	(貸) 本　　　　社	660

1 特殊商品売買

2 退職給付会計Ⅱ

3 資産除去債務

4 収益認識

5 本支店会計

6 商的工業簿記

7 本社工場会計

8 建設業会計

9 無形固定資産Ⅱ

10 過年度遡及会計

9. 法人税等

確定年税額を「法人税、住民税及び事業税」とし、確定年税額と仮払法人税等（仮払金で処理）との差額を未払法人税等とします。

（借）法人税、住民税及び事業税	23,550	（貸）仮 払 金	9,600
		未払法人税等	13,950 [23]

23) 貸借差額

10. 税効果会計

将来減算一時差異の当期末金額と前期末金額との差額に法定実効税率を乗じて、法人税等調整額を求めます。

（借）繰延税金資産	450	（貸）法人税等調整額	450 [24]

24) （22,500千円 － 21,000千円）× 0.3
　　＝ 450千円

11. その他の事項

（1）作業屑の売却

問題文の指示により、雑収入を売上に振り替えます。

本社：

（借）雑 収 入	500	（貸）売 上	500

（2）関係会社との取引

関係会社との取引高は「損益計算書に関する注記」に記載し、問題文の指示により関係会社に対する金銭債権（売掛金）は科目と金額を「貸借対照表に関する注記」に記載します。

12. 財務諸表の作成

以上の決算整理仕訳等とT／Bの金額より、本社工場合併の財務諸表を作成します。なお、工場・本社、工場売上・本社仕入、工場仕入・本社売上は内部取引に関する勘定なので、外部公表用の財務諸表には記載しません。

（1）当期製品製造原価と売上原価の算定

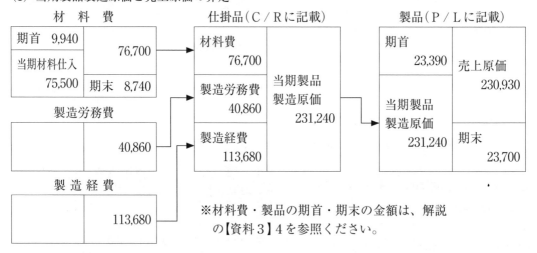

※材料費・製品の期首・期末の金額は、解説の【資料3】4を参照ください。

(2) 製造労務費と製造経費の計算（参考）

<table>
<tr><th colspan="2" style="text-align:center">製 造 労 務 費</th></tr>
<tr><th style="text-align:center">摘　　　要</th><th style="text-align:center">金　　　額</th></tr>
<tr><td>前T／B</td><td>39,000千円</td></tr>
<tr><td>法定福利費</td><td>1,200千円</td></tr>
<tr><td>退職給付費用</td><td>660千円</td></tr>
<tr><td style="text-align:center">合　　　計</td><td>40,860千円</td></tr>
</table>

<table>
<tr><th colspan="2" style="text-align:center">製 造 経 費</th></tr>
<tr><th style="text-align:center">摘　　　要</th><th style="text-align:center">金　　　額</th></tr>
<tr><td>前T／B</td><td>13,000千円</td></tr>
<tr><td>減価償却費（工場建物）</td><td>2,880千円</td></tr>
<tr><td>減価償却費（器具備品）</td><td>4,500千円</td></tr>
<tr><td>減価償却費（機械）</td><td>83,400千円</td></tr>
<tr><td>減価償却費（車両運搬具）</td><td>7,500千円</td></tr>
<tr><td>特許権償却</td><td>2,400千円</td></tr>
<tr><td style="text-align:center">合　　　計</td><td>113,680千円</td></tr>
</table>

(3) 販売費及び一般管理費の計算（参考）

<table>
<tr><th style="text-align:center">摘　　　要</th><th style="text-align:center">金　　　額</th></tr>
<tr><td>前T／B（本社）</td><td>22,250千円</td></tr>
<tr><td>前T／B（工場）</td><td>7,800千円</td></tr>
<tr><td>貸倒引当金繰入額</td><td>1,740千円</td></tr>
<tr><td>減価償却費（本社建物）</td><td>5,400千円</td></tr>
<tr><td>減価償却費（工場建物）</td><td>720千円</td></tr>
<tr><td>減価償却費（器具備品）</td><td>1,125千円</td></tr>
<tr><td>減価償却費（車両運搬具）</td><td>1,875千円</td></tr>
<tr><td>法定福利費</td><td>△　1,200千円</td></tr>
<tr><td>退職給付費用</td><td>990千円</td></tr>
<tr><td style="text-align:center">合　　　計</td><td>40,700千円</td></tr>
</table>

(4) 当期純利益の繰越利益剰余金への振替え

　P／Lで計算された当期純利益を、B／S繰越利益剰余金に振り替えます。

（借）当期純利益　53,200　　（貸）繰越利益剰余金　53,200

1 特殊商品売買
2 退職給付会計Ⅱ
3 資産除去債務
4 収益認識
5 本支店会計
6 商的工業簿記
7 本社工場会計
8 建設業会計
9 無形固定資産Ⅱ
10 過年度遡及会計

Chapter 8
建設業会計

問題 1　解答

(1)　進捗度にもとづき収益を認識する場合

（単位：万円）

	第1期	第2期	第3期
工事収益	3,900	1,560	1,040
工事原価	3,000	1,200	800
工事利益	900	360	240

(2)　原価回収基準により収益を認識する場合

（単位：万円）

	第1期	第2期	第3期
工事収益	3,000	1,200	2,300
工事原価	3,000	1,200	800
工事利益	0	0	1,500

解説

1．進捗度にもとづき収益を認識する場合

工事の進行状況に応じて収益を工事期間の各期に計上します。

×1年度の工事収益：

$$6{,}500\,万円 \times \frac{3{,}000\,万円}{5{,}000\,万円} = \mathbf{3{,}900\,万円}$$

×2年度の工事収益：

$$6{,}500\,万円 \times \frac{3{,}000\,万円 + 1{,}200\,万円}{5{,}000\,万円}$$
$$- 3{,}900\,万円 = \mathbf{1{,}560\,万円}\,^{01)}$$

×3年度の工事収益：

$$6{,}500\,万円 - (3{,}900\,万円 + 1{,}560\,万円)$$
$$= \mathbf{1{,}040\,万円}\,^{02)}$$

01)　$6{,}500\,万円 \times \dfrac{1{,}200\,万円}{5{,}000\,万円} = 1{,}560\,万円$ としても正解ですが、見積工事原価総額の修正があった場合には正しく計算されないので、この形で覚えましょう。

02)　最終年度は差額で計算します。

2．原価回収基準により収益を認識する場合

原価回収基準とは、履行義務を充足するさいに発生する費用のうち、回収することが見込まれる費用の金額で収益を認識する方法をいいます。

×1年度・×2年度

工事原価と同額の工事収益を計上します。

×3年度

工事を完成・引き渡した期に残りの工事収益を計上します。

6,500万円 − 3,000万円 − 1,200万円
= 2,300万円

原価回収基準では工事収益の金額は各期に配分されますが、工事利益は工事を完成・引き渡した期に全額計上されます。

問題 2 　解答

	×1年度	×2年度	×3年度
(1)	29,100 千円	33,000 千円	18,900 千円
(2)	0 千円	62,100 千円	18,900 千円

解説

1. 進捗度にもとづき収益を認識する場合

(1)×1年度

工事収益：270,000 千円 × 0.33 [01] ＝ 89,100 千円

工事利益：89,100 千円 − 60,000 千円 ＝ **29,100** 千円

01）工事進捗度

$$= \frac{実際工事原価の累計額}{見積工事原価総額}$$

$$\frac{60,000 \, 千円}{180,000 \, 千円} ≒ 0.33 \,（小数点第3位四捨五入）$$

(2)×2年度

工事収益：270,000 千円 × 0.73 [02] − 89,100 千円

　　　　　＝ 108,000 千円

工事利益：108,000 千円 − 75,000 千円

　　　　　＝ **33,000** 千円

02）$\dfrac{60,000 \, 千円 + 75,000 \, 千円}{186,000 \, 千円} ≒ 0.73$

(3)×3年度

工事収益：270,000 千円

　　　　　−（89,100 千円 ＋ 108,000 千円）

　　　　　＝ 72,900 千円

工事利益：72,900 千円 − 54,000 千円

　　　　　＝ **18,900** 千円

2. 原価回収基準により収益を認識する場合

　×1年度

　　工事原価と同額の工事収益を計上します。
よって工事利益はゼロとなります。

　×2年度

　　進捗度を見積もることができるようになっ
た時点より、進捗度にもとづき工事収益を計
上します。

工事収益：270,000 千円 × 0.73

　　　　　− 60,000 千円 ＝ 137,100 千円

工事利益：137,100 千円 − 75,000 千円

　　　　　＝ 62,100 千円

×3年度

残りの工事収益を計上します。

工事収益：270,000 千円 − 60,000 千円

　　　　　− 137,100 千円 ＝ 72,900 千円

工事利益：72,900 千円 − 54,000 千円

　　　　　＝ 18,900 千円

1 特殊商品売買
2 退職給付会計Ⅱ
3 資産除去債務
4 収益認識
5 本支店会計
6 商的工業簿記
7 本社工場会計
8 建設業会計
9 無形固定資産Ⅱ
10 過年度遡及会計

問題 3　　解答

A工事完成工事高	540	千円
B工事完成工事高	1,080	千円
C工事完成工事高	320	千円

解説

　A工事・B工事は一定期間にわたり収益を認識します。これに対し、C工事は完全に履行義務を充足した時点で収益を認識します。なお、『完成工事高』とは、通常の製造業の『売上』に該当します。

(1)A工事について（当期中に完成・引渡し）
①過年度計上完成工事高：

$$1,800 千円 \times \frac{1,120 千円}{1,600 千円} = 1,260 千円$$

②当期計上完成工事高：

　1,800 千円 − 1,260 千円 = 540 千円

(2)B工事について（当期末において工事中）
①過年度計上完成工事高：

$$2,500 千円 \times \frac{800 千円}{2,000 千円} = 1,000 千円$$

②当期計上完成工事高：

$$2,600 千円 \times \frac{(800 千円 + 880 千円)}{2,100 千円^{01)}}$$
　− 1,000 千円 = 1,080 千円

　01）2,000 千円 + 100 千円 = 2,100 千円

(3)C工事について（当期中に完成・引渡し）
　当期計上完成工事高：3,200 千円

　完成・引渡しがなされた当期において工事収益総額が完成工事高として計上されます。

　なお、当期のP/Lに計上される完成工事高は、1,940 千円（= $\underset{A工事}{540 千円}$ + $\underset{B工事}{1,080 千円}$ + $\underset{C工事}{320 千円}$）となります。

問題 4　　解答

×2年度の工事損失引当金	160,000	千円
×3年度の工事利益	0	千円

解説

　本問は、原価比例法を適用して一定期間にわたり工事収益を計上しますが、工事原価総額の見積額に変更が生じている点に注意が必要です。なお、解説の仕訳では契約資産に該当する部分についても完成工事未収入金に含めて示しています（以下同様）。

(1)×1年度の会計処理
①完成工事高：480,000 千円

（借）完成工事未収入金 480,000$^{01)}$（貸）完成工事高 480,000

　01）$1,600,000 千円 \times \dfrac{420,000 千円}{1,400,000 千円}$
　　= 480,000 千円

②完成工事原価：420,000 千円

（借）完成工事原価 420,000　（貸）諸　勘　定$^{02)}$ 420,000

　02）未成工事支出金（材料費、労務費、経費）などがあてはまります。

③工事利益：

　480,000 千円 − 420,000 千円 = 60,000 千円

(2)×2年度の会計処理
①完成工事高：480,000 千円

（借）完成工事未収入金 480,000$^{03)}$（貸）完成工事高 480,000

　03）$1,600,000 千円 \times \dfrac{(780,000 千円 + 420,000 千円)}{2,000,000 千円}$
　　− 480,000 千円 = 480,000 千円

②発生工事原価：780,000 千円

（借）完成工事原価 780,000　（貸）諸　勘　定 780,000

③工事損失引当金：160,000 千円

（借）完成工事原価 160,000　（貸）工事損失引当金 160,000

・工事損失引当金の計算

見積総工事損失	△400,000千円	$(= \underset{\text{(工事収益総額)}}{1,600,000\text{千円}} - \underset{\text{(工事原価総額)}}{2,000,000\text{千円}})$

当期末までに
計上された工事　△240,000千円
損失(減算)

　当期発生損失　△300,000千円 $(= \underset{\text{(×2年度完成工事高)}}{480,000\text{千円}} - \underset{\text{(×2年度発生原価)}}{780,000\text{千円}})$
　過年度計上利益　＋60,000千円 (＝×1年度工事利益)
　差　　額　　△240,000千円

差　　額　△160,000千円　**将来において計上が見込まれる損失**

※全期間をとおしての損失が400,000千円です。当期300,000千円の損失が発生しましたが、前年度において利益が60,000千円計上されているので、当期末までに計上された工事損失は差額の240,000千円になります。したがって、将来において計上が見込まれる損失は160,000千円になります。

④工事利益（損失）：

480,000千円 － 780,000千円 － 160,000千円
＝△460,000千円
<small>工事損失引当金繰入額</small>

(3)×3年度の会計処理

①工事収益：640,000千円

(借) 完成工事未収入金 640,000 ⁰⁴⁾　(貸) 完成工事高 640,000

04) 1,600,000千円－（480,000千円＋480,000千円）
　＝640,000千円

②発生工事原価：800,000千円

(借) 完成工事原価 800,000　　(貸) 諸　勘　定　800,000

③工事損失引当金の取崩し：

(借) 工事損失引当金 160,000　　(貸) 完成工事原価 160,000

④工事利益（損失）：

640,000千円 － 800,000千円 ＋ 160,000千円
＝ 0千円

1 特殊商品売買
2 退職給付会計Ⅱ
3 資産除去債務
4 収益認識
5 本支店会計
6 商的工業簿記
7 本社工場会計
8 建設業会計
9 無形固定資産Ⅱ
10 過年度遡及会計

問1 　　　　　　　　　　　　　　　　　　　　　　　　（単位：千円）

	第1期	第2期	第3期
完成工事高	*252,000*	*450,000*	*198,000*
完成工事原価	*189,000*	*360,900*	*158,700*
完成工事総利益	*63,000*	*89,100*	*39,300*

問2 　　　　　　　　　　　　　　　　　　　　　　　　（単位：千円）

	第1期	第2期	第3期
未成工事受入金	*48,000*	*0*	*0*
完成工事未収入金	*0*	*102,000*	*100,000*

解説

⑴工事利益の算定

　工事の進行に応じて収益を計上します。

①×1年度

$$完成工事高：900,000千円 \times \frac{189,000千円}{675,000千円}$$
$$= 252,000千円$$

$$完成工事総利益：252,000千円 - 189,000千円$$
$$= 63,000千円$$

イ　入金時

（借）当 座 預 金 300,000　　（貸）未成工事受入金 300,000

ロ　決算時

（借）未成工事受入金 252,000　　（貸）完成工事高 252,000

　未成工事受入金残高：300,000千円 − 252,000千円
　　　　　　　　　　　 = 48,000千円

② ×2年度

×1年度　　　　　×2年度　　　　　×3年度

実際発生原価

189,000千円　　360,900千円　　工事原価見積額
155,100千円

計705,000千円[01]

完成工事高：900,000千円

$$\times \frac{189,000千円 + 360,900千円}{705,000千円}$$

$$-252,000千円 = 450,000千円$$

完成工事総利益：450,000千円 － 360,900千円

$$= 89,100千円$$

01）　見積工事原価総額が変わっている点に注意してください。

イ　入金時

（借）当 座 預 金 300,000	（貸）未成工事受入金 300,000

ロ　決算時

未成工事受入金減少額：48,000千円＋300,000千円
$$= 348,000千円$$

（借）未成工事受入金 348,000	（貸）完成工事高 450,000
完成工事未収入金 102,000	

③ ×3年度[02]

完成工事高：900,000千円 －（252,000千円
$$+ 450,000千円）= 198,000千円$$

完成工事総利益：198,000千円 － 158,700千円
$$= 39,300千円$$

02）　残りの収益を計上します。

イ　入金時

（借）当 座 預 金 200,000	（貸）完成工事未収入金 102,000
	未成工事受入金 　98,000

ロ　決算時

完成工事未収入金：900,000千円 － 300,000千円
$$-300,000千円 － 200,000千円$$
$$= 100,000千円$$

（借）未成工事受入金 　98,000	（貸）完成工事高 198,000
完成工事未収入金 100,000	

1 特殊商品売買

2 退職給付会計Ⅱ

3 資産除去債務

4 収益認識

5 本支店会計

6 商的工業簿記

7 本社工場会計

8 建設業会計

9 無形固定資産Ⅱ

10 過年度遡及会計

第15期(決算日：×22年3月31日)

貸 借 対 照 表

(単位：千円)

資　産　の　部			負　債　の　部		
科　　　目	金　　額		科　　　目	金　　額	
Ⅰ　流　動　資　産			Ⅰ　流　動　負　債		
完成工事未収入金	(180,000	)	未成工事受入金	(150,000	)
未成工事支出金	(188,000	)			

〈損益項目に関する事項〉

完 成 工 事 高	820,000　千円
完 成 工 事 原 価	686,250　千円

解 説

1．完全に履行義務を充足した時点で収益認識する方法

(1)A工事（完成・引渡済み）

①完成工事高：250,000千円

②完成工事原価：200,000千円

③完成工事未収入金：

250,000千円 −（100,000千円 + 120,000千円）

= 30,000千円

(2)B工事（工事中）

　完全に履行義務を充足した時点で収益を認識する場合、完成・引渡しをするまで工事原価は『未成工事支出金』に計上します。また、工事代金の受領額は『未成工事受入金』になります。

①未成工事支出金：188,000千円

②未成工事受入金：150,000千円

2．進捗度にもとづき収益を認識する方法

(1)C工事（工事中）

①完成工事高：

〈第14期〉

$$900,000千円 \times \frac{260,000千円}{780,000千円} = 300,000千円$$

〈第15期〉第15期に、請負金額と見積原価に変更があったため、計算に反映させます。

$$(900,000千円 + 80,000千円) \times$$

$$\frac{(260,000千円 + 340,000千円)}{(780,000千円 + 60,000千円)} - 300,000千円$$

$$= 400,000千円$$

②完成工事原価：340,000千円

③完成工事未収入金：

$$\underset{完成工事高累計}{(300,000千円 + 400,000千円)}$$

$$- \underset{受領額累計}{(330,000千円 + 350,000千円)} = 20,000千円$$

(2)D工事（完成・引渡済み）

①完成工事高：

〈第13期・第14期累計〉

$$680,000千円 \times \frac{(188,750千円 + 250,000千円)}{585,000千円}$$

$$= 510,000千円$$

〈第15期〉

680,000千円 − 510,000千円 = 170,000千円

②完成工事原価：146,250千円

③完成工事未収入金：

680,000千円 −（150,000千円 + 200,000千円

+ 200,000千円）= 130,000千円

3．各勘定科目の表示金額

完成工事高：

$$\underbrace{250,000千円}_{（A工事）}+\underbrace{400,000千円}_{（C工事）}+\underbrace{170,000千円}_{（D工事）}$$
$$=820,000千円$$

完成工事原価：

$$\underbrace{200,000千円}_{（A工事）}+\underbrace{340,000千円}_{（C工事）}+\underbrace{146,250千円}_{（D工事）}$$
$$=686,250千円$$

完成工事未収入金：

$$\underbrace{30,000千円}_{（A工事）}+\underbrace{20,000千円}_{（C工事）}+\underbrace{130,000千円}_{（D工事）}$$
$$=180,000千円$$

未成工事支出金：188,000千円（B工事）

未成工事受入金：150,000千円（B工事）

1 特殊商品売買
2 退職給付会計Ⅱ
3 資産除去債務
4 収益認識
5 本支店会計
6 商的工業簿記
7 本社工場会計
8 建設業会計
9 無形固定資産Ⅱ
10 過年度遡及会計

問題 7　解答

第10期

貸借対照表　　（単位：千円）

資　産　の　部		負　債　の　部	
科　　目	金　額	科　　目	金　額
Ⅰ　流　動　資　産		Ⅰ　流　動　負　債	
完成工事未収入金	（　　2,000　）	工事損失引当金	（　　200　）

〈損益項目に関する事項〉

完 成 工 事 高	10,000　千円
完 成 工 事 原 価	11,120　千円

〈損益計算書関係の注記〉

完成工事原価に含まれる工事損失引当金繰入額は200千円である。

解説

⑴第9期

①完成工事高：

$$20,000 千円 \times \frac{5,880千円}{19,600千円} = 6,000 千円$$

②完成工事原価：5,880 千円

③未成工事受入金：

完成工事高より受領金額が大きいため、差額は次期以降の工事完成高分となり、未成工事受入金（前受金）を計上します。

$$7,000 千円 - 6,000 千円 = 1,000 千円$$

④工事利益：

$$6,000 千円 - 5,880 千円 = 120 千円$$

⑵第10期

①完成工事高：

$$20,000 千円 \times \frac{(5,880千円 + 10,920千円)}{21,000千円}$$
$$- 6,000 千円 = 10,000 千円$$

②工事損失引当金：200 千円（下図参照）

③完成工事原価：

$$10,920 千円 + 200 千円 = 11,120 千円$$

※工事損失引当金繰入額は完成工事原価の調整項目になります。

④完成工事未収入金：

$$10,000 \text{千円} - \underbrace{(1,000 \text{千円}}_{\text{第9期受入金}} + \underbrace{7,000 \text{千円})}_{\text{第10期受領金}}$$
$$= 2,000 \text{千円}$$

・工事損失引当金の計算

見積総工事損失	△1,000千円	（＝20,000千円（工事収益総額）－21,000千円（工事原価総額））
当期末までに 計上された工事 損失（減算）	△800千円	当期発生損失 △920千円 （＝10,000千円（第10期完成工事高）－10,920千円（第10期発生原価）） 過年度計上利益 ＋120千円 （＝第9期工事利益） 差 額 △800千円
差 額	△200千円	将来において計上が見込まれる損失

　※全期間を通しての損失が1,000千円です。当期920千円の損失が発生しま
　　したが、前年度において利益が120千円計上されているので、当期末ま
　　でに計上された工事損失は差額の800千円になります。したがって、将
　　来において計上が見込まれる損失は200千円になります。

（借）完成工事原価　　200　　（貸）工事損失引当金　　200

以上より、第10期の工事損益を計算すると、以下のようになります。

第10期の完成工事高　　10,000 千円
　　　完成工事原価　　11,120 千円 01)
第10期の工事損失額　　△ 1,120 千円

01) 10,920 千円＋ 200 千円
　　　　　　　　（工事損失引当金繰入額）

なお、完成工事原価に含まれる工事損失引当金繰入額については、注記が必要となります。

Chapter 9
無形固定資産 II

問題 1　解答

決算整理後残高試算表（単位：千円）

特　許　権	48,300
給　　　料	170,000
研究開発費	55,500
特許権償却	8,400

解説

（以下、仕訳の単位：千円）

（1）特許権

① 56,700 千円分の特許権は無形固定資産の償却をします。

なお、この特許権は前期以前に取得しており、前期末までに 15 カ月分（×1.1.1〜×2.3.31）が償却済みのため、残り 81 カ月分（＝12 カ月×8 年− 15 カ月）が前 T/B に計上されています。

（借）特許権償却　8,400　（貸）特　許　権　8,400

当期償却額：$56,700 千円 \times \dfrac{12 カ月}{81 カ月} = 8,400 千円$

特　許　権：56,700 千円− 8,400 千円
　　　　　　＝ 48,300 千円

② 21,000 千円分の特許権は研究開発目的（他への転用不可）で取得しているため、研究開発費として費用処理を行います。

（借）研究開発費　21,000　（貸）特　許　権　21,000

（2）ソフトウェア

その全額が研究開発のために支出したものと認められるため、研究開発費として処理します。

（借）研究開発費　4,500　（貸）ソフトウェア　4,500

（3）給料

給料のうち 15% は、発生時に研究開発費として費用処理を行います。

（借）研究開発費　30,000[01]　（貸）給　　　料　30,000

01）200,000 千円× 0.15＝30,000 千円

以上より
研究開発費：
　21,000 千円＋ 4,500 千円＋ 30,000 千円
　＝ 55,500 千円

問題 2　解答

問1		840,000	円
問2	×1 年度：	360,000	円
	×2 年度：	240,000	円
	×3 年度：	240,000	円
問3	×1 年度：	450,000	円
	×2 年度：	202,500	円
	×3 年度：	187,500	円

解説

問1　ソフトウェアとして計上する金額

市場販売目的のソフトウェア制作費のうち「製品マスターの機能の改良・強化」にかかる費用のみ、『ソフトウェア』（無形固定資産）に計上します。

製品マスターの開発費用	4,140,000 円
	→『研究開発費』
製品マスターの機能の改良費用	840,000 円
	→『ソフトウェア』
ソフトウェアの複写・包装費用	1,320,000 円
	→『仕掛品』または『製品』等

1 特殊商品売買
2 退職給付会計 II
3 資産除去債務
4 収益認識
5 本支店会計
6 商的工業簿記
7 本社工場会計
8 建設業会計
9 無形固定資産 II
10 過年度遡及会計

問2　見込販売数量にもとづく償却

ソフトウェア償却額：

$\left\{\begin{array}{l}① \quad 見込販売数量にもとづく償却額 \\ ② \quad 残存有効期間にもとづく均等配分額 \end{array}\right.$

→　いずれか大きい額

〈×1年度〉

① 　見込販売数量にもとづく償却額：

$840,000\,円 \times \dfrac{3,000\,個}{3,000\,個 + 1,500\,個 + 2,500\,個}$
$= 360,000\,千円$

② 　残存有効期間にもとづく均等償却額：

$840,000\,円 \div 3\,年 = 280,000\,円$

①＞②∴ 360,000 円

③ 　未償却残高：

$840,000\,円 - 360,000\,円 = 480,000\,円$

〈×2年度〉

① 　見込販売数量にもとづく償却額：

$480,000\,円 \times \dfrac{1,500\,個}{1,500\,個 + 2,500\,個} = 180,000\,円$

② 　残存有効期間にもとづく均等償却額：

$480,000\,円 \div 2\,年 = 240,000\,円$

①＜②∴ 240,000 円

③ 　未償却残高：

$480,000\,円 - 240,000\,円 = 240,000\,円$

〈×3年度〉

240,000 円（未償却残高のすべてを償却します）

問3　見込販売収益にもとづく償却

ソフトウェア償却額：

$\left\{\begin{array}{l}① \quad 見込販売数量にもとづく償却額 \\ ② \quad 残存有効期間にもとづく均等配分額 \end{array}\right.$

→　いずれか大きい額

〈×1年度〉

① 　見込販売収益にもとづく償却額：

$840,000\,円 \times \dfrac{4,500,000\,円}{4,500,000\,円 + 2,025,000\,円 + 1,875,000\,円}$
$= 450,000\,円$

② 　残存有効期間にもとづく均等償却額：

$840,000\,円 \div 3\,年 = 280,000\,円$

①＞②∴ 450,000 円

③ 　未償却残高：

$840,000\,円 - 450,000\,円 = 390,000\,円$

〈×2年度〉

① 　見込販売収益にもとづく償却額：

$390,000\,円 \times \dfrac{2,025,000\,円}{2,025,000\,円 + 1,875,000\,円}$
$= 202,500\,円$

② 　残存有効期間にもとづく均等償却額：

$390,000\,円 \div 2\,年 = 195,000\,円$

①＞②∴ 202,500 円

③ 　未償却残高：

$390,000\,円 - 202,500\,円 = 187,500\,円$

〈×3年度〉

187,500 円（未償却残高のすべてを償却します）

1 特殊商品売買

2 退職給付会計Ⅱ

3 資産除去債務

4 収益認識

5 本支店会計

6 商的工業簿記

7 本社工場会計

8 建設業会計

9 無形固定資産Ⅱ

10 過年度遡及会計

【P/Lに計上される金額】

（単位：千円）

のれん償却額	100
権利金償却	200
研究開発費	3,600
ソフトウェア償却	20,090
特許権使用料	800

【B/Sに表示される金額】

（単位：千円）

前払費用	800
の れ ん	1,900
権利金	400
敷金	500
ソフトウェア	20,270
長期前払費用	1,600

重要な会計方針に係る注記事項

・のれんは効果の及ぶ期間（10年間）にもとづく定額法により償却している。

・権利金は契約期間（3年間）にもとづく定額法により償却している。

・自社利用のソフトウェアは利用可能期間（5年間）にもとづく定額法により償却している。

・市場販売目的のソフトウェアは見込販売数量（有効期間3年間）にもとづいて償却している。

研究開発費に係る注記事項

・一般管理費に研究開発費3,600千円が含まれている。

解説

1 不動産取引にともなう権利金の表示

わが国では、土地や建物などの不動産を賃借する契約を締結する場合に、権利金を支払う慣行があります。このような権利金は、その内容に応じて借地権・敷金・権利金として表示します。

内　容		B/S科目	表示箇所	償却方法
建物の所有を目的とする土地の賃借にかかるもの		借 地 権	無形固定資産	償却不要
上記以外	返還されるもの	敷 金	投資その他の資産または流動資産	
	返還されないもの	権 利 金	無形固定資産	残存価額をゼロとした定額法による月割償却

2 権利金の償却

　敷金や借地権は指示がない限り償却不要ですが、権利金については、契約期間にわたり残存価額をゼロとする定額法で月割償却します。他の無形固定資産の会計処理や表示と同様に、償却費は「権利金償却」の科目で販売費及び一般管理費に表示します。

3 無形固定資産の賃借

　無形固定資産の中には、賃借されるものもあります。無形固定資産を賃借し、支払った使用料は「○○使用料」という科目で表示します。翌期以降に費用とすべき前払額は、前払費用または長期前払費用として表示します。

4 ソフトウェア制作費の分類

　ソフトウェア制作費は、**制作目的別に分類し**
ます。

　ソフトウェアの制作は、研究開発活動の中で行われるものと研究開発活動以外で制作されるものがあります。研究開発活動で発生した費用は、研究開発費として費用計上しなければなりませんので、ソフトウェア制作費についても研究開発費とそれ以外のものに分けることが必要です。

【ソフトウェアの分類】

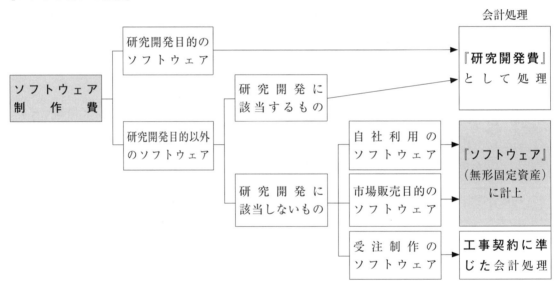

5 研究開発費に該当しないソフトウェア制作費の会計処理

(1)市場販売目的のソフトウェア制作費

　市場販売目的のソフトウェアの制作は、研究開発活動を行い、販売できる見込みのある状態になるまでの過程と、その後の改良や機能維持（バグ取りなど）の過程、コピーして販売する過程があります。販売できる見込みのあるソフトウェアは、最初に製品化された製品マスターといいます。

　最初に製品化された製品マスターの完成までの制作費は、研究開発費に該当するので発生時に費用処理します。

　次に、改良などに要した費用は、収益と対応させて費用化するために無形固定資産として計上します。しかし、機能維持に要する費用は、将来の収益獲得に貢献しないので発生時に費用として処理します（研究開発費ではありません）。また、改良などの程度が著しい場合は、新たな製品マスターの開発と同様といえるので、

研究開発費として発生時に費用処理します。

(2) 自社利用のソフトウェア制作費

　自社利用のソフトウェア制作費は、当該ソフトウェアの利用により将来の収益獲得や費用の削減が確実であるか否かにより会計処理が異なります。

　将来の収益獲得や費用の削減が確実である場合には、将来の収益と対応させて費用化するために資産計上します。しかし、不確実である場合には、その資産性が認められないために、支出時に費用処理します。

6　資産計上されたソフトウェア制作費

(1) 計上区分

　資産計上されたソフトウェア制作費は、無形固定資産の区分に『ソフトウェア』等の科目名で計上されます。

(2) ソフトウェアの費用化

　無形固定資産として計上されたソフトウェアは、合理的な方法により償却しなければなりません。

① 市場販売目的のソフトウェア

減価償却方法	見込販売数量にもとづく償却方法その他合理的な方法
有 効 期 間	原則として3年以内
そ　　の　　他	・毎期の償却額は、残存有効期間にもとづく均等配分額を下回ってはならない。

Ⓐ見込販売数量または見込販売収益にもとづく償却額

$$償却額 ＝ 前期末未償却残高 \times \frac{当期の実績販売数量（実績販売収益）}{当期首の見込販売数量（見込販売収益）}$$

Ⓑ均等配分額にもとづく償却額

$$償却額 ＝ 前期末未償却残高 \div 残存有効期間$$

→ⒶとⒷのうち、いずれか大きい金額を当期の償却額とします。

② 自社利用のソフトウェア

　一般的には、定額法により、原則として5年以内に償却します。

1 特殊商品売買
2 退職給付会計Ⅱ
3 資産除去債務
4 収益認識
5 本支店会計
6 商的工業簿記
7 本社工場会計
8 建設業会計
9 無形固定資産Ⅱ
10 過年度遡及会計

7 無形固定資産の注記

無形固定資産（のれんやソフトウェアも含みます）の償却期間や償却方法は、重要な会計方針として注記が必要です。

8 研究開発費の注記

研究開発費の規模について企業間の比較可能性を高めるために、研究開発費の総額（ソフトウェアにかかる研究開発費の額も含む）は財務諸表に注記しなければなりません。

9 各項目の金額の計算

(1) 特許権使用料：800千円（残高試算表上に前払費用として計上されている分）

長期前払費用：

$$\underset{\substack{\text{残高試算表の}\\\text{長期前払費用}}}{2,400\text{千円}} \times \underset{\text{残存期間}}{\frac{2\text{年}}{3\text{年}}} = 1,600\text{千円}$$

前払費用：

$$2,400\text{千円} \times \underset{\text{残存期間}}{\frac{1\text{年}}{3\text{年}}} = 800\text{千円}$$

(2) のれん償却額：

$$2,000\text{千円} \times \underset{\text{残存期間}}{\frac{6\text{カ月}}{12\text{カ月} \times 10\text{年}}} = 100\text{千円}$$

のれん：

$$\underset{\text{取得原価}}{2,000\text{千円}} - \underset{\text{当期償却額}}{100\text{千円}} = 1,900\text{千円}$$

(3) 敷金：$\underset{\text{返還される分}}{500\text{千円}}$

権利金償却：

$$600\text{千円} \times \underset{\text{契約期間}}{\frac{1\text{年}}{3\text{年}}} = 200\text{千円}$$

権利金：$600\text{千円} - 200\text{千円} = 400\text{千円}$

(4)

① ソフトウェア償却（自社利用）：

$$\underset{\text{取得原価}}{450\text{千円}} \times \underset{\text{有効期間}}{\frac{1\text{年}}{5\text{年}}} = 90\text{千円}$$

→残高試算表に含まれる自社利用のソフトウェアは 360 千円であることがわかる。

@90千円×4年（＝@償却額／年×未償却期間）

② ソフトウェア（自社利用）：

$$\underset{\text{上記より}}{360\text{千円}} - \underset{\text{当期の償却額}}{90\text{千円}} = 270\text{千円}$$

③ 研究開発費：

3,600 千円

（問題文より、製品マスター完成までの費用）

④ ソフトウェア償却（市場販売目的）：

$$(43,600\text{千円} - \underset{\text{研究開発費}}{3,600\text{千円}}) \times \underset{\text{見込販売数量合計}}{\frac{20,000\text{個}}{40,000\text{個}}}$$

$$= 20,000\text{千円}$$

$$\frac{(43,600\text{千円} - 3,600\text{千円})}{3\text{年}} = 13,333.33\cdots\cdots\text{千円}$$

※いずれか大きいほう → 20,000 千円

⑤ ソフトウェア（市場販売目的）：

$$(43,600\text{千円} - \underset{\text{研究開発費}}{3,600\text{千円}}) - 20,000\text{千円}$$

$$= 20,000\text{千円}$$

⑥ ソフトウェア償却：①＋④ ＝ 20,090 千円

⑦ ソフトウェア：②＋⑤ ＝ 20,270 千円

Chapter 10
過年度遡及会計

問題 1　　　　　　　　　　　　　　　　　　　　　　　　　　　　　解答

貸 借 対 照 表	（単位：円）

	×2年度	×3年度
資 産 の 部		
商　　　品	（ *2,000* ）	（ *6,050* ）
繰延税金資産	（ *30* ）	××
純 資 産 の 部		
繰越利益剰余金	（ *20,430* ）	××

損 益 計 算 書	（単位：円）

	×2年度	×3年度
売 上 高	（ *40,000* ）	××
売 上 原 価	（ *30,800* ）	（ *32,250* ）
販売費及び一般管理費	（ *3,500* ）	××
税引前当期純利益	（ *5,700* ）	××
法 人 税 等	（ *1,500* ）	××
法人税等調整額	（ *210* ）	××
当 期 純 利 益	（ *3,990* ）	××

株主資本等変動計算書（繰越利益剰余金のみ）	（単位：円）

	×2年度	×3年度
株 主 資 本		
繰越利益剰余金		
当 期 首 残 高	（ *17,000* ）	（ *20,430* ）
会計方針の変更による累積的影響額	（ *△560* ）	―
遡及処理後当期首残高	（ *16,440* ）	―
当 期 変 動 額		
当 期 純 利 益	（ *3,990* ）	××
当 期 末 残 高	（ *20,430* ）	××

1 特殊商品売買
2 退職給付会計 II
3 資産除去債務
4 収益認識
5 本支店会計
6 商的工業簿記
7 本社工場会計
8 建設業会計
9 無形固定資産 II
10 過年度遡及会計

前期（×2年度）の商品ボックス

総平均法の場合

期　　　首		売上原価	
	3,200円		31,500円
仕　　　入		期　　　末	
	30,400円		2,100円

先入先出法の場合

期　　　首		売上原価	
	2,400円		30,800円
仕　　　入		期　　　末	
	30,400円		2,000円

前期首の商品

（借）繰越利益剰余金　　800　　（貸）売上原価　　800 [01]
会計方針の変更による累積的影響額

　　　法人税等調整額　　240 [02]　　　繰越利益剰余金　　240
会計方針の変更による累積的影響額

01）　3,200円－2,400円＝800円
02）　800円×0.3＝240円

前期末の商品

（借）売上原価　　100 [03]（貸）商　　　品　　100
　　　繰延税金資産　　30　　　法人税等調整額　　30 [04]

03）2,100円－2,000円＝100円
04）100円×0.3＝30円

問題 2

損　益　計　算　書　（単位：千円）

	×3年度	×4年度
⋮		
減 価 償 却 費	(45,000)	×××
⋮		
営 業 利 益	(24,000)	×××
⋮		
当 期 純 利 益	(17,000)	×××

貸　借　対　照　表　（単位：千円）

	×3年度	×4年度		×3年度	×4年度
資 産 の 部			負 債 の 部		
⋮			⋮		
建　　　　物	100,000	×××	純 資 産 の 部		
減価償却累計額	(26,000)	×××	⋮		
⋮			繰越利益剰余金	(71,000)	×××
⋮			⋮		

株主資本等変動計算書		（単位：千円）
⋮	×3年度	×4年度
繰越利益剰余金		
当 期 首 残 高	54,000	×××
当 期 変 動 額		
当 期 純 利 益	(*17,000*)	×××
当 期 末 残 高	(*71,000*)	×××

解説

　前期の財務諸表に誤謬があった場合には、当期の財務諸表の比較情報として表示される前期の財務諸表について、修正再表示を行います。

　本問では、減価償却費が1,000千円過少に計上されていたことにともない影響を受ける、営業利益、当期純利益、繰越利益剰余金等の金額の修正を行う必要があります。

減 価 償 却 費：
　44,000千円＋1,000千円＝45,000千円
営 業 利 益：
　25,000千円－1,000千円＝24,000千円
当 期 純 利 益：
　18,000千円－1,000千円＝17,000千円
減価償却累計額：
　25,000千円＋1,000千円＝26,000千円
繰越利益剰余金：
　72,000千円－1,000千円＝71,000千円

1 特殊商品売買
2 退職給付会計Ⅱ
3 資産除去債務
4 収益認識
5 本支店会計
6 商的工業簿記
7 本社工場会計
8 建設業会計
9 無形固定資産Ⅱ
10 過年度遡及会計

Chapter 11
組織再編

B社B / S

諸 資 産 (時 価) 61,000円	諸 負 債 (時 価) 50,000円	B社取得原価
	資産・負債の 純額(時価) 11,000円 ⇒	払込資本 12,000円 ↓ 資 本 金
	の れ ん 1,000円	

(1) 合併仕訳

(単位：円)

借方科目	金 額	貸方科目	金 額
諸 資 産	61,000	諸 負 債	50,000
の れ ん	1,000	資 本 金	12,000

(2) 合併後貸借対照表

A社　　　　貸 借 対 照 表　　(単位：円)

科 目	金 額	科 目	金 額
諸 資 産	(561,000)	諸 負 債	(350,000)
〔の れ ん〕	(1,000)	資 本 金	(112,000)
		資本準備金	(40,000)
		利益準備金	(10,000)
		繰越利益剰余金	(50,000)
合 計	(562,000)	合 計	(562,000)

解説

パーチェス法を適用します。
(1) 取得原価（払込資本）の算定：
　　@ 120 円 × 100 株 = 12,000 円
(2) のれんの算定：
　　12,000 円 − (61,000 円 − 50,000 円) = 1,000 円
(3) **合併貸借対照表の作成**：合併仕訳を加味し、
　　合併後貸借対照表を作成します。

(1) 合併仕訳

(単位：円)

借方科目	金 額	貸方科目	金 額
諸 資 産	61,000	諸 負 債	50,000
の れ ん	1,000	資 本 金	9,000
		自 己 株 式	3,000

(2) 合併後貸借対照表

A社　　　　貸 借 対 照 表　　(単位：円)

科 目	金 額	科 目	金 額
諸 資 産	(561,000)	諸 負 債	(350,000)
〔の れ ん〕	(1,000)	資 本 金	(109,000)
		資本準備金	(40,000)
		利益準備金	(10,000)
		繰越利益剰余金	(70,000)
		自 己 株 式	(△ 17,000)
合 計	(562,000)	合 計	(562,000)

解説

(1) 取得原価・払込資本の算定：
　　取得原価：@ 120 円 × 100 株 = 12,000 円
　　払込資本：12,000 円 − 3,000 円 = 9,000 円
　　　　　　　取得原価　　自己株式
(2) のれんの算定：
　　12,000 円 − (61,000 円 − 50,000 円) = 1,000 円
　　　取得原価　　　資産・負債の純額(時価)

(3) **合併貸借対照表の作成**：合併仕訳を加味し、合併後貸借対照表を作成します。

B社B／S

諸　資　産 （時　価） 61,000円	諸　負　債 （時　価） 50,000円	B社取得原価
	資産・負債の 純額（時価） 11,000円 ⇒	払込資本 9,000円 ↓ 資　本　金
		自己株式 （簿　価） 3,000円
	の　れ　ん 1,000円	

B社B／S

諸　資　産 （時　価） 61,000円	諸　負　債 （時　価） 50,000円	B社取得原価
	資産・負債の 純額（時価） 11,000円 ⇒	払込資本 9,600円 ↓ 資　本　金
		抱合株式 （簿　価） 3,000円
	の　れ　ん 1,600円	

問題③　解答

(1) 合併仕訳

（単位：円）

借方科目	金　額	貸方科目	金　額
諸　資　産	61,000	諸　負　債	50,000
の　れ　ん	1,600	資　本　金	9,600
		投資有価証券	3,000

(2) 合併後貸借対照表

A社　　貸　借　対　照　表　（単位：円）

科　目	金　額	科　目	金　額
諸　資　産	(561,000)	諸　負　債	(350,000)
〔のれん〕	(1,600)	資　本　金	(109,600)
		資本準備金	(40,000)
		利益準備金	(10,000)
		繰越利益剰余金	(53,000)
合　　計	(562,600)	合　　計	(562,600)

解説

(1) 取得原価・払込資本の算定：

払込資本：@120円×80株＝9,600円

取得原価：9,600円＋$\underset{\text{抱合株式}}{3,000円}$＝12,600円

(2) のれんの算定：

$\underset{\text{取得原価}}{12,600円}$ － $\underset{\text{資産・負債の純額（時価）}}{(61,000円－50,000円)}$ ＝1,600円

(3) 合併貸借対照表の作成：合併仕訳を加味し、

問題④　解答

1．個別貸借対照表の修正仕訳（単位：円）

借方科目	金　額	貸方科目	金　額
繰越利益剰余金	100	減価償却累計額	100

2．合併交付株式数

60	株

3．合併（引継）仕訳（単位：円）

借方科目	金　額	貸方科目	金　額
流　動　資　産	3,000	諸　負　債	2,800
有形固定資産	8,200	資　本　金	3,000
の　れ　ん	600	資本準備金	6,000

4．債権債務の相殺仕訳（単位：円）

借方科目	金　額	貸方科目	金　額
諸　負　債	80	流　動　資　産	80

5．合併後の貸借対照表

H社　　貸　借　対　照　表　（単位：円）

流　動　資　産	10,920	諸　負　債	12,720
有形固定資産	29,200	減価償却累計額	1,000
の　れ　ん	600	資　本　金	13,000
		資本準備金	6,900
		利益準備金	700
		繰越利益剰余金	6,400
	40,720		40,720

11 組織再編

12 リース会計Ⅱ

13 純資産会計Ⅱ

14 連結会計

15 キャッシュ・フロー会計

16 デリバティブ

17 帳簿組織

18 伝票会計

19 総合問題

1. 個別貸借対照表の修正仕訳

N社の有形固定資産には償却不足が100円ありますので、これを修正します。

2. 合併交付株式数

80株 × 0.75 = 60株

3. 引 継

取得原価：150円 × 60株 = 9,000円

資本金組入額：50円 × 60株 = 3,000円

資本準備金：9,000円 − 3,000円 = 6,000円

のれん：9,000円 − (3,000円 + 8,200円 − 2,800円) = 600円

4. 相 殺

合併引継後に行います。

5. 合併B／Sの作成

		合併会社	引継仕訳	相殺仕訳	合併B／S
(1)	流 動 資 産：	8,000円	+ 3,000円	− 80円	= 10,920円
(2)	有形固定資産：	21,000円	+ 8,200円		= 29,200円
(3)	の れ ん：		+ 600円		= 600円
(4)	諸 負 債：	10,000円	+ 2,800円	− 80円	= 12,720円
(5)	減価償却累計額：	1,000円			= 1,000円
(6)	資 本 金：	10,000円	+ 3,000円		= 13,000円
(7)	資 本 準 備 金：	900円	+ 6,000円		= 6,900円
(8)	利 益 準 備 金：	700円			= 700円
(9)	繰越利益剰余金：	6,400円			= 6,400円

問題⑤ 解答

	G社企業評価額	Y社企業評価額	合併比率
帳簿価額法	100,000 千円	45,000 千円	G社：Y社 = *1 : 0.9*
時価純資産法	103,000 千円	41,200 千円	G社：Y社 = *1 : 0.8*
収益還元価値法	180,000 千円	55,800 千円	G社：Y社 = *1 : 0.62*
株式市価法	120,000 千円	46,800 千円	G社：Y社 = *1 : 0.78*
折衷法	140,000 千円	50,400 千円	G社：Y社 = *1 : 0.72*

解説

1. 個別B／Sの修正仕訳（Y社）（単位：千円）

（繰越利益剰余金）	200	（減価償却累計額）	200
（繰越利益剰余金）	300	（商　　　　品）	300

2．修正後個別Ｂ／Ｓ

個別貸借対照表　　　　　（単位：千円）

借　方　科　目	Ｇ　　社	Ｙ　　社	貸　方　科　目	Ｇ　　社	Ｙ　　社
現　金　預　金	21,700	14,500	買　　掛　　金	17,200	12,500
売　　掛　　金	40,800	21,000	修　繕　引　当　金	1,400 (0)	—
商　　　　　品	12,100 (12,700)	9,000	長　期　借　入　金	—	10,000
前　払　費　用	—	800	減価償却累計額	11,000 (0)	8,100 (0)
建　　　　　物	55,000 (45,000)	30,000 (18,400)	資　　本　　金	80,000	40,000
株　式　交　付　費	—	300 (0)	資　本　準　備　金	8,000	—
			利　益　準　備　金	4,200	1,600
			別　途　積　立　金	1,700	900
			繰越利益剰余金	6,100	2,500
合　　　　　計	129,600	75,600	合　　　　　計	129,600	75,600

※（　　）内は時価

3．純資産法

(1) 帳簿価額法（減価償却累計額は負債ではありませんが、便宜上、諸負債に含めています。）

$$G社：Y社 = \frac{100,000千円}{1,600株} : \frac{45,000千円}{800株} = 62,500円／株：56,250円／株 = 1：0.9$$

G社諸資産 = 129,600 千円

G社諸負債等 = 17,200 千円 + 1,400 千円 + 11,000 千円 = 29,600 千円

G社企業評価額 = 129,600 千円 − 29,600 千円 = 100,000 千円

Y社諸資産 = 75,600 千円

Y社諸負債等 = 12,500 千円 + 10,000 千円 + 8,100 千円 = 30,600 千円

Y社企業評価額 = 75,600 千円 − 30,600 千円 = 45,000 千円

(2) 時価純資産法

$$G社：Y社 = \frac{103,000千円}{1,600株} : \frac{41,200千円}{800株} = 64,375円／株：51,500円／株 = 1：0.8$$

G社諸資産 = 21,700 千円 + 40,800 千円 + 12,700 千円 + 45,000 千円 = 120,200 千円

G社諸負債 = 17,200 千円

G社企業評価額 = 120,200 千円 − 17,200 千円 = 103,000 千円

Y社諸資産 = 14,500 千円 + 21,000 千円 + 9,000 千円 + 800 千円 + 18,400 千円 = 63,700 千円

Y社諸負債 = 12,500 千円 + 10,000 千円 = 22,500 千円

Y社企業評価額 = 63,700 千円 − 22,500 千円 = 41,200 千円

11 組織再編
12 リース会計Ⅱ
13 純資産会計Ⅱ
14 連結会計
15 キャッシュ・フロー会計
16 デリバティブ
17 帳簿組織
18 伝票会計
19 総合問題

4．収益還元価値法

G社：Y社 $= \dfrac{180,000\,千円}{1,600\,株} : \dfrac{55,800\,千円}{800\,株} = 112,500\,円／株：69,750\,円／株 = 1：0.62$

G社企業評価額 $= (\underset{自己資本}{\underline{80,000 + 8,000 + 4,200 + 1,700 + 6,100}})千円 × 9\％ ÷ 5\％ = 180,000\,千円$

Y社企業評価額 $= (\underset{自己資本}{\underline{40,000 + 1,600 + 900 + 2,500}})千円 × 6.2\％ ÷ 5\％ = 55,800\,千円$

5．株式市価法

G社：Y社 $= \dfrac{120,000\,千円}{1,600\,株} : \dfrac{46,800\,千円}{800\,株} = 75,000\,円／株：58,500\,円／株 = 1：0.78$

G社企業評価額 $= 75,000\,円 × 1,600\,株 = 120,000\,千円$

Y社企業評価額 $= 58,500\,円 × 800\,株 = 46,800\,千円$

6．折衷法

G社：Y社 $= \dfrac{140,000\,千円}{1,600\,株} : \dfrac{50,400\,千円}{800\,株} = 87,500\,円／株：63,000\,円／株 = 1：0.72$

G社企業評価額 $= (100,000\,千円 + 180,000\,千円) ÷ 2 = 140,000\,千円$

Y社企業評価額 $= (45,000\,千円 + 55,800\,千円) ÷ 2 = 50,400\,千円$

問題 6 　解答

(1)合併比率	0.77	(2)交付株式数	2,464 株

解説

(1) 合併比率

①純資産額法

A社：$1,600,000\,円 - 320,000\,円 = 1,280,000\,円$

B社：$302,000\,円 - 78,000\,円 = 224,000\,円$

②収益還元価値法

A社：$(1,600,000\,円 - 320,000\,円) × 15\％ ÷ 10\％ = 1,920,000\,円$

B社：$(302,000\,円 - 78,000\,円) × 12\％ ÷ 10\％ = 268,800\,円$

③折衷法

A社：$\dfrac{1,280,000\,円 + 1,920,000\,円}{2} = 1,600,000\,円$

B社：$\dfrac{224,000\,円 + 268,800\,円}{2} = 246,400\,円$

④合併比率

$\dfrac{246,400\,円 ÷ 3,200\,株}{1,600,000\,円 ÷ 16,000\,株} × \dfrac{@77\,円}{@100\,円} = 0.77$

(2) 交付株式数の計算

$3,200\,株 × 0.77 = 2,464\,株$

問題 7 　解答

(1) 子会社・関連会社となった場合

①　　　　　　　　　　　　　　　（単位：千円）

借方科目	金　額	貸方科目	金　額
a 事業負債	12,000	a 事業資産	32,000
関係会社株式	20,000		

②

A社　　　　　貸　借　対　照　表　（単位：千円）

科　目	金　額	科　目	金　額
その他の資産	(178,000)	その他の負債	(103,000)
〔関係会社株式〕	(20,000)	資　本　金	(60,000)
		繰越利益剰余金	(35,000)
合　計	(198,000)	合　計	(198,000)

(2) 子会社・関連会社とならなかった場合

①　　　　　　　　　　　　　　　（単位：千円）

借方科目	金　額	貸方科目	金　額
a 事業負債	12,000	a 事業資産	32,000
投資有価証券	24,000	事業移転利益	4,000

②

A社　　　貸　借　対　照　表　（単位：千円）

科　　目	金　　額	科　　目	金　　額
その他の資産	(178,000)	その他の負債	(103,000)
〔投資有価証券〕	(24,000)	資　本　金	(60,000)
		繰越利益剰余金	(39,000)
合　　計	(202,000)	合　　計	(202,000)

(1) 子会社・関連会社となった場合（投資の継続）

B社株式取得原価：32,000 千円 − 12,000 千円
= 20,000 千円

(2) 子会社・関連会社とならなかった場合（投資の清算）

B社株式取得原価：

@ 20 千円 × 1,200 株 = 24,000 千円

移転利益：

24,000 千円 − (32,000 千円 − 12,000 千円)
= 4,000 千円（差益）

なお、『事業移転利益』は貸借対照表上、『繰越利益剰余金』に振り替えられます。

繰越利益剰余金：

35,000 千円 + 4,000 千円 = 39,000 千円

問題 8　　　解答

（単位：千円）

借方科目	金　　額	貸方科目	金　　額
a 事業資産	35,000	a 事業負債	12,000
の　れ　ん	1,000	資　本　金	24,000

解説

取得原価（払込資本）：

@ 20 千円 × 1,200 株 = 24,000 千円

のれん：

$$\underset{\text{取得原価}}{24,000\ \text{千円}} - \underset{\text{資産・負債の純額（時価）}}{(35,000\ \text{千円} - 12,000\ \text{千円})}$$
= 1,000 千円

問題 9　　　解答

(1) 株式交換仕訳

（単位：円）

借方科目	金　　額	貸方科目	金　　額
関係会社株式	12,000	資　本　金	12,000

(2) 株式交換後貸借対照表

A社　　　貸　借　対　照　表　（単位：円）

科　　目	金　　額	科　　目	金　　額
諸　資　産	(500,000)	諸　負　債	(300,000)
〔関係会社株式〕	(12,000)	資　本　金	(112,000)
		資本準備金	(40,000)
		利益準備金	(10,000)
		繰越利益剰余金	(50,000)
合　　計	(512,000)	合　　計	(512,000)

解説

「取得」とされた場合には、パーチェス法を適用します。

(1) 取得原価の算定：

@ 120 円 × 100 株 = 12,000 円

(2) 株式交換後の貸借対照表の作成：株式交換仕訳を加味し、貸借対照表を作成します。

11 組織再編

12 リース会計II

13 純資産会計II

14 連結会計

15 キャッシュ・フロー会計

16 デリバティブ

17 帳簿組織

18 伝票会計

19 総合問題

(1) 株式交換仕訳

(単位：円)

借方科目	金　額	貸方科目	金　額
関係会社株式	12,000	資　本　金	9,000
		自　己　株　式	3,000

(2) 株式交換後貸借対照表

A社　　　貸　借　対　照　表　　(単位：円)

科　目	金　額	科　目	金　額
諸　資　産	(500,000)	諸　負　債	(300,000)
〔関係会社株式〕	(12,000)	資　本　金	(109,000)
		資本準備金	(40,000)
		利益準備金	(10,000)
		繰越利益剰余金	(70,000)
		自　己　株　式	(△ 17,000)
合　計	(512,000)	合　計	(512,000)

解説

(1) **取得原価・払込資本の算定**

取得原価：@ 120 円 × 100 株 = 12,000 円

払込資本：12,000 円 − 3,000 円 = 9,000 円
　　　　　　　　　　　　自己株式

(2) **株式交換後の貸借対照表の作成**：株式交換仕訳を加味し、貸借対照表を作成します。

A社　　　貸　借　対　照　表　　(単位：円)

科　目	金　額	科　目	金　額
諸　資　産	(701,250)	諸　負　債	(437,500)
〔のれん〕	(1,250)	資　本　金	(135,000)
		資本準備金	(55,000)
		利益準備金	(12,500)
		繰越利益剰余金	(62,500)
合　計	(702,500)	合　計	(702,500)

解説

パーチェス法を適用します。

(借) 諸　資　産　76,250　　(貸) 諸　負　債　62,500
　　　の　れ　ん　 1,250　　　　資　本　金　10,000
　　　　　　　　　　　　　　　　　資本準備金　 5,000

(1) **取得原価（払込資本）の算定**：

@ 150 円 × 100 株 = 15,000 円

(2) **のれんの算定**：

15,000 円 − （76,250 円 − 62,500 円） = 1,250 円

(3) **合併貸借対照表の作成**：合併仕訳を加味し、合併後貸借対照表を作成します。

B社B／S

諸　資　産 （時　価） 76,250円	諸　負　債 （時　価） 62,500円		
	資産・負債の 純額(時価) 13,750円	⇒ 払込資本 15,000円	資　本　金 10,000円
	の　れ　ん 1,250円		資本準備金 5,000円

B社取得原価

問題 12　　　　　　　　　　　　　　　　　　　　　　　　解答

11 組織再編

12 リース会計II

13 純資産会計II

14 連結会計

15 キャッシュ・フロー会計

16 デリバティブ

17 帳簿組織

18 伝票会計

19 総合問題

（単位：円）

借方科目	金額	貸方科目	金額
減 損 損 失	150,000	の　れ　ん	100,000
		土　　　地	50,000

解説

（単位：円）

		2　のれんを含まない場合				3　のれんを含む「より大きな単位」でみた場合
		土地	建物	備品	のれん	「より大きな単位」での合計
	帳　簿　価　額	400,000	250,000	150,000	100,000	900,000
STEP1	減　損　の　兆　候	あり	あり	なし	あり	あり
	割引前将来キャッシュ・フロー	370,000	280,000	不明	不明	770,000
STEP2	減　損　損　失　の　認　識	する	しない	－	－	する
	回　収　可　能　価　額	350,000	260,000	不明	不明	750,000
STEP3	減　損　損　失　の　測　定	50,000			→	150,000
	増　加　し　た　減　損　損　失					100,000
	増加した減損損失配分額				100,000	

1　A事業部へののれんの按分

A事業部：

$$250,000\ 円 \times \frac{800,000\ 円}{800,000\ 円 + 1,200,000\ 円}$$

$$= 100,000\ 円$$

2　のれんを含まない場合

STEP1　減損の兆候

問題文より、減損の兆候が認められるのは土地と建物だけなので、STEP2へ進むのはこの2つの資産ということになります。

STEP2　減損損失の認識

土地：$\underset{\text{帳簿価額}}{400,000\ 円} > \underset{\text{割引前将来CF}}{370,000\ 円}$

∴減損を認識する⇨ STEP3　へ

建物：$\underset{\text{帳簿価額}}{250,000\ 円} < \underset{\text{割引前将来CF}}{280,000\ 円}$

∴減損を認識しない

STEP3　減損損失の測定

減損損失：$\underset{\text{帳簿価額}}{400,000\ 円} - \underset{\text{回収可能価額}}{350,000\ 円} = 50,000\ 円$

3　のれんを含む「より大きな単位」で見た場合

STEP1　減損の兆候

問題文より、のれんを含む「より大きな単位」全体で減損の兆候が認められています。

STEP2　減損損失の認識

合計：$\underset{\text{帳簿価額}}{900,000\ 円} > \underset{\text{割引前将来CF}}{770,000\ 円}$

∴減損を認識する⇨　STEP3

STEP3　減損損失の測定

減損損失：$\underset{\text{帳簿価額}}{\underline{900,000\,円}} - \underset{\text{回収可能価額}}{\underline{750,000\,円}}$

　　　　　$= 150,000\,円$

減損損失増加額：$150,000\,円 - 50,000\,円$

　　　　　　　　$=100,000\,円$

$\underset{\text{減損損失増加額}}{\underline{100,000\,円}} \leqq \underset{\text{のれん帳簿価額}}{\underline{100,000\,円}}$

　∴減損損失増加額 100,000 円全額をのれん

　　に配分

Chapter 12

リース会計Ⅱ

問題 1 解答

問1
（単位：千円）

借方科目	金　　額	貸方科目	金　　額
固定資産売却益	2,000	長期前受収益	2,000
リース資産	50,000	リース債務	50,000
リース債務	13,429	支払リース料	13,429

問2
（単位：千円）

借方科目	金　　額	貸方科目	金　　額
支 払 利 息	1,829	未 払 利 息	1,829
減 価 償 却 費	12,500	リース資産減価償却累計額	12,500
長期前受収益	500	長期前受収益償却	500

解説

（以下、仕訳の単位：千円）

（1）適切な仕訳
①車両売却時

（借）現 金 預 金　50,000　（貸）車 両 運 搬 具　60,000
　　車両運搬具減価償却累計額　12,000　　　　長期前受収益　2,000 [01)]

01）貸借差額

②リース開始時

（借）リース資産　50,000 [02)]（貸）リース債務　50,000

02）所有権移転ファイナンス・リース取引で、貸手の購入価額は売却価額と一致していることが明らかであるため、売却価額がリース資産の取得原価となります。

③リース料支払時

（借）リース債務　13,429 [03)]（貸）現 金 預 金　13,429

03）リース料を前払いしているので、初回のリース料支払額はすべてリース債務の返済にあてられます。

（2）期中仕訳（誤処理）

（借）現 金 預 金　50,000　（貸）車 両 運 搬 具　60,000
　　車両運搬具減価償却累計額　12,000　　　　固定資産売却益　2,000

（借）支払リース料　13,429　（貸）現 金 預 金　13,429

（3）修正仕訳（（1）－（2））
　期中に行われた仕訳では、『固定資産売却益』が計上されている点、『リース資産』と『リース債務』が計上されていない点、リース料の支払額が『支払リース料』という費用として計上されている点が誤っているため、これらを修正します。

（借）固定資産売却益　2,000　（貸）長期前受収益　2,000
（借）リース資産　50,000　（貸）リース債務　50,000
（借）リース債務　13,429　（貸）支払リース料　13,429

（4）決算整理仕訳
① 利息の見越計上
　利息の支払いは翌期ですが、当期にかかる利息なので見越計上します。

（借）支 払 利 息　1,829　（貸）未 払 利 息　1,829

② 減価償却

（借）減価償却費　12,500 [04)]（貸）リース資産減価償却累計額　12,500
（借）長期前受収益　500　（貸）長期前受収益償却　500 [05)]

04）50,000千円÷4年＝12,500千円
05）2,000千円÷4年＝500千円

11 組織再編

12 リース会計Ⅱ

13 純資産会計Ⅱ

14 連結会計

15 キャッシュ・フロー会計

16 デリバティブ

17 帳簿組織

18 伝票会計

19 総合問題

Chapter 13

純資産会計 Ⅱ

×2年3月31日　　　| **369,375**　千円 |

×3年3月31日　　　| **483,750**　千円 |

×3年6月30日　　　| **121,875**　千円 |

解 説

×2年3月31日（決算日①）

失効見込人数も考慮して、付与日から期末までの株式報酬費用を計算します。

株式報酬費用：$\{@100$ 千円 $\times (200$ 人 $- 3$ 人$) \times 50$ 個／人$\} \times \dfrac{9 \text{カ月}}{24 \text{カ月}} = 369{,}375$ 千円

×3年3月31日（決算日②）

失効見込人数の修正を反映して、付与日から期末までの株式報酬費用を計算し、その後に既計上額を控除します。

3人から5人に変更

株式報酬費用：$\{@100$ 千円 $\times (200$ 人 $- 5$ 人$) \times 50$ 個／人$\} \times \dfrac{21 \text{カ月}}{24 \text{カ月}} - 369{,}375$ 千円

　　　　　　$= 483{,}750$ 千円

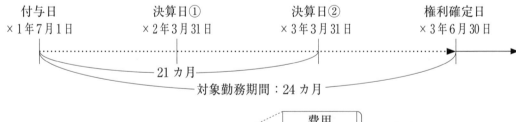

×3年6月30日（権利確定日）

権利確定日における実際の人数にあわせて計算を行い、その後に既計上額を控除します。

株式報酬費用：$\{@100$ 千円 $\times (200$ 人 $- 5$ 人$) \times 50$ 個／人$\} - (369{,}375$ 千円 $+ 483{,}750$ 千円$)$

　　　　　　$= 121{,}875$ 千円

問1　　　　　　　　　　　（単位：千円）

借方科目	金　額	貸方科目	金　額
株式報酬費用	3,000	新株予約権	3,000

損益計算書における計上区分

販売費及び一般管理費

問2　　　　　　　　　　　（単位：千円）

借方科目	金　額	貸方科目	金　額
現 金 預 金	25,500	資　本　金	15,000
新株予約権	4,500	資本準備金	15,000

解説

問1

　失効見込数を考慮して、株式報酬費用を計算します。なお、株式報酬費用は「**販売費及び一般管理費**」に計上します。

　株式報酬費用：

$$\{@\,300 千円 \times（10 人 - 2 人）\times 5 個\}$$
$$\times \frac{9 \, カ月}{36 \, カ月} = 3,000 千円$$

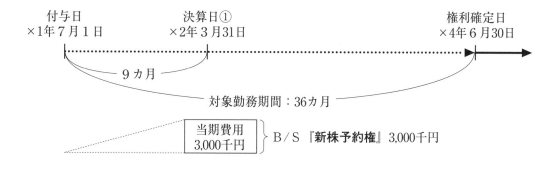

問2

　ストック・オプションの権利行使があった場合には、新株予約権の権利行使を受けた場合と同様の処理を行います。なお、問題文の指示により、資本金に組み入れる額は払込金額の合計額の2分の1です。

（借）現 金 預 金　25,500[01]　（貸）資　本　金　15,000
　　　新株予約権　　4,500[02]　　　　資本準備金　15,000

01）@ 17 千円 × 3 人 × 5 個 × 100 株 = 25,500 千円
02）@ 300 千円 × 3 人 × 5 個 = 4,500 千円

11 組織再編
12 リース会計II
13 純資産会計II
14 連結会計
15 キャッシュ・フロー会計
16 デリバティブ
17 帳簿組織
18 伝票会計
19 総合問題

株主資本等変動計算書　　　　　　　　　　（単位：千円）

| | 株　　主　　資　　本 | | | | | | 新　　　株 | 純　資　産 |
| | | 資本剰余金 | 利益剰余金 | | | 株主資本 | 予　約　権 | 合　　　計 |
	資　本　金	資　　　　本準　備　金	利　　　　益準　備　金	繰越利益剰余金		合　　　計		
当 期 首 残 高	600,000	200,000	100,000	300,000		1,200,000	38,500	1,238,500
当 期 変 動 額								
新 株 の 発 行	(90,000)	(90,000)				(180,000)		(180,000)
当 期 純 利 益				50,000		50,000		50,000
株主資本以外の項目の当期変動額(純額)							(△13,500)	(△13,500)
当期変動額合計	(90,000)	(90,000)	—	50,000		(230,000)	(△13,500)	(216,500)
当 期 末 残 高	(690,000)	(290,000)	100,000	350,000		(1,430,000)	(25,000)	(1,455,000)

解 説

×4年3月31日（前々期・決算日）

付与されたストック・オプション数から、失効見積数を控除して株式報酬費用を計算します。

(借) 株式報酬費用 16,125　(貸) 新株予約権 16,125

@ 10 千円 × （50 人 − 7 人）× 100 個

$\times \dfrac{9 \text{カ月（×3年7月1日～×4年3月31日）}}{24 \text{カ月（×3年7月1日～×5年6月30日）}}$

= 16,125 千円

×5年3月31日（前期・決算日）

(借) 株式報酬費用 22,375　(貸) 新株予約権 22,375

@ 10 千円 × （50 人 − 6 人）× 100 個

$\times \dfrac{21 \text{カ月（×3年7月1日～×5年3月31日）}}{24 \text{カ月（×3年7月1日～×5年6月30日）}}$

− 16,125 千円（既計上額）= 22,375 千円

×5年6月30日（権利確定日）

(借) 株式報酬費用 6,500　(貸) 新株予約権 6,500

@ 10 千円 × （50 人 − 5 人）× 100 個

$\times \dfrac{24 \text{カ月}}{24 \text{カ月}}$ − （16,125 千円 + 22,375 千円）

= 6,500 千円

×6年3月10日（権利行使日）

(借) 現 金 預 金 160,000　(貸) 資 本 金 90,000
　　 新株予約権 20,000　　　　資本準備金 90,000

払込金額：

@ 80 千円 × 20 人 × 100 個 = 160,000 千円

新株予約権：

@ 10 千円 × 20 人 × 100 個 = 20,000 千円

（単位：円）

	借方科目	金　額	貸方科目	金　額
(1)	報　酬　費　用	1,485,000	株式引受権	1,485,000
(2)	報　酬　費　用	1,665,000	株式引受権	1,665,000
(3)	報　酬　費　用	450,000	株式引受権	450,000
(4)	株式引受権	3,600,000	資　本　金	1,800,000
			資本準備金	1,800,000
(5)	株式引受権	3,600,000	自　己　株　式	3,200,000
			その他資本剰余金	400,000

解説

　2019年の会社法改正により、証券取引所に上場している会社の取締役等に対する報酬として、金銭の払込みがなく（無償で）株式を交付（新株の発行または自己株式の処分）する取引が認められるようになりました。

　株式の無償交付のうち、「**事後交付型**」の場合の会計処理はストック・オプションに類似した内容となります。

（1）　×2年3月31日（決算日）

　失効見込人数も考慮して、付与日から期末までの報酬費用を計算します。

　@ 3,600円×（13人－2人）× 100株

　$\times \dfrac{9\, \text{カ月}（\text{X}1\,\text{年}7\,\text{月}1\,\text{日} \sim \text{X}2\,\text{年}3\,\text{月}31\,\text{日}）}{24\, \text{カ月}（\text{X}1\,\text{年}7\,\text{月}1\,\text{日} \sim \text{X}3\,\text{年}6\,\text{月}30\,\text{日}）}$

　= 1,485,000 円

　なお、株式引受権は純資産の部の「Ⅱ 評価・換算差額等」と「Ⅳ 新株予約権」の間に「**Ⅲ 株式引受権**」として表示します。

```
　　　　貸 借 対 照 表
Ⅰ　株主資本
　　　　　　：
Ⅱ　評価・換算差額等
　　　　　　：
Ⅲ　株式引受権　　1,485,000
Ⅳ　新株予約権　　×××
```

（2）　×3年3月31日（決算日）

　失効見込人数の修正を反映して、付与日から期末までの報酬費用を計算し、その後に既計上額を控除します。

　@ 3,600 円×（13人－3人）× 100株

　$\times \dfrac{21\, \text{カ月}（\text{X}1\,\text{年}7\,\text{月}1\,\text{日} \sim \text{X}3\,\text{年}3\,\text{月}31\,\text{日}）}{24\, \text{カ月}（\text{X}1\,\text{年}7\,\text{月}1\,\text{日} \sim \text{X}3\,\text{年}6\,\text{月}30\,\text{日}）}$

　= 3,150,000 円（株式引受権の残高）

　3,150,000 円 － 1,485,000 円 = 1,665,000 円

（3）　×3年6月30日（権利確定日）

　権利確定日における実際の人数にあわせて計算を行い、その後に既計上額を控除します。

　@ 3,600 円×（13人－3人）× 100株

　= 3,600,000 円（株式引受権の残高）

　3,600,000 円 －（1,485,000 円 + 1,665,000 円）

　= 450,000 円

（4）　×3年7月1日（株式割当日・新株発行）

　株式引受権の残高（3,600,000 円）を資本金及び資本準備金に振り替えます。

　資本金に計上する最低限度額は 3,600,000 円の2分の1となります。

（5）　×3年7月1日（株式割当日・自己株式処分）

　株式引受権の残高（3,600,000 円）と自己株式の帳簿価額（3,200,000 円）との差額をその他資本剰余金とします。

11 組織再編
12 リース会計Ⅱ
13 純資産会計Ⅱ
14 連結会計
15 キャッシュ・フロー会計
16 デリバティブ
17 帳簿組織
18 伝票会計
19 総合問題

問1 | 14,000 | 千円　　問2 | 13,920 | 千円

解説

問1

×1年6月24日の剰余金の額の計算[01]

前期末：3,600千円 + 4,800千円 + 6,400千円
= 14,800千円

01) 前期末から×1年6月24日まで、株主資本項目に変動はないので、当期変動額を考慮する必要はありません。

分配可能額の計算

14,800千円 − 800千円 = 14,000千円

問2

×1年6月25日から×1年12月24日までに行われた資本取引の仕訳 （単位：千円）

①

| (借)繰越利益剰余金 | 880 | (貸)未払配当金 | 800 |
| | | 利益準備金 | 80 |

②

| (借)資本準備金 | 400 | (貸)その他資本剰余金 | 400 |
| 利益準備金 | 640 | 繰越利益剰余金 | 640 |

③

| (借)別途積立金 | 800 | (貸)繰越利益剰余金 | 800 |
| 繰越利益剰余金 | 560 | 別途積立金 | 560 |

④

| (借)自己株式 | 240 | (貸)現金預金 | 240 |

⑤

| (借)現金預金 | 200 | (貸)自己株式 | 160 |
| | | その他資本剰余金 | 40 |

×1年12月25日における残高試算表

残　高　試　算　表（単位：千円）

勘定科目	金　額	勘定科目	金　額
自 己 株 式	880	資　本　金	90,000
		資本準備金	3,600
		その他資本剰余金	4,040
		利益準備金	5,360
		別途積立金	4,560
		繰越利益剰余金	6,400

分配可能額の計算

(1) ×1年12月25日の剰余金の額の計算

4,040千円 + 4,560千円 + 6,400千円
= 15,000千円

(2) 分配可能額の計算

15,000千円 − 880千円 − 200千円
　　　　　　　自己株式　自己株式の処分対価
= 13,920千円

内　容	金　　額
(1)　最終事業年度の末日における剰余金の額	231,700 千円
(2)　最終事業年度の末日後の剰余金の変動額	400 千円
(3)　配当の効力発生日における剰余金の額	232,100 千円
(4)　分配可能額の計算上控除すべき額	4,000 千円
(5)　配当の効力発生日における分配可能額	228,100 千円

解　説

(1)　**最終事業年度の末日における剰余金の額**

　前期末の貸借対照表の『**その他資本剰余金**』と『**その他利益剰余金**』の合計額です。

　　1,700 千円 + 230,000 千円 = 231,700 千円

(2)　**最終事業年度の末日後の剰余金の変動額**

自己株式の処分

（× 20 年 4 月：最終事業年度の末日後）

(借) 現 金 預 金　2,800　(貸) 自 己 株 式　2,400 [01]
　　　　　　　　　　　　　　　その他資本剰余金　400 [02]

01) 8,000 千円 × $\dfrac{30 株}{100 株}$ = 2,400 千円

02) 貸借差額

(3)　**配当の効力発生日における剰余金の額**

　前期末剰余金と当期首から分配時までの剰余金の増減を加減して計算を行います。

　　(1) + (2) = 231,700 千円 + 400 千円

　　= 232,100 千円

(4)　**分配可能額の計算上控除すべき額（分配制限額の算定）**

①(i)分配時の自己株式：

　　　3,200 千円 − 2,400 千円 = 800 千円

　(ii)自己株式の処分対価：　2,800 千円

　　　　　　　　　　　合計　3,600 千円

②その他有価証券評価差額金：△ 150 千円

③のれん等調整額

資本等金額：

　　120,000 千円 + 8,000 千円 + 22,000 千円

　　= 150,000 千円

資本等金額 + その他資本剰余金：

　　150,000 千円 + 1,700 千円 = 151,700 千円

のれん等の金額：

・のれん償却額：

　　300,000 千円 × $\dfrac{9 カ月}{60 カ月}$ = 45,000 千円

・繰延資産（開発費）償却額：

　　26,250 千円 × $\dfrac{8 カ月}{60 カ月}$ = 3,500 千円

のれん等調整額：

　　(300,000 千円 − 45,000 千円) × $\dfrac{1}{2}$

　　+ (26,250 千円 − 3,500 千円) = 150,250 千円

　　　　　　　　　↓

　　150,250 千円　＞　150,000 千円
　　のれん等調整額　　　　資本等金額

　　　　　　　　　↓

　　150,250 千円　＜　151,700 千円
　　のれん等調整額　　資本等金額 + その他資本剰余金

　　　　　　　　　↓

分配制限額：

　　150,250 千円 − 150,000 千円 = 250 千円

11 組織再編
12 リース会計Ⅱ
13 純資産会計Ⅱ
14 連結会計
15 キャッシュ・フロー会計
16 デリバティブ
17 帳簿組織
18 伝票会計
19 総合問題

＜図解によった場合の分配制限額＞ （単位：千円）

資本等金額 150,000		
資本金 120,000	準備金 30,000	その他資本剰余金 1,700

のれん÷2 127,500	繰延 22,750	

（ ↑のれん等調整額150,250 ）

※ ▨ が分配制限額（150,250千円－150,000千円＝250千円）となります。

分配制限額　①＋②＋③＝ 3,600 千円＋ 150 千円＋ 250 千円＝ 4,000 千円

⑸　配当の効力発生日における分配可能額

配当の効力発生日の剰余金の額－分配制限額＝ 232,100 千円－ 4,000 千円＝ 228,100 千円

11	組織再編
12	リース会計II
13	純資産会計II
14	**連結会計**
15	キャッシュ・フロー会計
16	デリバティブ
17	帳簿組織
18	伝票会計
19	総合問題

Chapter 14

連結会計

問題 1 解答

連結貸借対照表 （単位：千円）

科　目	金　額	科　目	金　額
諸　資　産	(980,000)	諸　負　債	(610,000)
		資　本　金	(160,000)
		利益剰余金	(210,000)
合　計	(980,000)	合　計	(980,000)

解説

親会社の投資と、子会社の資本（資本金と利益剰余金）の相殺処理（資本連結）を行います。
＜連結貸借対照表の作成＞

諸　資　産：
680,000 千円 + 300,000 千円 = 980,000 千円

諸　負　債：
400,000 千円 + 210,000 千円 = 610,000 千円

資　本　金：P社資本金の金額

利益剰余金：P社利益剰余金の金額

問題 2 解答

(1)
（単位：千円）

借方科目	金　額	貸方科目	金　額
土　　地	30,000	評　価　差　額	30,000

(2)
連結貸借対照表 （単位：千円）

科　目	金　額	科　目	金　額
現金預金	(275,000)	借　入　金	(175,000)
備　　品	(100,000)	資　本　金	(250,000)
土　　地	(140,000)	資本剰余金	(50,000)
		利益剰余金	(40,000)
合　計	(515,000)	合　計	(515,000)

解説

(1) 評価替えの仕訳

子会社の資産と負債につき時価評価し、評価替えを行います。親会社については資産負債の評価替えは行いません。解答上は必要のないデータとして出されることがあります。注意しましょう。

(2) 連結貸借対照表の作成

連結貸借対照表を作成するために必要な連結修正仕訳は、次のとおりです。

(借) 資　本　金	75,000	(貸) S 社 株 式	120,000
利益剰余金	15,000		
評　価　差　額	30,000		

(1)

（単位：千円）

借方科目	金　　額	貸方科目	金　　額
土　　　地	3,500	評価差額	3,500

(2)

のれんの金額	8,500 千円

解説

　のれんの金額は、株式の取得原価から子会社の評価替え後の資本を引くことにより求めます。

$$\underbrace{102,000\,千円}_{\text{S社株式}} - (\underbrace{60,000\,千円}_{\text{資本金}} + \underbrace{18,000\,千円}_{\text{資本剰余金}}$$
$$+ \underbrace{12,000\,千円}_{\text{利益剰余金}} + \underbrace{3,500\,千円}_{\text{評価差額}}) = 8,500\,千円$$

(1)

（単位：千円）

借方科目	金　　額	貸方科目	金　　額
非支配株主に帰属する当期純利益	2,600	非支配株主持分	2,600

(2)

（単位：千円）

借方科目	金　　額	貸方科目	金　　額
のれん償却額	200	の　れ　ん	200

解説

×2年3月31日の資本連結
①S社諸資産の評価替え

（借）諸　資　産	2,000	（貸）評価差額	2,000

②資本連結

（借）資　本　金	75,000	（貸）S 社 株 式	85,600
利益剰余金	25,000	非支配株主持分	20,400 [01)]
評 価 差 額	2,000		
の　れ　ん	4,000 [02)]		

01）（75,000 千円＋ 25,000 千円＋ 2,000 千円）
　　　×（1 − 0.8）= 20,400 千円
02）（75,000 千円＋ 25,000 千円＋ 2,000 千円）
　　　× 0.8 − 85,600 千円＝△ 4,000 千円または貸借差額

当期（×2年4月1日から×3年3月31日）の純利益の振替え

　非支配株主割合：100％ − 80％ = 20％

　13,000 千円× 0.2 = 2,600 千円

のれんの償却

$$\frac{4,000\,千円}{20\,年} = 200\,千円$$

（単位：千円）

借方科目	金　　額	貸方科目	金　　額
短 期 借 入 金	60,000	短 期 貸 付 金	60,000
受 取 利 息	1,200 [01)]	支 払 利 息	1,200
未 払 費 用	1,200	未 収 収 益	1,200

01）$60,000\,千円× 0.04 × \dfrac{6\,カ月}{12\,カ月} = 1,200\,千円$

解説

　連結会社間で資金の貸借を行い、連結決算期末に債権債務の残高がある場合、それを示す**貸付金と借入金を相殺消去**します。また、利息の授受や経過勘定の計上が行われた場合にも相殺消去します。

11 組織再編

12 リース会計Ⅱ

13 純資産会計Ⅱ

14 連結会計

15 キャッシュ・フロー会計

16 デリバティブ

17 帳簿組織

18 伝票会計

19 総合問題

（単位：千円）

	借方科目	金　額	貸方科目	金　額
債権債務の相殺	買　　掛　　金	75,000	売　　掛　　金	75,000
期末貸倒引当金	貸　倒　引　当　金	2,250 [01]	貸倒引当金繰入	2,250

01）75,000千円 × 3％ ＝ 2,250千円

解説

親子会社間の取引は、連結上はなかったことになるので、期末に残っている債権債務を消去します。また、貸倒引当金をその債権に設定している場合には、貸倒引当金の修正も必要になります。

問題 7　　　　　　　　　　　解答

当期末保有

（単位：千円）

借方科目	金　額	貸方科目	金　額
支払手形	40,000 [01]	受取手形	40,000

期中割引

（単位：千円）

借方科目	金　額	貸方科目	金　額
支払手形	20,000	短期借入金	20,000
支払利息	200	手形売却損	200
前払費用	50	支払利息	50

01）70,000千円 － 10,000千円 － 20,000千円
　　＝ 40,000千円

解説

受取手形と支払手形の相殺消去で仕訳が必要になるのは、**当期末保有分**と**期中割引分**です。

問題 8　　　　　　　　　　　解答

（単位：千円）

借方科目	金　額	貸方科目	金　額
売上原価	150 [01]	商　　品	150

01）900千円 × $\dfrac{0.2}{1.2}$ ＝ 150千円

解説

本問では、親会社が子会社に商品を販売しているので、未実現利益は親会社が計上しています。未実現利益の分だけ商品が過大計上され、売上原価が過小計上されているため、商品については未実現利益相当額を減らすとともに、同額だけ売上原価を増やします。

連結貸借対照表　　　　　　　　　　（単位：千円）

資　　産	金　額	負債・純資産	金　額
諸　　資　　産	13,520	諸　　負　　債	6,710
の　　れ　　ん	57	資　　本　　金	4,800
		利　益　剰　余　金	1,817
		非支配株主持分	250

連結損益計算書　　　　　　　　　　（単位：千円）

費　　　用	金　額	収　　　益	金　額
売　上　原　価	6,000	売　　上　　高	8,500
販　売　費　管　理　費	1,400		
の　れ　ん　償　却　額	3		
非支配株主に帰属する 当　期　純　利　益	80		
親会社株主に帰属する 当　期　純　利　益	1,017		

連結株主資本等変動計算書　　　　　　　　　　（単位：千円）

	資　本　金	利益剰余金	非支配株主持分
当期首残高	4,800	900	180
当期変動額			
剰余金の配当		△ 100	
親会社株主に帰属する 　当期純利益		1,017	
株主資本以外の項目 　の当期変動額(純額)			70
当期変動額合計	0	917	70
当期末残高	4,800	1,817	250

解説

1. 個別財務諸表の合算（単位：千円）

合算貸借対照表

資　　産	金　額	負債・純資産	金　額
諸　資　産	13,520	諸　　負　　債	6,710
関 係 会 社 株 式	780	資　　本　　金	5,500
		利　益　剰　余　金	2,090

合算損益計算書

費　　用	金　額	収　　益	金　額
売　上　原　価	6,000	売　　上　　高	8,500
販 売 費 管 理 費	1,400	受 取 配 当 金	40
当 期 純 利 益	1,140		

合算株主資本等変動計算書

	資　本　金	利　益　剰　余　金	非支配株主持分
当期首残高	5,500	1,100	0
当期変動額			
剰余金の配当		△　　150	
当期純利益		1,140	
株主資本以外の項目の当期変動額（純額）			0
当期変動額合計	0	990	0
当期末残高	5,500	2,090	0

2. 連結仕訳（単位：千円）

(1) 投資と資本の相殺（開始仕訳）

借方科目	金　　額	貸方科目	金　　額
資　本　金	700	関係会社株式	780
利益剰余金	200	非支配株主持分	180
の　れ　ん	60		

子会社株式 780千円	のれん　60千円		
	560千円	140千円	資　本　金　700千円
	160千円	40千円	利益剰余金　200千円

P 社持分80％　　非支配株主持分20％

11 組織再編
12 リース会計Ⅱ
13 純資産会計Ⅱ
14 連結会計
15 キャッシュ・フロー会計
16 デリバティブ
17 帳簿組織
18 伝票会計
19 総合問題

⑵　のれんの償却

借方科目	金　額	貸方科目	金　額
のれん償却額	3	の　れ　ん	3

のれん償却額：60千円÷20年＝3千円

⑶　子会社純利益の振替

借方科目	金　額	貸方科目	金　額
非支配株主に帰属する当期純利益	80	非支配株主持分	80

子会社純利益のうち非支配株主持分：400千円×20%

＝80千円

⑷　会社間取引（配当金）の相殺

借方科目	金　額	貸方科目	金　額
受取配当金	40	利益剰余金	50
非支配株主持分	10		

受取配当金と相殺：50千円×80%＝40千円

非支配株主持分へ振替：50千円×20%＝10千円

3．連結財務諸表上の数値

⑴　連結損益計算書

①　「個別損益計算書の合算＋連結仕訳」により作成します。

②　親会社株主に帰属する当期純利益1,017千円＝連結損益計算書の差額により求めます。

→　連結株主資本等変動計算書へ移記します。

⑵　連結株主資本等変動計算書

①　「個別株主資本等変動計算書の合算＋連結仕訳」により作成します。

②　剰余金の配当100千円＝親会社が行った配当のみ記載されます。

③　資本金・利益剰余金・非支配株主持分の当期末残高

→　連結貸借対照表へ移記します。

④　非支配株主持分について（単位：千円）

A：当期首の子会社資本×非支配株主持株割合

B：子会社の当期純利益×非支配株主持株割合

C：子会社が行った配当×非支配株主持株割合

D：当期末の子会社資本×非支配株主持株割合

⑶　連結貸借対照表

①　「個別貸借対照表の合算＋連結仕訳」により作成します。

②　資本金4,800千円＝親会社の資本金のみ記載されます。

連結貸借対照表

関東交易株式会社　　　　　　　×19年12月31日　　　　　　（単位：千円）

（資　産　の　部）			（負　債　の　部）		
科　　　目	金　　　額		科　　　目	金　　　額	
Ⅰ流 動 資 産			Ⅰ流 動 負 債		
現 金 預 金		（ 1,980,600 ）	支 払 手 形		（ 1,200 ）
受 取 手 形	（ 37,000 ）		買 掛 金		（ 4,000 ）
貸 倒 引 当 金	（△ 770 ）	（ 36,230 ）	短 期 借 入 金		（ 20,000 ）
売 掛 金	（ 43,000 ）		未 払 法 人 税 等		（ 54,321 ）
貸 倒 引 当 金	（△ 1,090 ）	（ 41,910 ）	前 受 金		（ 800 ）
有 価 証 券		（ 126,000 ）	Ⅱ固 定 負 債		
商 品		（ 70,000 ）	長 期 借 入 金		（ 40,000 ）
前 払 費 用		（ 80 ）	（純 資 産 の 部）		
Ⅱ固 定 資 産			Ⅰ株 主 資 本		
建 物	（ 930,000 ）		資 本 金		（ 300,000 ）
減価償却累計額	（△ 52,800 ）	（ 877,200 ）	資 本 剰 余 金		（ 300,000 ）
備 品	（ 230,000 ）		利 益 剰 余 金		（ 3,553,046 ）
減価償却累計額	（△ 32,000 ）	（ 198,000 ）			
土 地		（ 680,000 ）			
投 資 有 価 証 券		（ 220,047 ）			
賃 貸 用 建 物	（ 220,000 ）				
減価償却累計額	（△176,700 ）	（ 43,300 ）			
資 産 合 計		（ 4,273,367 ）	負債及び純資産合計		（ 4,273,367 ）

11 組織再編
12 リース会計Ⅱ
13 純資産会計Ⅱ
14 連結会計
15 キャッシュ・フロー会計
16 デリバティブ
17 帳簿組織
18 伝票会計
19 総合問題

連 結 損 益 計 算 書

関東交易株式会社　自×19年1月1日　至×19年12月31日　　（単位：千円）

科　　　目	金　　　額	
Ⅰ 売　　上　　高		（　1,852,000　）
Ⅱ 売　上　原　価		（　1,083,300　）
売　上　総　利　益		（　768,700　）
Ⅲ 販売費及び一般管理費		
給　料　手　当	（　475,126　）	
貸倒引当金繰入額	（　1,746　）	
減　価　償　却　費	（　22,900　）	
広　告　宣　伝　費	（　38,800　）	
その他営業経費	（　32,148　）	（　570,720　）
営　業　利　益		（　197,980　）
Ⅳ 営　業　外　収　益		
受　取　配　当　金	（　2,000　）	
受　取　利　息	（　220　）	
有　価　証　券　利　息	（　206　）	
売買目的有価証券評価益	（　300　）	（　2,726　）
Ⅴ 営　業　外　費　用		
支　払　利　息		（　1,270　）
経　常　利　益		（　199,436　）
Ⅵ 特　別　利　益		
固　定　資　産　売　却　益		（　10,300　）
Ⅶ 特　別　損　失		
減　損　損　失		（　11,700　）
税引前当期純利益		（　198,036　）
法　人　税　等		（　48,642　）
当　期　純　利　益		（　149,394　）

解　説

　第58回・税理士試験において、はじめて連結財務諸表作成の問題が出題されました。期首に子会社としているため、開始仕訳は不要など、内容としては比較的容易です。しかし、本試験では、子会社の個別財務諸表から作成させる問題であったため、その部分で難易度が高くなっています。本問では、連結財務諸表の作成手続を学習することを目的として、あえて個別財務諸表は資料という形で出題しました。

1．個別財務諸表の単純合算

　まず、関東交易株式会社の財務諸表と中部交易株式会社の財務諸表を合算します。その後、連結修正仕訳を行います。

2．連結修正仕訳

(1) 投資と資本の相殺

（借）資　本　金 150,000　（貸）子会社株式 300,000
　　　資本剰余金 150,000

(2) 期末商品の未達事項の処理

（借）商　　　　品 3,300[01]　（貸）関係会社買掛金 3,300

01）33,000 千円 − 29,700 千円 ＝ 3,300 千円

(3) 売上高と売上原価の相殺

（借）関係会社売上高 198,000　（貸）売 上 原 価 198,000
　　　　　　　　　　　　　　　　　　　中部交易株式会社

(4) 売掛金と買掛金の相殺

（借）関係会社買掛金 33,000[02]　（貸）関係会社売掛金 33,000

02）中部交易株式会社の『関係会社買掛金』は（2）
　　期末商品の未達事項の処理により、関東交易株式
　　会社で計上されている『関係会社売掛金』の金額
　　と同じになります。

(5) 未実現利益の相殺

（借）売 上 原 価 1,300[03]　（貸）商　　　　品 1,300

03）（11,000 千円 ＋ 3,300 千円）× $\frac{0.1}{1.1}$ ＝ 1,300 千円

(6) 貸付金と借入金の相殺

（借）関係会社借入金 50,000　（貸）関係会社貸付金 50,000

(7) 受取利息と支払利息の相殺

　留意事項 5 の指示により、中部交易株式会社
の支払利息を全額相殺します。

（借）受 取 利 息 600　（貸）支 払 利 息 600

問題 11　解答

(1)

（単位：千円）

借方科目	金　額	貸方科目	金　額
M 社 株 式	9,000	持分法による投資損益	9,000

(2)

（単位：千円）

借方科目	金　額	貸方科目	金　額
持分法による投資損益	600	M 社 株 式	600

解説

(1) 当期純利益の振替え

45,000 千円 × 0.2 ＝ 9,000 千円

(2) のれんの償却

①のれんの金額の算定

60,000 千円 − {(135,000 千円 ＋ 27,000 千円
　　　M社取得原価　　　　　　　　M社資本
＋ 36,000 千円 ＋ 72,000 千円) × 0.2}
　　　M社資本　　　　　　　　P社の持分割合
＝ 6,000 千円

②のれんの償却

$\frac{6,000 千円}{10 年}$ ＝ 600 千円

11 組織再編
12 リース会計Ⅱ
13 純資産会計Ⅱ
14 連結会計
15 キャッシュ・フロー会計
16 デリバティブ
17 帳簿組織
18 伝票会計
19 総合問題

連結包括利益計算書　　（単位：千円）

当期純利益	70,000
その他の包括利益：	
その他有価証券評価差額金	770
包括利益	70,770

（内訳）

親会社株主に係る包括利益	68,370	千円
非支配株主に係る包括利益	2,400	千円

解説

1．連結包括利益計算書の作成

　2計算書方式における連結包括利益計算書は、連結損益計算書の当期純利益からスタートし、それにその他の包括利益を加減して包括利益を計算・表示します。

　このとき、その他の包括利益に計上されるその他有価証券評価差額金（表中の　　　　の金額）は、次のように計算します。

	（A）前期末	（B）当期末	当期変動額（（B）－（A））
①取得原価	5,000千円	5,000千円	―
②時価	5,400千円	6,500千円	1,100千円
③差額（②－①）	400千円	1,500千円	1,100千円
④税効果額（③×30％）	120千円	450千円	330千円
⑤その他有価証券評価差額金計上額（③－④）	280千円	1,050千円	770千円

　なお、【資料3】のP社における株式の発行と新株予約権の発行による純資産の増加額は包括利益ではないため、連結包括利益計算書に記載されることはありません。

2．親会社株主に係る包括利益と非支配株主に係る包括利益の計算

　その他有価証券評価差額金は親会社であるP社のものであるため、その当期変動額であるその他の包括利益はすべて親会社株主に係る包括利益となり、非支配株主に係る包括利益の金額は非支配株主に帰属する当期純利益と一致することになります。

　　親会社株主に係る包括利益：67,600千円　＋　770千円　＝　68,370千円
　　　　　　　　　　　　　　　親会社株主に帰属　　その他の包括利益
　　　　　　　　　　　　　　　する当期純利益

　　非支配株主に係る包括利益：2,400千円（非支配株主に帰属する当期純利益）

11 組織再編

12 リース会計Ⅱ

13 純資産会計Ⅱ

14 連結会計

15 キャッシュ・フロー会計

16 デリバティブ

17 帳簿組織

18 伝票会計

19 総合問題

連結損益及び包括利益計算書　（単位：千円）

諸収益	1,204,000
諸費用	914,000
税金等調整前当期純利益	290,000
法人税等	90,000
当期純利益	200,000
（内訳）	
親会社株主に帰属する当期純利益	175,000
非支配株主に帰属する当期純利益	*25,000*
その他の包括利益：	
その他有価証券評価差額金	*3,500*
包括利益	*203,500*
（内訳）	
親会社株主に係る包括利益	*178,500*
非支配株主に係る包括利益	*25,000*

解 説

1. 1計算書方式における連結損益及び包括利益計算書では、当期純利益の下に親会社株主と非支配株主の利益の内訳を示した上で、当期純利益にその他の包括利益を加減して包括利益を計算・表示します。

このとき、その他の包括利益に計上されるその他有価証券評価差額金（表中の　　　　の金額）は、次のように計算します。

	（A）前期末	（B）当期末	当期変動額（（B）−（A））
①取得原価	42,000千円	42,000千円	―
②時価	50,000千円	55,000千円	5,000千円
③差額（②−①）	8,000千円	13,000千円	5,000千円
④税効果額（③×30％）	2,400千円	3,900千円	1,500千円
⑤その他有価証券評価差額金計上額（③−④）	5,600千円	9,100千円	**3,500千円**

2. 親会社株主に係る包括利益と非支配株主に係る包括利益の計算

その他有価証券評価差額金は親会社であるP社のものであるため、その当期変動額であるその他の包括利益はすべて親会社株主に係る包括利益となり、非支配株主に係る包括利益の金額は非支配株主に帰属する当期純利益と一致することになります。

親会社株主に係る包括利益：

$$\underset{\text{親会社株主に帰属する当期純利益}}{175,000 \text{ 千円}} + \underset{\text{その他の包括利益}}{3,500 \text{ 千円}} = 178,500 \text{ 千円}$$

非支配株主に係る包括利益：

25,000 千円（非支配株主に帰属する当期純利益）

注記）組替調整額　　　　　　　（単位：円）

その他有価証券評価差額金：

当期発生額	（　3,500　）
組替調整額	（　△1,500　）
税効果調整前	（　2,000　）
税効果額	（　△600　）
その他の包括利益合計	（　1,400　）

解説

1．当期発生額

当期発生額は当期に発生した評価損益となります。

なお、手許保有分に係る「その他有価証券評価差額金」の当期の変動額だけでなく、期中に売却したその他有価証券に係る分も当期発生額となります。

（1）手許保有分（60%）

当期発生額＝当期末時価−前期末時価

$$= 12,000\,円 - 16,000\,円 \times 60\%\ ^{01)}$$

$$= 2,400\,円$$

01）9,000円÷15,000円＝60%

（2）期中売却分（40%）

当期発生額＝売却時の時価−前期末時価

$$= 7,500\,円 - 16,000\,円 \times 40\%\ ^{02)}$$

$$= 1,100\,円$$

02）6,000円÷15,000円＝40%

（3）合計

（1）＋（2）＝3,500円

または、他の項目を計算した後に、逆算して求めます。

2,000円＋1,500円＝3,500円

2．組替調整額

組替調整額は、当期純利益に含められた項目のうち、当期または過去の期間にその他の包括利益に含まれていた部分です。本問では、投資有価証券売却益が組替調整額となります。

組替調整額＝7,500円−6,000円＝1,500円

3．その他の包括利益合計額

（3,500円−1,500円）×（1−30%）＝1,400円

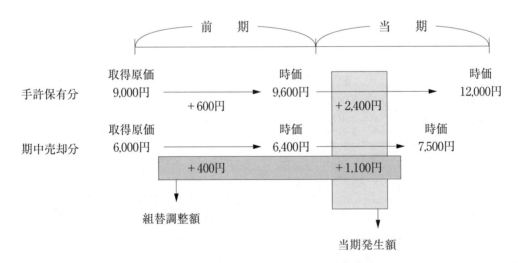

その他の包括利益は、連結包括利益計算書の金額と一致するため、以下のように求めることもできます。

（12,000円−9,000円）×（1−30%）−（16,000円−15,000円）×（1−30%）＝1,400円

Chapter 15

キャッシュ・フロー会計

問題 1 解答

営業収入： 　36,244　 千円

解説

（単位：千円）

売 掛 金

期首	3,500	貸倒損失	20
		引当金	36
売上	36,500	回収	36,244
		期末	3,700

貸倒引当金

		期首	70
売掛	36		
		繰入	40
期末	74		

問題 2 解答

商品の仕入れによる支出： 　12,770　 千円

解説

（単位：千円）

買 掛 金

割引	40	期首	1,860
支払	12,770		
		仕入	12,540
期末	1,590		

商 品

期首	1,240	売原	12,400
		減耗	50
仕入	12,540		
		期末	1,330

問題 3 解答

人件費の支出： 　3,405　 千円

その他の営業支出： 　5,690　 千円

解説

（単位：千円）

給 料

支払	2,305	未払	115
		損益	2,310
未払	120		

従業員賞与

支払	1,100	引当	240
		損益	860
引当	270	繰入	270

その他営業費

前払	250		
		損益	5,730
支払	5,690		
		前払	210

営業活動によるキャッシュ・フロー（単位：千円）

小　計	10,000
利息の受取額	（　　　　970　）
利息の支払額	（　△　1,650　）
法人税等の支払額	（　△　3,500　）
営業活動によるキャッシュ・フロー	（　　　　5,820　）

解説

（単位：千円）

受　取　利　息

損益	910	前受	180
		受取	**970**
前受	240		

支　払　利　息

前払	330	損益	1,700
支払	**1,650**		
		前払	280

法　人　税　等

支払	**3,500**	未払	2,400
		損益	3,900
未払	2,800		

問1　直接法

キャッシュ・フロー計算書（単位：千円）

Ⅰ　営業活動によるキャッシュ・フロー	
営　業　収　入	（　　116,500）
商品の仕入による支出	（△　72,800）
人　件　費　支　出	（△　7,000）
そ　の　他　の　営　業　支　出	（△　11,330）
小　　　　計	（　　25,370）
利息及び配当金の受取額	（　　　310）
利　息　の　支　払　額	（△　490）
法　人　税　等　の　支　払　額	（△　3,100）
営業活動によるキャッシュ・フロー	（　　22,090）

問2　間接法

キャッシュ・フロー計算書（単位：千円）

Ⅰ　営業活動によるキャッシュ・フロー	
税　引　前　当　期　純　利　益	（　　10,000）
減　価　償　却　費	（　　1,680）
減　損　損　失	（　　18,000）
貸倒引当金の〔**増加**〕額	（　　　70）
受　取　利　息　及　び　配　当　金	（△　340）
支　払　利　息	（　　　510）
固　定　資　産　売　却　益	（△　3,170）
売上債権の〔**増加**〕額	（△　3,500）
棚卸資産の〔**減少**〕額	（　　　500）
仕入債務の〔**増加**〕額	（　　1,700）
未払費用の〔**減少**〕額	（△　80）
小　　　　計	（　　25,370）
利息及び配当金の受領額	（　　　310）
利　息　の　支　払　額	（△　490）
法　人　税　等　の　支　払　額	（△　3,100）
営業活動によるキャッシュ・フロー	（　　22,090）

解説

問1　直接法

1．営業収入

売　掛　金

期首 16,000千円	回収(差額) 116,500千円
売上 120,000千円	期末 19,500千円

2．商品の仕入による支出

買　掛　金

支払(差額) 72,800千円	期首 10,400千円
期末 12,100千円	仕入 74,500千円

商　　品

期首 3,500千円	売上原価 75,000千円
仕入(差額) 74,500千円	期末 3,000千円

3．人件費支出

　未払給料などがないため、P/L に計上された給料 7,000 千円が人件費支出となります。

4．その他の営業支出

未払費用(その他の営業費)

支払(差額) 11,330千円	期首 910千円
期末 830千円	P/L計上 11,250千円

5．利息および配当金の受取額、利息の支払額

未収収益(受取利息及び配当金)

期首 60千円	受取(差額) 310千円
P/L計上 340千円	期末 90千円

未払費用(支払利息)

支払(差額) 490千円	期首 100千円
期末 120千円	P/L計上 510千円

6．法人税等の支払額

未払法人税等(法人税等)

支払(差額) 3,100千円	期首 1,500千円
期末 2,400千円	P/L計上 4,000千円

問2　間接法

1　貸倒引当金：
　390 千円 − 320 千円 = 70 千円（増加：加算）

2　売上債権（売掛金）：
　19,500 千円 − 16,000 千円 = 3,500 千円
　　　　　　　　　　　　　　（増加：減算）

3　棚卸資産（商　品）：
　3,000 千円 − 3,500 千円 = △ 500 千円
　　　　　　　　　　　　　　（減少：加算）

4　仕入債務（買掛金）：
　12,100 千円 − 10,400 千円 = 1,700 千円
　　　　　　　　　　　　　　（増加：加算）

5　未払費用（営業費）：
　830 千円 − 910 千円 = △ 80 千円（減少：減算）
　（5は【資料3】 4 の「その他の営業費にかかるもの」のデータを使用します）

11 組織再編
12 リース会計Ⅱ
13 純資産会計Ⅱ
14 連結会計
15 キャッシュ・フロー会計
16 デリバティブ
17 帳簿組織
18 伝票会計
19 総合問題

問題 6　解答

①	1,800 千円	②	4,000 千円	③	450 千円
④	21,000 千円	⑤	3,540 千円	⑥	640 千円
⑦	1,900 千円	⑧	3,170 千円	⑨	140 千円

解説

C／Fの流れにそって解説していきます。

1．減価償却費（C／F）：1,900 千円（P／Lより）…⑦

2．貸倒引当金取崩額：140 千円…⑨

貸倒引当金

取崩（差額） 140千円	期首 180千円
期末 200千円	繰入（P／Lより） 160千円

貸倒引当金の増加額（C／F）：
200 千円 − 180 千円 = 20 千円（増加：加算）

3．売掛金（当期B／S）：

$\underset{\text{前期B/S}}{3,600 \text{千円}} + \underset{\text{C/F増加額}}{400 \text{千円}} = 4,000 \text{千円}…②$

4．商品（前期B／S）：

$\underset{\text{当期B/S}}{1,520 \text{千円}} + \underset{\text{C/F減少額}}{280 \text{千円}} = 1,800 \text{千円}…①$

5．受取利息（P／L）：640 千円…⑥

未収収益（受取利息）

期首 210千円	受取（C／Fより） 700千円
P/L計上（差額） 640千円	期末 150千円

6．未払法人税等（前期B／S）：

450 千円…③

未払法人税等（法人税等）

支払（C／Fより） 1,030千円	期首（差額） 450千円
期末 520千円	P／L計上 1,100千円

7．その他の空欄の推定

その他の空欄の金額は、P／LやC／Fのすでに求められた金額を使って計算します。

営業活動によるキャッシュ・フロー（C／F）：
3,170 千円…⑧

その他の営業費（P／L）：
3,540 千円…⑤

売上総利益（P／L）：
21,000 千円…④

問題 7　解答

キャッシュ・フロー計算書（単位：千円）

Ⅱ　投資活動によるキャッシュ・フロー	
有形固定資産の取得による支出	（△　12,200）
有形固定資産の売却による収入	（　　3,200）
投資有価証券の取得による支出	（△　1,000）
投資有価証券の売却による収入	（　　440）
投資活動によるキャッシュ・フロー	（△　9,560）
Ⅲ　財務活動によるキャッシュ・フロー	
長期借入れによる収入	（　　1,000）
社債の償還による支出	（△　8,000）
株式の発行による収入	（　　10,000）
自己株式の取得による支出	（△　420）
配　当　金　の　支　払　額	（△　150）
財務活動によるキャッシュ・フロー	（　　2,430）

1. 有形固定資産（建物）

建　　物

期首		売却	
	15,000千円		4,200千円
取得（差額）		期末	
	12,200千円		23,000千円

2. 投資有価証券

投資有価証券

期首		売却	
	7,000千円		500千円 01)
取得（差額）		評価損	
			100千円
	1,000千円	期末	
			7,400千円

01) 売却原価は帳簿価額です。売却価額で記入しない
　　ように注意しましょう。

3. その他の事項

　【資料2】に示された取引金額をそのまま記載
します。

キャッシュ・フロー計算書（単位：千円）

I　営業活動によるキャッシュ・フロー		
税引前当期純利益	（	48,800）
減 価 償 却 費	（	50,000）
減 損 損 失	（	100,000）
貸倒引当金の増加額	（	1,000）
有 価 証 券 評 価 益	（△	2,500）
為 替 差 益	（△	600）
支 払 利 息	（	5,100）
有 価 証 券 売 却 損	（	3,200）
固 定 資 産 売 却 損	（	33,000）
売 上 債 権 の 増 加 額	（△	20,000）
棚 卸 資 産 の 減 少 額	（	8,500）
仕 入 債 務 の 減 少 額	（△	27,000）
未 払 費 用 の 増 加 額	（	200）
小 計	（	199,700）
利 息 の 支 払 額	（△	5,500）
法 人 税 等 の 支 払 額	（△	21,800）
営業活動によるキャッシュ・フロー	（	172,400）
II　投資活動によるキャッシュ・フロー		
有価証券の取得による支出	（△	51,000）
有価証券の売却による収入	（	63,000）
有形固定資産の取得による支出	（△	130,000）
有形固定資産の売却による収入	（	20,000）
投資活動によるキャッシュ・フロー	（△	98,000）
III　財務活動によるキャッシュ・フロー		
短期借入れによる収入	（	86,000）
短期借入金の返済による支出	（△	94,000）
配 当 金 の 支 払 額	（△	15,000）
財務活動によるキャッシュ・フロー	（△	23,000）
IV　現金及び現金同等物に係る換算差額	（	600）
V　現金及び現金同等物の増加額	（	52,000）
VI　現金及び現金同等物の期首残高	（	30,500）
VII　現金及び現金同等物の期末残高	（	82,500）

11 組織再編
12 リース会計II
13 純資産会計II
14 連結会計
15 キャッシュ・フロー会計
16 デリバティブ
17 帳簿組織
18 伝票会計
19 総合問題

1．営業活動によるキャッシュ・フロー

(1) 貸倒引当金：

22,000千円 − 21,000千円 ＝ 1,000千円

（増加：加算）

(2) 売上債権

（125,000千円 ＋ 315,000千円）−（114,000千円 ＋ 306,000千円）＝ 20,000千円（増加：減算）

(3) 棚卸資産：

97,500千円 − 106,000千円 ＝ △8,500千円

（減少：加算）

(4) 仕入債務：

（94,000千円 ＋ 171,000千円）−（98,000千円 ＋ 194,000千円）＝ △27,000千円（減少：減算）

(5) 未払費用（支払家賃）：

8,400千円 − 8,200千円 ＝ 200千円（増加：加算）

(6) 利息の支払額、法人税等の支払額

支払利息と支払配当金を記載する区分について、問題文に指示はありませんが、答案用紙にあらかじめ記入されている項目から判断して、適当な区分に表示します。

未払費用（支払利息）

支払（差額） 5,500千円	期首 1,900千円
期末 1,500千円	P/L計上 5,100千円

未払法人税等（法人税等）

支払（差額） 21,800千円	期首 12,400千円
期末 10,600千円	P/L計上 20,000千円

2．投資活動によるキャッシュ・フロー

(1) 有価証券

有価証券の取引に関連して、P/Lに評価益と売却損が計上されている点に注意します。

有価証券

期首 74,000千円	売却（差額） 66,200千円
取得 51,000千円	期末 61,300千円
評価益 2,500千円	

有価証券の取得による支出：

51,000千円（【資料3】1より）

有価証券の売却による収入：

63,000千円（次の仕訳より）

（借）現金預金　63,000　（貸）有価証券　66,200
　　　有価証券売却損　3,200

(2) 有形固定資産（建物・備品）

固定資産（備品）の取引に関連して、P/Lに売却損が計上されている点に注意します。

建物

期首 600,000千円	減損損失 100,000千円
取得（差額） 130,000千円	期末 630,000千円

備品

期首 200,000千円	売却（差額） 80,000千円
	期末 120,000千円

有形固定資産の取得による支出：

130,000千円（ボックス図より）

有形固定資産の売却による収入：

20,000千円（下記仕訳より）

（借）減価償却累計額　27,000　（貸）備品　80,000
　　　現金預金　20,000
　　　固定資産売却損　33,000

3．財務活動によるキャッシュ・フロー

短期借入金

返済（差額） 94,000千円	期首 62,000千円
期末 54,000千円	借入 86,000千円

4．現金及び現金同等物に係る換算差額

損益計算書に計上されている為替差益は、【資料3】7より保有している現金の換算にかかるものなので、「現金及び現金同等物に係る換算差額」および「間接法の調整項目（減算）」に表示します。

営業収入とします。なお、手形割引収入（手取額）、前受金の受取額も営業収入です。

売 掛 金

期首 79,400千円	受取手形（差額） 907,200千円
売上 954,500千円	買掛金（為手） 37,000千円
	貸倒損失 3,300千円
	貸倒引当金 900千円
	期末 85,500千円

問 題 9　　　　　　　解 答

①	*35,050* 千円	②	*4,350* 千円	③	*3,440* 千円
④	*9,000* 千円	⑤	*97,073* 千円	⑥	*5,500* 千円
⑦	*834,300* 千円	⑧	*472,900* 千円	⑨	*4,800* 千円
⑩	*32,521* 千円	⑪	*595,000* 千円		

解 説

（以下、仕訳の単位：千円）

　B／S、P／L、C／Fを中心とした資料から、空欄になっている金額を推定する問題です。C／Fの金額からB／SやP／Lの金額を推定するという流れは、通常のC／F作成問題の流れを逆に考える必要があります。

　なお、解説ではC／Fの順番にそって解いていますが、本試験でこのような問題が出題された場合は、「簡単そうな箇所（解けそうな箇所）」から手を付けましょう。

1．営業収入

　現金売上、売上債権（売掛金・受取手形）回収の内訳が資料から判明しないため、「掛売上→手形による掛代金の受取」によるものと仮定し、最終的に受取手形のうち当期回収された金額を

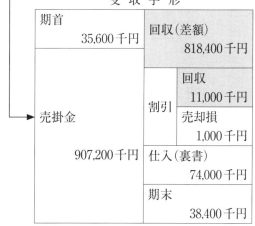

掛売上：960,000千円 − 5,500千円 ＝ 954,500千円

前 受 金

売上 5,500 千円	期首 1,900 千円
期末 1,300 千円	受取（差額） 4,900 千円

営業収入（C／F）：

$$\underset{\text{手形決済}}{818,400\,\text{千円}} + \underset{\text{割引手形（手）}}{11,000\,\text{千円}} + \underset{\text{前受金受取}}{4,900\,\text{千円}}$$
$$= 834,300\,\text{千円}\cdots\boxed{⑦}$$

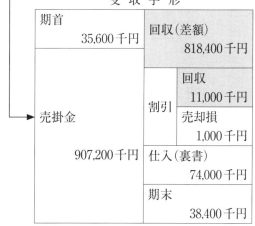

11 組織再編
12 リース会計Ⅱ
13 純資産会計Ⅱ
14 連結会計
15 キャッシュ・フロー会計
16 デリバティブ
17 帳簿組織
18 伝票会計
19 総合問題

２．商品の仕入による支出

営業収入と同様に内訳が資料から判明しないため、手形の裏書譲渡による仕入以外は、すべて掛取引とみなしてボックス図を作成します。当期商品仕入高も空欄になっているため、それもボックス図により推定します。

支　払　手　形

支払（差額） 472,900千円	期首 31,500千円
	買掛金 490,200千円
期末 48,800千円	

買　　掛　　金

支払手形 （差額） 490,200千円	期首 57,700千円
売掛金 （為手） 37,000千円	掛仕入 521,000千円
期末 51,500千円	

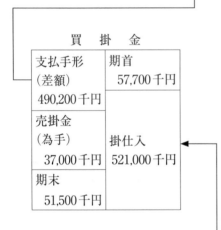

商　　　品

期首 45,100千円	売上原価 578,200千円
受手（裏書） 74,000千円	
掛仕入 （差額） 521,000千円	棚卸減耗 620千円
	期末 61,280千円

当期商品仕入高

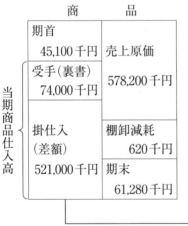

商品の仕入による支出（C／F）：

　472,900千円… ⑧

当期商品仕入高：

　595,000千円… ⑪

３．その他の営業費

未払金（その他の営業費）

支払 100,973千円	期首 9,900千円
期末 6,000千円	P/L計上（差額） 97,073千円

その他の営業費（P／L）：

　97,073千円… ⑤

４．利息および配当金の受取額

未収収益（受取利息配当金）

期首 3,400千円	受取 6,900千円
P/L計上（差額） 5,500千円	期末 2,000千円

受取利息配当金（P／L）：

　5,500千円… ⑥

５．法人税等

未払法人税等（法人税等）

支払 16,503千円	期首 3,230千円
期末（差額） 3,440千円	P/L計上 16,713千円

未払法人税等（当期B／S）：

　3,440千円… ③

６．有価証券

（1）取得時

（借）有　価　証　券　6,600　（貸）現　金　預　金　6,600

（2）売却時

（借）現　金　預　金　6,100　（貸）有　価　証　券　5,000 [01]
　　　　　　　　　　　　　　　　有価証券売却益　1,100

　01）有価証券の売却による収入（C／Fより）と有価
　　　証券売却益（P／Lより）の差額

（3）決算時

（借）有　価　証　券　1,150　（貸）有価証券評価益　1,150

有 価 証 券

期首	売却（帳簿価額）
32,300千円	5,000千円
取得（C／Fより）	
6,600千円	期末（差額）
評価益	35,050千円
1,150千円	

有価証券（当期B／S）:

　35,050千円… ①

7．有形固定資産
(1) 建物

建 物	
期首	期末
45,000千円	
取得（差額）	60,000千円
15,000千円	

取得時

（借）建 物 15,000	（貸）建設仮勘定 12,000
	現 金 預 金 3,000

(2) 備品

備 品	
期首	売却（備品C）
9,600千円	3,600千円
取得（備品D）	期末
5,000千円	11,000千円

備品減価償却累計額

売却（備品C）	期首
2,160千円	5,760千円
期末（差額）	増加額
4,350千円	750千円

①備品C売却時

（借）減価償却費 02) 180	（貸）備 品 3,600
備品減価償却累計額 2,160	
現 金 預 金 1,000	
備品売却損 260	

02) $\dfrac{3,600 千円 \times 0.9}{12 年} \times \dfrac{8 カ月}{12 カ月} = 180 千円$

---

②備品D取得時

（借）備 品 5,000	（貸）現 金 預 金 5,000

③備品D減価償却

（借）減価償却費 300 03)	（貸）備品減価償却累計額 300

03) $\dfrac{5,000 千円 \times 0.9}{5 年} \times \dfrac{4 カ月}{12 カ月} = 300 千円$

④備品B減価償却

（借）減価償却費 450 04)	（貸）備品減価償却累計額 450

04) $\dfrac{6,000 千円 \times 0.9}{12 年} = 450 千円$

有形固定資産の取得による支出（C／F）:

　$\underset{建物}{3,000 千円} + \underset{備品D}{5,000 千円} = 8,000 千円$

備品減価償却累計額（当期B／S）:

　4,350千円… ②

8．長期借入金

長 期 借 入 金	
返済	期首
2,000千円	
期末（差額）	11,000千円
9,000千円	

長期借入金（当期B／S）:

　9,000千円… ④

9．社債

社 債（償還分）	
償還（差額）	期首
4,912千円	4,890千円
期末	
0千円	償却 22千円

社 債（未償還分）	
	期首
	19,600千円
期末	
19,688千円	償却
	88千円

償還時

（借）社 債 4,912	（貸）現 金 預 金 4,800
	社債償還益 112

社債の償還による支出（C／F）:

　4,800千円… ⑨

11 組織再編
12 リース会計II
13 純資産会計II
14 連結会計
15 キャッシュ・フロー会計
16 デリバティブ
17 帳簿組織
18 伝票会計
19 総合問題

10. 現金及び現金同等物

現金及び現金同等物の期首残高（C／F）:

33,105 千円 − 3,000 千円 [05] = 30,105 千円

現金及び現金同等物の期末残高（C／F）:

32,521 千円 [06] ・・・ ⑩

05）預入期間6カ月の定期預金3,000千円は現金及び
現金同等物に該当しないため、控除します。

06）C／F最終値または当期B／S現金預金（貸借差額）
より。

11. 完成したB/S、P/L、C/F

(1)貸借対照表

(単位：千円)

借 方	前 期	当 期	貸 方	前 期	当 期
現 金 預 金	33,105	(32,521)	支 払 手 形	31,500	48,800
受 取 手 形	35,600	38,400	買 掛 金	57,700	51,500
売 掛 金	79,400	85,500	短 期 借 入 金	45,200	40,500
貸 倒 引 当 金	△ 2,875	△ 3,717	未 払 金	9,900	6,000
有 価 証 券	32,300	①35,050	未 払 費 用	9,100	8,600
商 品	45,100	61,280	未 払 社 債 利 息	125	100
未 収 収 益	3,400	2,000	未 払 法 人 税 等	3,230	③ 3,440
建 物	45,000	60,000	前 受 金	1,900	1,300
減 価 償 却 累 計 額	△13,500	△15,300	社 債	24,490	19,688
備 品	9,600	11,000	長 期 借 入 金	11,000	④ 9,000
減 価 償 却 累 計 額	△ 5,760	△② 4,350	資 本 金	90,000	90,000
土 地	65,000	65,000	利 益 準 備 金	20,600	21,150
建 設 仮 勘 定	12,000	—	任 意 積 立 金	12,400	15,400
			繰 越 利 益 剰 余 金	21,225	51,906
合 計	338,370	(367,384)	合 計	338,370	(367,384)

(2)損益計算書

(単位：千円)

借 方	金 額	貸 方	金 額
売 上 原 価	578,200	売 上 高	960,000
棚 卸 減 耗 損	620	受 取 利 息 配 当 金	⑥ 5,500
給 料	180,200	有 価 証 券 売 却 益	1,100
賞 与	42,835	有 価 証 券 評 価 益	1,150
貸 倒 損 失	(3,300)	社 債 償 還 益	112
貸 倒 引 当 金 繰 入 額	1,742		
建 物 減 価 償 却 費	1,800		
備 品 減 価 償 却 費	930		
そ の 他 の 営 業 費	⑤ 97,073		
支 払 利 息	2,898		
社 債 利 息	560		
手 形 売 却 損	1,000		
備 品 売 却 損	260		
法 人 税 等	16,713		
当 期 純 利 益	39,731		
合 計	(967,862)	合 計	(967,862)

11 組織再編
12 リース会計Ⅱ
13 純資産会計Ⅱ
14 連結会計
15 キャッシュ・フロー会計
16 デリバティブ
17 帳簿組織
18 伝票会計
19 総合問題

(3)キャッシュ・フロー計算書　　　　　　　（単位：千円）

　　Ⅰ　営業活動によるキャッシュ・フロー
　　　　　営　業　収　入　　　　　　　⑦ 834,300
　　　　　商品の仕入れによる支出　　△ ⑧ 472,900
　　　　　人　件　費　の　支　出　　△　　223,335
　　　　　その他の営業支出　　　　△　　100,973
　　　　　　　小　　　　　　　計　　（　　37,092 ）
　　　　　利息及び配当金の受取額　　　　　6,900
　　　　　利　息　の　支　払　額　　△　　　3,573
　　　　　法　人　税　等　の　支　払　額　　△　　16,503
　　　　営業活動によるキャッシュ・フロー　（　　23,916 ）
　　Ⅱ　投資活動によるキャッシュ・フロー
　　　　　定期預金の払戻しによる収入　　　　3,000
　　　　　有価証券の取得による支出　　△　　　6,600
　　　　　有価証券の売却による収入　　　　　6,100
　　　　　有形固定資産の取得による支出　△（　　8,000 ）
　　　　　有形固定資産の売却による収入　　　1,000
　　　　投資活動によるキャッシュ・フロー　△（　　4,500 ）
　　Ⅲ　財務活動によるキャッシュ・フロー
　　　　　短期借入れによる収入　　　　　　42,300
　　　　　短期借入金の返済による支出　△　　47,000
　　　　　長期借入金の返済による支出　△　　　2,000
　　　　　社債の償還による支出　　　△ ⑨　　4,800
　　　　　配　当　金　の　支　払　額　　△　　　5,500
　　　　財務活動によるキャッシュ・フロー　△（　　17,000 ）
　　Ⅳ　現金及び現金同等物の増(減)額　　（　　2,416 ）
　　Ⅴ　現金及び現金同等物の期首残高　　（　　30,105 ）
　　Ⅵ　現金及び現金同等物の期末残高　　⑩　32,521

問1　直接法

キャッシュ・フロー計算書　（単位：千円）

I　営業活動によるキャッシュ・フロー	
営　業　収　入	（　190,100）
商品の仕入支出	（△　113,600）
人　件　費　支　出	（△　5,500）
その他の営業支出	（△　2,000）
小　　　計	（　69,000）
利　息　の　受　取　額	（　50）
損害賠償金の支払額	（△　10,240）
法人税等の支払額	（△　28,400）
営業活動によるキャッシュ・フロー	（　30,410）

問2　間接法

キャッシュ・フロー計算書　（単位：千円）

I　営業活動によるキャッシュ・フロー	
税引前当期純利益	（　66,000）
減　価　償　却　費	（　6,000）
貸倒引当金の増加額	（　110）
受　取　利　息	（△　50）
損　害　賠　償　損　失	（　10,240）
売上債権の〔増加〕額	（△　12,100）
棚卸資産の〔減少〕額	（　1,300）
仕入債務の〔減少〕額	（△　2,500）
小　　　計	（　69,000）
⋮	⋮

11 組織再編
12 リース会計II
13 純資産会計II
14 連結会計
15 キャッシュ・フロー会計
16 デリバティブ
17 帳簿組織
18 伝票会計
19 総合問題

解説

問1

1．営業収入

$$\underset{\text{売掛金の現金回収}}{50,700\text{ 千円}} + \underset{\text{手形決済}}{139,400\text{ 千円}} = 190,100\text{ 千円}$$

売　掛　金

期首　7,300 千円	現金預金（差額）　50,700 千円
売上　90,200 千円	受取手形　38,100 千円
	期末　8,700 千円

受　取　手　形

期首　15,500 千円	現金預金（差額）　139,400 千円
売上　112,000 千円	
売掛金　38,100 千円	期末　26,200 千円

2．商品仕入による支出

$$\underset{\text{買掛金の現金支払}}{71,500\text{ 千円}} + \underset{\text{手形決済}}{42,100\text{ 千円}} = 113,600\text{ 千円}$$

支　払　手　形

現金預金（差額）　42,100 千円	期首　9,500 千円
	仕入　20,600 千円
期末　8,000 千円	買掛金　20,000 千円

買　掛　金

現金預金（差額）　71,500 千円	期首　8,800 千円
支払手形　20,000 千円	仕入　90,500 千円
期末　7,800 千円	

3．法人税等の支払額

$$\underset{\text{期首未払法人税等}}{12,000 \text{ 千円}} + \underset{\text{P/L計上額}}{26,400 \text{ 千円}} - \underset{\text{期末未払法人税等}}{10,000 \text{ 千円}}$$

$$= 28,400 \text{ 千円}$$

問2

1．売上債権の増加額：

$$(\underset{\text{期末・受手}}{26,200 \text{ 千円}} + \underset{\text{期末・売掛}}{8,700 \text{ 千円}}) - (\underset{\text{期首・受手}}{15,500 \text{ 千円}}$$
$$+ \underset{\text{期首・売掛}}{7,300 \text{ 千円}}) = 12,100 \text{ 千円（C／F減算）}$$

2．仕入債務の減少額：

$$(\underset{\text{期末・支手}}{8,000 \text{ 千円}} + \underset{\text{期末・買掛}}{7,800 \text{ 千円}}) - (\underset{\text{期首・支手}}{9,500 \text{ 千円}}$$
$$+ \underset{\text{期首・買掛}}{8,800 \text{ 千円}}) = \triangle\, 2,500 \text{ 千円（C／F減算）}$$

3．棚卸資産の減少額：

$$\underset{\text{当期末B/S}}{5,300 \text{ 千円}} - \underset{\text{前期末B/S}}{6,600 \text{ 千円}} = \underset{\text{（C／F加算）}}{\triangle\, 1,300 \text{ 千円}}$$

なお、棚卸減耗損は、売上債権および棚卸資産の増加減少項目で調整されるため、非資金損益項目では修正しません。

問 題 11　解 答

キャッシュ・フロー計算書（単位：千円）

⋮	⋮
営業活動によるキャッシュ・フロー	（　　　　2,000）
Ⅱ　投資活動によるキャッシュ・フロー	
有価証券の取得による支出	（△　　　300）
有価証券の売却による収入	（　　　1,200）
有形固定資産の売却による収入	（　　　2,400）
貸付けによる支出	（△　　　580）
貸付金の回収による収入	（　　　　280）
投資活動によるキャッシュ・フロー	（　　　3,000）
Ⅲ　財務活動によるキャッシュ・フロー	
短期借入れによる収入	（　　　4,400）
短期借入金の返済による支出	（△　　5,000）
株式の発行による収入	（　　　　200）
配当金の支払額	（△　　　50）
財務活動によるキャッシュ・フロー	（△　　450）
Ⅳ　現金及び現金同等物に係る換算差額	（　　　　50）
Ⅴ　現金及び現金同等物の増加額	（　　　4,600）
Ⅵ　現金及び現金同等物の期首残高	（　　　7,300）
Ⅶ　現金及び現金同等物の期末残高	（　　11,900）

解 説

有 価 証 券

期首 1,400千円	当期売却（帳簿価額） 1,000千円
当期取得（差額） 300千円	期末 800千円
有価証券評価益 100千円	

貸 付 金

期首 300千円	当期回収 280千円
当期貸付（差額） 580千円	期末 600千円

短 期 借 入 金

当期返済 5,000千円	期首 3,600千円
期末 3,000千円	当期借入（差額） 4,400千円

Chapter 16
デリバティブ

問題 1 　解答

（単位：円）

	借方科目	金　額	貸方科目	金　額
(1)	先物取引証拠金	16,000	現金預金	16,000
(2)	先物取引差金	10,000	先物損益	10,000
(3)	先物損益	10,000	先物取引差金	10,000
(4)	現金預金	20,000	先物損益	20,000
	現金預金	16,000	先物取引証拠金	16,000

解説

契約時に売り建てているため、先物商品の時価が下がるほど利益が生じます。

(2) ×3年3月31日（決算時）

先物損益：（@2,000円 − @1,900円）× 100個
＝10,000円（差益）

(4) ×3年5月10日（決済時）

先物損益：（@2,000円 − @1,800円）× 100個
＝20,000円（差益）

問題 2 　解答

（単位：円）

	借方科目	金　額	貸方科目	金　額
(1)	先物取引証拠金	3,000	現金預金	3,000
(2)	先物損益	1,000	先物取引差金	1,000
(3)	先物取引差金	1,000	先物損益	1,000
(4)	先物損益	1,500	現金預金	1,500
	現金預金	3,000	先物取引証拠金	3,000

解説

契約時に買い建てているため、国債先物の時価が下がるほど損失が生じます。

(2) ×2年3月31日（決算時）

先物損益：（@92円 − @94円）× 500口
＝△1,000円（差損）

(4) ×2年5月31日（決済時）

先物損益：（@91円 − @94円）× 500口
＝△1,500円（差損）

問題 3 　解答

（単位：千円）

	借方科目	金　額	貸方科目	金　額
(1)	先物取引証拠金	2,000	現金預金	2,000
(2)	その他有価証券評価差額金	1,500	投資有価証券	1,500
	先物取引差金	1,200	繰延ヘッジ損益	1,200
(3)	投資有価証券	1,500	その他有価証券評価差額金	1,500
	繰延ヘッジ損益	1,200	先物取引差金	1,200
(4)	現金預金	45,500	投資有価証券	48,000
	投資有価証券売却損	2,500		
	現金預金	2,000	先物取引証拠金	2,000
	現金預金	2,250	投資有価証券売却益	2,250

解説

(1) 契約時（×2年10月1日）

支払った証拠金を資産計上します。

(2) 決算時（×3年3月31日）

① 国債現物（ヘッジ対象）

評価差額：（@93千円 − @96千円）× 500口
＝△1,500千円（評価損）

② 国債先物（ヘッジ手段）

評価差額：（@94千円 − @91.6千円）× 500口 ＝1,200千円（差益）

(3) 翌期首（×3年4月1日）

前期末の仕訳を振り戻します。

11 組織再編
12 リース会計Ⅱ
13 純資産会計Ⅱ
14 連結会計
15 キャッシュ・フロー会計
16 デリバティブ
17 帳簿組織
18 伝票会計
19 総合問題

(4) 決済時（×3年6月30日）

① 国債現物（ヘッジ対象）

現金受領額：@91千円×500口=45,500千円

投資有価証券売却損益：

45,500千円 − 48,000千円 = △2,500千円

（売却損）

② 国債先物（ヘッジ手段）

評価差額：（@94千円 − @89.5千円）× 500口 =2,250千円（差益）

ヘッジ対象（国債現物）の決済にともない、ヘッジ手段の評価差額を損益（『投資有価証券売却益』）として計上します。

問題 4 　　解答

（単位：円）

			借方科目	金額	貸方科目	金額
(1)	①	3/1	仕 訳 な し			
	②	3/31	為 替 予 約	6,000	繰延ヘッジ損益	6,000
	③	4/1	仕 訳 な し			
	④	6/10	仕 入	246,000	買 掛 金	246,000
			為 替 予 約	10,000	繰延ヘッジ損益	10,000
			繰延ヘッジ損益	16,000	仕 入	16,000
	⑤	6/30	買 掛 金	246,000	現 金 預 金	248,000
			為 替 差 損 益	2,000		
			現 金 預 金	20,000	為 替 予 約	16,000
					為 替 差 損 益	4,000
(2)	①	3/1	仕 訳 な し			
	②	3/31	為 替 予 約	6,000	繰延ヘッジ損益	6,000
	③	4/1	繰延ヘッジ損益	6,000	為 替 予 約	6,000
	④	6/10	仕 入	228,000	買 掛 金	228,000
	⑤	6/30	買 掛 金	228,000	現 金 預 金	228,000

11 組織再編
12 リース会計II
13 純資産会計II
14 連結会計
15 キャッシュ・フロー会計
16 デリバティブ
17 帳簿組織
18 伝票会計
19 総合問題

解説

（1）ヘッジ会計を適用した場合

① **予約日（×1年3月1日）**

（借）仕 訳 な し　　　　　（貸）

② **決算日（×1年3月31日）**

　為替予約について時価評価を行いますが、まだ仕入れていないため、評価差額を繰り延べます。

（借）為 替 予 約　6,000 [01]　（貸）繰延ヘッジ損益　6,000

01）（@117円－@114円）×2,000ドル＝6,000円

③ **期首（×1年4月1日）**

（借）仕 訳 な し　　　　　（貸）

④ **仕入日（×1年6月10日）**

ａ．仕入取引

（借）仕　　　　　入 246,000 [02]　（貸）買 掛 金 246,000

02）@123円×2,000ドル＝246,000円

ｂ．為替予約の時価評価

　決算時から仕入時までの為替予約について時価評価を行います。

（借）為 替 予 約 10,000 [03]　（貸）繰延ヘッジ損益 10,000

03）（@122円－@117円）×2,000ドル＝10,000円

ｃ．繰延ヘッジ損益の処理

　評価差額をヘッジ対象にかかる損益に加減します。

（借）繰延ヘッジ損益 16,000 [04]　（貸）仕　　　　　入 16,000

04）6,000円＋10,000円＝16,000円

⑤ **（決済日）×1年6月30日**

ａ．買掛金の決済

（借）買 掛 金 246,000　（貸）現 金 預 金 248,000
　　　為替差損益　2,000

ｂ．為替予約の決済

　現金による差金決済額20,000円のうち、16,000円は仕入に加減し、残額4,000円は仕入代金の決済損益をヘッジしています。

（借）現 金 預 金 20,000 [05]　（貸）為 替 予 約 16,000
　　　　　　　　　　　　　　　　　為替差損益　4,000

05）（@124円－@114円）×2,000ドル＝20,000円

（2）振当処理を適用した場合

① **予約日（×1年3月1日）**

（借）仕 訳 な し　　　　　（貸）

② **決算日（×1年3月31日）**

　翌期の取引に備えて為替予約を行った場合、振当ての対象となる輸入取引はまだ存在しないため、為替予約自体の取引のみを決算日に時価評価し、評価差額を繰り延べます。

（借）為 替 予 約　6,000 [06]　（貸）繰延ヘッジ損益　6,000

06）（@117円－@114円）×2,000ドル＝6,000円

③ **期首（×1年4月1日）**

　期首に為替予約の評価差額を振り戻します。

（借）繰延ヘッジ損益　6,000　（貸）為 替 予 約　6,000

④ **仕入日（×1年6月10日）**

　輸入取引に先物為替相場による円換算額を付します。

（借）仕　　　　　入 228,000 [07]　（貸）買 掛 金 228,000

07）@114円×2,000ドル＝228,000円

⑤ **決済日（×1年6月30日）**

　買掛金は為替予約相場で決済します。

（借）買 掛 金 228,000　（貸）現 金 預 金 228,000

決算整理後残高試算表　　　　　　　（単位：千円）

勘　定　科　目	金　　額	勘　定　科　目	金　　額
現　金　預　金	（　87,500　）	機械減価償却累計額	（　6,000　）
先物取引差入証拠金	（　100　）	退 職 給 付 引 当 金	（　337,500　）
機　　　　　械	（　28,000　）	先 物 取 引 差 金	（　200　）
投 資 有 価 証 券	（　24,250　）	繰 延 税 金 負 債	（　75　）
繰 延 税 金 資 産	（　101,910　）	その他有価証券評価差額金	（　175　）
繰 延 ヘ ッ ジ 損 益	（　140　）	法 人 税 等 調 整 額	（　11,850　）
減 価 償 却 費	（　3,000　）		
減　損　損　失	（　2,000　）		
退 職 給 付 費 用	（　50,000　）		

解説

1　減損会計

　減損会計を適用するさいの帳簿価額は当期の減価償却後の金額とします。

①減価償却

（借）減価償却費	3,000[01]	（貸）機械減価償却累計額	3,000

01) $\dfrac{30,000\,千円}{10\,年} = 3,000\,千円$

②減損会計

（借）減 損 損 失	2,000	（貸）機　　　　械	2,000
（借）繰延税金資産	600	（貸）法人税等調整額	600

回収可能価額
　　22,000 千円 ＞ 20,750 千円　∴ 22,000 千円
減損損失：
　　22,000千円 －（30,000千円 － 3,000千円 × 2 回）
　　＝△2,000 千円
繰延税金資産：2,000 千円 × 0.3 ＝ 600 千円

2　退職給付引当金

①退職給付費用の計上

（借）退職給付費用	50,000[02]	（貸）退職給付引当金	50,000
（借）繰延税金資産	15,000[03]	（貸）法人税等調整額	15,000

02) 35,000 千円 ＋ 22,500 千円 － 7,500 千円
　　　＝ 50,000 千円
03) 50,000 千円 × 0.3 ＝ 15,000 千円

②年金掛金の支払い

（借）退職給付引当金	12,500	（貸）現 金 預 金	12,500
（借）法人税等調整額	3,750[04]	（貸）繰延税金資産	3,750

04) 12,500 千円 × 0.3 ＝ 3,750 千円

3　ヘッジ会計

①その他有価証券の評価

（借）投資有価証券	250[05]	（貸）繰延税金負債	75[06]
		その他有価証券評価差額金	175[07]

05) 25,000 千円 × $\dfrac{97\,円}{100\,円}$ － 24,000 千円
　　　＝ 250 千円（評価差益）
06) 250 千円 × 0.3 ＝ 75 千円
07) 250 千円 － 75 千円 ＝ 175 千円

②国債先物の評価

（借）繰延税金資産	60[09]	（貸）先物取引差金	200[08]
	繰延ヘッジ損益	140[10]	

08) 25,000 千円 × $\dfrac{94\,円}{100\,円}$ － 25,000 千円 ×
　　$\dfrac{94.8\,円}{100\,円}$ ＝△200 千円
09) 200 千円 × 0.3 ＝ 60 千円
10) 200 千円 － 60 千円 ＝ 140 千円

解答数値（一部）

繰延税金資産：

90,000 千円 + 600 千円 + 15,000 千円

− 3,750 千円 + 60 千円 = 101,910 千円

退職給付引当金：

300,000 千円 + 50,000 千円 − 12,500 千円

= 337,500 千円

法人税等調整額：

600 千円 + 15,000 千円 − 3,750 千円

= 11,850 千円

問題 1   解答

当座預金

月	日	借　方	月	日	貸　方
4	1	500	4	30	920
	30	1,200			

買　掛　金

月	日	借　方	月	日	貸　方
4	26	220	4	1	250
	30	660		30	680

資　本　金

月	日	借　方	月	日	貸　方
			4	1	570

未　払　給　料

月	日	借　方	月	日	貸　方
4	1	10	4	1	10

売　掛　金

月	日	借　方	月	日	貸　方
4	1	330	4	14	15
	30	700		26	220
				30	880
				〃	20

売　　　上

月	日	借　方	月	日	貸　方
4	30	20	4	30	1,020

仕　　　入

月	日	借　方	月	日	貸　方
4	30	840			

貸　倒　損　失

月	日	借　方	月	日	貸　方
4	14	15			

給　　　料

月	日	借　方	月	日	貸　方
4	5	100	4	1	10

前　受　金

月	日	借　方	月	日	貸　方
4	23	140	4	6	140

普通仕訳帳合計額：（　　　　4,735　）千円

解説

(注)「個」は個別転記、「✓」は転記不要を示しています。

1. 普通仕訳帳に記入された取引（単位：千円）

(1) 開始仕訳

4／1	（当 座 預 金）　個　500	（買　　掛　　金）　個　250	
	（売　　掛　　金）　個　330	（未 払 給 料）　個　10	
		（資　　本　　金）　個　570	

(2) 再振替仕訳

4／1	（未 払 給 料）　個　10	（給　　　　料）　個　10

(3) 期中取引

4／14	（貸 倒 損 失）　個　15	（売　　掛　　金）　個　15
／26	（買　　掛　　金）　個　220	（売　　掛　　金）　個　220

2. 特殊仕訳帳に記入された4月中の取引（単位：千円）

当座預金出納帳

日 付	相 手 勘 定 借 方	相 手 勘 定 貸 方	借 方 勘 定 諸 口	借 方 勘 定 買掛金	貸 方 勘 定 諸 口	貸 方 勘 定 売掛金	預 入	引 出
4　5	給　料		個　100					100
6		前受金　省			個　140		140	
12	買掛金			360				360
15		売　上			✓　180		180	
24		売掛金　略				880	880	
25	仕　入		✓　160					160
28	買掛金			300				300
30			260	660	320	880	1,200	920

売 上 帳

日 付	相手勘定		諸 口	売掛金
4　8	売 掛 金	省		700
15	当 座 預 金		✓　180	
23	前 受 金		個　140	
27	売 掛 金	略	△ 20	
30			320	700

仕 入 帳

日 付	相手勘定		諸 口	買掛金
4　3	買 掛 金	省		400
17	買 掛 金			280
25	当 座 預 金	略	✓　160	
30			160	680

（注）当座売上180千円と当座仕入160千円は二重仕訳となります（二重仕訳削除金額は340千円）

3．合計転記仕訳（4／30）（単位：千円）

帳簿	借方			貸方		
当座帳	（当　座　預　金）		1,200	（売　　　掛　　　金）		880
				（諸　　　　　　　口）	✓	320
当座帳	（買　　　掛　　　金）		660	（当　座　預　金）		920
	（諸　　　　口）	✓	260			
売上帳	（売　　　掛　　　金）		700	（売　　　　　　上）		1,020
	（諸　　　　口）	✓	320			
売上帳	（売　　　　上）		20	（売　　　掛　　　金）		20
仕入帳	（仕　　　　入）		840	（買　　　掛　　　金）		680
				（諸　　　　　　　口）	✓	160

4．普通仕訳帳の合計額

　答案用紙の総勘定元帳に記入された金額をすべて集計すれば合計試算表の合計額となりますので、その金額が普通仕訳帳の合計額と一致します。

　（参考）普通仕訳帳に記入された金額

　　　　　開始仕訳 830 千円＋再振替 10 千円＋期中取引 235 千円

　　　　　＋合計仕訳（1,200 千円＋ 920 千円＋ 1,020 千円＋ 20 千円＋ 840 千円）

　　　　　－二重仕訳削除金額 340 千円＝ 4,735 千円

問題 2

解答

11 組織再編

12 リース会計II

13 純資産会計II

14 連結会計

15 キャッシュ・フロー会計

16 デリバティブ

17 帳簿組織

18 伝票会計

19 総合問題

（問1）

普通仕訳帳

月	日	摘　　要	元丁	借　方	貸　方
4	1	諸　　口　諸　　口			
		（当座預金）	1	4,000	
		（受取手形）	2	2,000	
		（土　　地）	3	1,000	
		（支払手形）	4		1,000
		（資　本　金）	5		6,000
		開始仕訳			
	25	諸　　口　（土　　地）	3		100
		（当座預金）	✓	90	
		（土地売却損）	8	10	
		土地の売却			
	30	（当座預金）　諸　　口	1	46,090	
		（売　　上）	✓		46,000
		（諸　　口）	✓		90
		当座預金出納帳預入欄合計仕訳			
	〃	（仕　　入）	✓	42,000	
		（当座預金）	1		42,000
		当座預金出納帳引出欄合計仕訳			
	〃	諸　　口　（売　　上）	6		74,000
		（当座預金）	✓	46,000	
		（受取手形）	✓	28,000	
		売上帳合計仕訳			
	〃	（仕　　入）　諸　　口	7	67,000	
		（当座預金）	✓		42,000
		（支払手形）	✓		25,000
		仕入帳合計仕訳			
	〃	（受取手形）	2	28,000	
		（売　　上）	✓		28,000
		受取手形記入帳合計仕訳			
	〃	（仕　　入）	✓	25,000	
		（支払手形）	4		25,000
		支払手形記入帳合計仕訳			
	〃	仮　　　計		289,190	289,190
	〃	二重仕訳削除金額		141,090	141,090
	〃	合　　　計		148,100	148,100

（問2）

総勘定元帳

当座預金　　　　1

4/ 1	4,000	4/ 30	42,000
4/ 30	46,090		

受取手形　　　　2

| 4/ 1 | 2,000 | | |
| 4/ 30 | 28,000 | | |

土　　地　　　　3

| 4/ 1 | 1,000 | 4/ 25 | 100 |

支払手形　　　　4

| | | 4/ 1 | 1,000 |
| | | 4/ 30 | 25,000 |

資　本　金　　　　5

| | | 4/ 1 | 6,000 |

売　　上　　　　6

| | | 4/ 30 | 74,000 |

仕　　入　　　　7

| 4/ 30 | 67,000 | | |

土地売却損　　　　8

| 4/ 25 | 10 | | |

（問3）

合計試算表

借方合計	勘定科目	貸方合計
50,090	当座預金	42,000
30,000	受取手形	
1,000	土　　地	100
	支払手形	26,000
	資本金	6,000
	売　　上	74,000
67,000	仕　　入	
10	土地売却損	
148,100	合　　計	148,100

（問1）　　　　1,299,040　円

（問2）　　　　592,690　円

（問3）　　　　1,622,750　円

解説

1．普通仕訳帳の合計額（＝合計試算表の合計額）

(1)	開始手続の仕訳	36,870 円
(2)	手形割引の全体仕訳	700 円
(3)	普通仕訳帳取引	231,410 円
(4)	当座帳合計転記仕訳（一部）	239,650 円
(5)	売上帳合計転記仕訳（一部）	330,880 円
(6)	仕入帳合計転記仕訳（一部）	261,150 円
(7)	受手帳合計転記仕訳（一部）	206,080 円
(8)	支手帳合計転記仕訳（一部）	146,960 円
(9)	その他合計転記仕訳	438,030 円
(10)	仮　計	1,891,730 円
(11)	二重仕訳削除金額	592,690 円
(12)	合　計	1,299,040 円

(4)～(9)　}　1,622,750 円

(12) 合計 1,299,040 円 ←合計試算表の合計額と一致

2．合計転記仕訳（上記(4)～(8)）の内訳の一部

(1)　当座帳：$\underset{当座売上}{124,800\ 円}$ ＋ $\underset{当座仕入}{113,700\ 円}$ ＋ $\underset{返品}{490\ 円}$ ＋ $\underset{手取金}{660\ 円}$ ＝ 239,650 円

(2)　売上帳：$\underset{当座売上}{124,800\ 円}$ ＋ $\underset{手形売上}{206,080\ 円}$ ＝ 330,880 円

(3)　仕入帳：$\underset{当座仕入}{113,700\ 円}$ ＋ $\underset{手形仕入}{146,960\ 円}$ ＋ $\underset{返品}{490\ 円}$ ＝ 261,150 円

3．その他合計転記仕訳の内訳について

この中には、掛売上、掛仕入などの、二重仕訳とならない特殊仕訳帳取引が含まれています。

4．二重仕訳削除金額

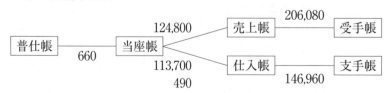

問1

当 座 預 金 出 納 帳

日付		勘定科目	摘　要	元丁	売掛金	諸　口	日付		勘定科目	摘　要	元丁	買掛金	諸　口
4	2	借 入 金		23		1,000	4	7	仕　　入		✓		400
	18	売 掛 金		✓	150			13	支払手形		21		700
	22	売　　上		✓		350		25	給　料		52		180
	26	受取手形		13		850		29	買 掛 金		✓	310	
					150	2,200						310	1,280
	30		売 掛 金	14		150		30		買 掛 金	22		310
	〃		当座預金	12		2,350		〃		当座預金	12		1,590
	〃		前月繰越	✓		520		〃		次月繰越	✓		1,280
						2,870							2,870

売 上 帳

日付		勘定科目	摘　要	元丁	売 掛 金	諸　口
4	10	受 取 手 形		✓		900
	14	売 掛 金		✓	800	
	22	当 座 預 金		✓		350
					800	1,250
	30		売 掛 金	14		800
	〃		総 売 上 高	41		2,050

仕 入 帳

日付		勘定科目	摘 要	元丁	買 掛 金	諸 口
4	5	買 掛 金		✓	300	
	6	買 掛 金	仕 入 戻 し	✓	10	
	7	当 座 預 金		✓		400
	28	支 払 手 形		✓		270
					300	670
	30		買 掛 金	22		300
	〃		総 仕 入 高	51		970
	〃		仕 入 戻 し 高	22/51		10
	〃		純 仕 入 高			960

受取手形記入帳

日付		勘定科目	摘 要	元丁	売 掛 金	諸 口
4	10	売 上		✓		900
	24	売 掛 金		✓	110	
					110	900
	30		売 掛 金	14		110
	〃		受 取 手 形	13		1,010

支払手形記入帳

日付		勘定科目	摘 要	元丁	買 掛 金	諸 口
4	11	買 掛 金		✓	250	
	28	仕 入		✓		270
					250	270
	30		買 掛 金	22		250
	〃		支 払 手 形	21		520

普 通 仕 訳 帳

日付		摘 要	元丁	借 方	貸 方
4	15	（買 掛 金）	22	600	
		（売 掛 金）	14		600
	20	（土 地）	16	2,000	
		（未 払 金）	24		2,000

| 11 組織再編 |
| 12 リース会計II |
| 13 純資産会計II |
| 14 連結会計 |
| 15 キャッシュ・フロー会計 |
| 16 デリバティブ |
| 17 帳簿組織 |
| 18 伝票会計 |
| 19 総合問題 |

総 勘 定 元 帳

当 座 預 金　　12

| 4／1 前 月 繰 越 | 520 | 4／30 当座預金出納帳 | 1,590 |
| 30 当座預金出納帳 | 2,350 | | |

買 掛 金　　22

4／15 売 掛 金	600	4／1 前 月 繰 越	900
30 当座預金出納帳	310	30 仕 入 帳	300
〃 仕 入 帳	10		
〃 支払手形記入帳	250		

借 入 金　　23

| | | 4／1 前 月 繰 越 | 1,200 |
| | | 2 当 座 預 金 | 1,000 |

仕 入　　51

| 4／30 仕 入 帳 | 970 | 4／30 仕 入 帳 | 10 |

問2　　　1,920　　円

解説

問1　各取引について、まずは仕訳を考えて特殊仕訳帳と普通仕訳帳に記入していきます。そのさい、次の取引に注意しましょう。

・6日　仕入戻し[01]：このときの仕訳は合計転記に含めません。

・7日　当座仕入：当座預金出納帳と仕入帳に記入されるため、二重仕訳となります。

・10日　手形売上：受取手形記入帳と売上帳に記入されるため、二重仕訳となります。

・13日　支払手形の減少：手形債務の減少は、支払手形記入帳には記入されません。

・15日　為替手形の振出：為替手形の振出しは、普通仕訳帳に記入されます。

・22日　当座売上：当座預金出納帳と売上帳に記入されるため、二重仕訳となります。

・26日　受取手形の減少：手形債権の減少は、受取手形記入帳には記入されません。

・28日　手形仕入：支払手形記入帳と仕入帳に記入されるため、二重仕訳となります。

01）本来は赤字で記入しますが、受験上は記入色に関して気にする必要はありません。

また、元丁欄については次の点に注意しましょう。

1　特別欄に記入された取引

月末に合計転記するため、取引を記入したときの元丁欄は「✓」を記入します。

2　二重仕訳となる取引

二重転記を回避するため、転記不要の意味で元丁欄は「✓」を記入します。

3　仕入戻し

仕入戻しの転記は、月末に行います。このときに買掛金勘定の借方と仕入勘定の貸方に転記するため、元丁欄には買掛金勘定と仕入勘定の元丁番号を記入します。

問2　問1より、二重仕訳に該当する取引は「当座仕入」・「当座売上」・「手形仕入」・「手形売上」の4つが該当することがわかります。この4つの取引の金額を合計して、二重仕訳の金額を計算します。

・当座仕入：　400円（7日）
・当座売上：　350円（22日）
・手形仕入：　270円（28日）
・手形売上：　900円（10日）
　　　　合計：　1,920円

①	②	③	④	⑤
790	1,400	800	920	400

⑥	⑦	⑧	⑨	⑩
980	2,020	3,270	1,110	9,780

解説

本問は特殊仕訳帳と、その合計仕訳に関する推定問題です。空欄が多いため、確実にうめられる空欄を探しながら解いていきます。特殊仕訳帳制度における推定問題の場合、二重仕訳と合計仕訳から推定していくことになります。1つの方法で一度に推定できるわけではないので、推定できる空欄をうめたあとに違う方法で他を推定していくという作業を繰り返していきます。

1.二重仕訳を利用した推定（Ⅰ）

二重仕訳となる取引は、同じ取引が2つの帳簿に重複して記帳されています。したがって、同じ日付の現金売上・現金仕入・手形売上・手形仕入は、2つの帳簿に同じ金額が記入されるため、これを利用して推定します。

(1) 現金売上

売上帳4日に現金売上790円が記入されています。これと同じ取引が現金出納帳に記入されるため、①の空欄にも790円と記入されます。

(2) 手形仕入

仕入帳7日の手形仕入に510円が記入されています。これと同じ取引が支払手形記入帳にも記入されるため、支払手形記入帳の7日の空欄に510円が記入されます。その他の二重仕訳の箇所については、ほかの空欄がうまらなければ推定できないため、あとから推定します。

2．合計仕訳による推定（Ⅰ）

本問では、特殊仕訳帳の合計仕訳が普通仕訳帳に記入されています。そのため、特殊仕訳帳の記入と普通仕訳帳の合計仕訳との関係を利用して、空欄の金額を推定します。

(1) 現金出納帳・借方記入と合計仕訳

1．(1) より、現金売上が790円であることが判明しています。現金出納帳・借方の諸口欄はそれしかないため、現金出納帳・借方記入にかかる合計仕訳の諸口の金額も790円であることがわかります。また、現金増加額の合計も合計仕訳から2,810円であることがわかります。

以上より、現金による売掛金回収高が差額の2,020円（空欄⑦）であり、そこから18日の売掛金回収額が1,400円（空欄②）であることがわかります。

(2) 仕入帳の記入と合計仕訳

普通仕訳帳に記入された仕入帳からの合計仕訳から、諸口欄の合計金額が1,310円とあります。仕入帳を見ると、そのうち510円が手形仕入であるため、残りの800円が15日における現金仕入の金額であることがわかります。また、普通仕訳帳の総仕入高2,230円と諸口欄の合計の1,310円との差額から、掛仕入の金額が920円ということもわかります。したがって、④の空欄には920円があてはまります。

(3) 支払手形記入帳の記入と合計仕訳

1．(2) より、手形仕入が510円であることが判明しています。したがって、手形仕入高とあらかじめ記入されている買掛金の手形支払額600円の合計1,110円が、普通仕訳帳の空欄⑨にあてはまることがわかります。

3．二重仕訳を利用した推定（Ⅱ）

（1）現金仕入

現金仕入の金額は、2．（2）より800円であることが判明しています。したがって、同じ取引が記入される現金出納帳・貸方の15日の空欄③の金額も800円となります。

（2）手形売上

普通仕訳帳に二重仕訳控除金額が3,080円と示されています。これまで判明した二重仕訳の金額を足すと、2,100円となります。残額の980円がまだ判明していない手形売上の金額です。

手形売上：

$$\underset{\text{二重仕訳控除金額}}{3,080\text{円}} - (\underset{\text{現金売上}}{790\text{円}} + \underset{\text{手形仕入}}{510\text{円}} + \underset{\text{現金仕入}}{800\text{円}})$$
$$= 980\text{円}$$

この金額が、売上帳の18日と受取手形記入帳の18日（空欄⑥）に記入されます。

4．合計仕訳による推定（Ⅱ）

（1）現金出納帳・貸方の記入と合計仕訳

2．（2）より現金仕入の金額が800円と判明したため、現金出納帳・貸方の諸口欄の合計金額は1,100円となります。合計仕訳における借方・諸口に1,100円を記入すると、貸方・現金の金額は2,060円となります。また、現金出納帳の買掛金は960円となります。

（2）売上帳の記入と合計仕訳

3．（2）より18日の金額が判明したため、合計仕訳における借方・売掛金と諸口の金額も、それぞれ1,500円と1,770円であることが判明します。したがって、貸方・売上（空欄⑧）の金額は3,270円となります。

（3）受取手形記入帳の記入と合計仕訳

受取手形増加額の合計は、普通仕訳帳の借方・受取手形の1,380円です。また、貸方・諸口の金額は3．（2）より18日・売上の980円だけなので、その差額から手形による売掛金回収高が400円（空欄⑤）ということがわかります。

5．空欄⑩の推定

普通仕訳帳の借方合計（もしくは貸方合計）12,860円から、二重仕訳控除金額3,080円を引いて、9,780円と求めることができます。

以上の推定の結果を反映した記帳は次のとおりです。

現 金 出 納 帳

日付		勘定科目	摘 要	元丁	売掛金	諸 口	日付		勘定科目	摘 要	元丁	買掛金	諸 口
5	4	売　　上		✓		① 790	5	10	買 掛 金		✓	（ 960）	
	18	売 掛 金		✓	② 1,400			15	仕　　入		✓		③ 800
	22	売 掛 金		✓	620			25	給　　料		52		300

11 組織再編

12 リース会計Ⅱ

13 純資産会計Ⅱ

14 連結会計

15 キャッシュ・フロー会計

16 デリバティブ

17 帳簿組織

18 伝票会計

19 総合問題

売上帳

日付		勘定科目	摘要	元丁	売掛金	諸口
5	4	現　金		✓		790
	8	売掛金		✓	1,500	
	18	受取手形		✓		(980)

仕入帳

日付		勘定科目	摘要	元丁	買掛金	諸口
5	7	支払手形		✓		510
	15	現　金		✓		(800)
	24	買掛金		✓	④ 920	

受取手形記入帳

日付		勘定科目	摘要	元丁	売掛金	諸口
5	5	売掛金		✓	⑤ 400	
	18	売　上		✓		⑥ 980

支払手形記入帳

日付		勘定科目	摘要	元丁	買掛金	諸口
5	7	仕　入		✓		(510)
	30	買掛金		✓	600	

普通仕訳帳

日付		摘要	元丁	借方	貸方
5	31	（現　　　金）諸　　　　口	11	2,810	
		（売　掛　金）	14		⑦ 2,020
		（諸　　　口）	✓		(790)
	〃	諸　　　口（現　　　金）	11		(2,060)
		（買　掛　金）	22	960	
		（諸　　　口）	✓	(1,100)	
	〃	諸　　　口（売　　　上）	41		⑧ 3,270
		（売　掛　金）	14	(1,500)	
		（諸　　　口）	✓	(1,770)	
	〃	（仕　　　入）諸　　　口	51	2,230	
		（買　掛　金）	22		(920)
		（諸　　　口）	✓	1,310	
	〃	（受　取　手　形）諸　　　口	13	1,380	
		（売　掛　金）	14		(400)
		（諸　　　口）	✓		(980)
	〃	諸　　　口（支　払　手　形）	21		⑨ 1,110
		（買　掛　金）	22	600	
		（諸　　　口）	✓	(510)	
		合　　　　　　計		(12,860)	(12,860)
		二重仕訳控除金額		3,080	3,080
			⑩	9,780	⑩ 9,780

Chapter 18 伝票会計

11 組織再編
12 リース会計II
13 純資産会計II
14 連結会計
15 キャッシュ・フロー会計
16 デリバティブ
17 帳簿組織
18 伝票会計
19 総合問題

問題 1　解答

問1

入金伝票	出金伝票	振替伝票	仕入伝票	売上伝票
4枚	3枚	5枚	4枚	5枚

問2

仕訳週計表　　（単位：円）

借　方	勘定科目	貸　方
1,560	現　　金	1,850
1,130	受取手形	
3,130	売掛金	2,970
1,000	貸付金	
900	土　地	
	支払手形	290
1,110	買掛金	1,240
	未払金	900
40	売　上	3,130
	受取利息	10
1,240	仕　入	20
300	支払家賃	
10,410		10,410

解説

　本問では、5伝票制によって起票される伝票の枚数と仕訳週計表の作成が問われています。取引ごとに伝票に記入する仕訳と起票される伝票の種類を自分でメモしながら解答していきます。なお、5伝票制なので、掛以外の仕入取引

と売上取引は複数の伝票に記入されるため、注意しましょう。

①
(借)仕　　　入　400　(貸)買　掛　金　400
⇒ 仕入伝票

②
(借)貸　付　金　1,000　(貸)現　　　金　1,000
⇒ 出金伝票

③
(借)売　掛　金　720　(貸)売　　　上　720
(借)現　　　金　720　(貸)売　掛　金　720
⇒ 売上伝票
⇒ 入金伝票

④
(借)仕　　　入　290　(貸)買　掛　金　290
(借)買　掛　金　290　(貸)支払手形　290
⇒ 仕入伝票
⇒ 振替伝票

⑤
(借)現　　　金　310　(貸)売　掛　金　310
⇒ 入金伝票

⑥
(借)売　掛　金　970　(貸)売　　　上　970
⇒ 売上伝票

⑦
(借)受取手形　490　(貸)売　掛　金　490
⇒ 振替伝票

⑧
(借)仕　　　入　550　(貸)買　掛　金　550
(借)買　掛　金　550　(貸)現　　　金　550
⇒ 仕入伝票
⇒ 出金伝票

⑨
(借)買　掛　金　20　(貸)仕　　　入　20
⇒ 仕入伝票

⑩
(借)売　掛　金　640　(貸)売　　　上　640
(借)受取手形　640　(貸)売　掛　金　640
⇒ 売上伝票
⇒ 振替伝票

⑪
(借)支払家賃　300　(貸)現　　　金　300
⇒ 出金伝票

⑫
(借)現　　　金　10　(貸)受取利息　10
⇒ 入金伝票

⑬
（借）買　掛　金	250	（貸）売　掛　金	250

⇒ 振替伝票

⑭
（借）売	上	40	（貸）売　掛　金	40

⇒ 売上伝票

⑮
（借）売　掛　金	800	（貸）売	上	800

⇒ 売上伝票

⑯
（借）現	金	520	（貸）売　掛　金	520

⇒ 入金伝票

⑰
（借）土	地	900	（貸）未　払　金	900

⇒ 振替伝票

　以上から、各伝票の枚数を数えるとともに、金額を集計すると仕訳週計表が完成します。

問題 ② 解答

問1

a	b	c	d	e
910	1,000	920	300	540

f	g	h	i	j
300	2,400	1,410	3,120	13,080

問2

伝票の枚数の増加	3	枚
仕訳日計表の合計額の増加	2,630	円

解説

問1

1．仕訳日計表からの推定

（1）入金伝票 No.103（空欄 a）

　仕訳日計表の借方・現金が 4,410 円であり、No.103 以外の入金伝票の合計金額が 3,500 円であるため、その差額の 910 円が No.103 の空欄 a にあてはまります。

（2）出金伝票 No.201（空欄 b）

　仕訳日計表の借方・給料が 1,000 円あり、No.201 以外の伝票に給料に関する記入がないため、この 1,000 円が No.201 の空欄 b にあてはまります。

（3）出金伝票 No.202（空欄 c）

　仕訳日計表の借方・仕入が 2,270 円となっています。借方・仕入となる伝票は No.202 と No.303 のみなので、2,270 円と No.303 の 1,350 円との差額 920 円が、No.202 の空欄 c にあてはまります。

（4）出金伝票 No.204（空欄 d）

　No.201 と No.202 の金額が判明することによって、出金伝票 4 枚のうち 3 枚の金額が判明するため、その合計額 2,670 円と仕訳日計表の貸方・現金の 2,970 円の差額 300 円が、No.204 の空欄 d にあてはまります。

（5）振替伝票 No.304（空欄 e）

　仕訳日計表の借方・買掛金の金額が 1,290 円となっています。借方・買掛金となる伝票は No.203 と No.304 の 2 枚なので、仕訳日計表の金額と No.203 の 750 円と差額の 540 円が No.304 の空欄 e にあてはまります。なお、仕訳日計表の貸方・売掛金の金額から求めることもできます。

2．仕訳日計表への集計

（1）借方・当座預金（空欄 f）

　借方・当座預金となる伝票は No.204 のみなので、1．（4）で求めた 300 円が空欄 f にもあてはまります。

（2）貸方・当座預金（空欄 g）

　貸方・当座預金となる伝票は No.301 のみなので、この伝票に記入された 2,400 円が空欄 g にあてはまります。

（3）借方・売掛金（空欄 h）

　借方・売掛金となる伝票は No.302 のみなので、この伝票に記入された 1,410 円が空欄 h にあてはまります。

（4）貸方・売上（空欄 i）

　貸方・売上となる伝票は No.102、No.103、No.302 の 3 枚なので、これらの伝票に記入さ

れた金額の合計が空欄 i にあてはまります。

貸方・売上（空欄 i）：

$\underset{\text{No.102}}{800\,円} + \underset{\text{No.103}}{910\,円} + \underset{\text{No.302}}{1{,}410\,円} = 3{,}120\,円$

以上の推定の結果、仕訳日計表の合計金額（空欄 j）が 13,080 円と判明します。

問2

1．伝票の枚数の増加

3伝票制と5伝票制で起票が異なるのは、現金仕入と現金売上のみです。どちらも、仕入伝票・売上伝票に掛仕入・掛売上として起票し、ただちに現金で決済したと考えて出金伝票・入金伝票を起票するため、これまで1枚で起票されていた取引が2枚の伝票に記入されることになります。したがって、増加する伝票の枚数は現金仕入と現金売上が記入されている伝票の数と等しくなります。

3伝票制での現金仕入・現金売上：

3枚（← No.102、No.103、No.202）

5伝票制での現金仕入・現金売上：

6枚（＝仕入伝票1枚＋出金伝票1枚＋売上伝票2枚＋入金伝票2枚）

∴枚数の増加：3枚

2．仕訳日計表の合計額の増加

5伝票制の現金仕入・現金売上は、いったん掛仕入・掛売上をすると考え2枚の伝票で起票されるため、1枚の伝票で起票される3伝票制に比べ、現金仕入・現金売上の分だけ買掛金・売掛金の合計金額が増えることになります。その結果、仕訳日計表の合計額も、その分だけ増えることになります。

増加額：$\underset{\text{現金売上}}{800\,円 + 910\,円} + \underset{\text{現金仕入}}{920\,円} = 2{,}630\,円$

（ケース1）　3伝票制

仕訳日計表

借方合計	勘定科目	貸方合計
	現　　　金	17,000
5,000	備　　　品	
	支 払 手 形	12,000
5,000	買　掛　金	19,000
3,000	未　払　金	5,000
40,000	仕　　　入	
53,000	合　　　計	53,000

（ケース2）　5伝票制

仕訳日計表

借方合計	勘定科目	貸方合計
	現　　　金	17,000
5,000	備　　　品	
	支 払 手 形	12,000
26,000	買　掛　金	40,000
3,000	未　払　金	5,000
40,000	仕　　　入	
74,000	合　　　計	74,000

11 組織再編

12 リース会計II

13 純資産会計II

14 連結会計

15 キャッシュ・フロー会計

16 デリバティブ

17 帳簿組織

18 伝票会計

19 総合問題

	伝票	3 伝 票 制 仕 訳				伝票	5 伝 票 制 仕 訳			
(1)	振替	仕 入	10,000	買 掛 金	10,000	仕入	仕 入	10,000	買 掛 金	10,000
(2)	出金	仕 入	9,000	現 金	9,000	仕入	仕 入	9,000	買 掛 金	9,000
						出金	買 掛 金	9,000	現 金	9,000
(3)	振替	仕 入	8,000	支払手形	8,000	仕入	仕 入	8,000	買 掛 金	8,000
						振替	買 掛 金	8,000	支払手形	8,000
(4)	振替	仕 入	7,000	買 掛 金	7,000	仕入	仕 入	7,000	買 掛 金	7,000
	出金	買 掛 金	5,000	現 金	5,000	出金	買 掛 金	5,000	現 金	5,000
(5)	振替	仕 入	4,000	支払手形	4,000	仕入	仕 入	6,000	買 掛 金	6,000
	振替	仕 入	2,000	買 掛 金	2,000	振替	買 掛 金	4,000	支払手形	4,000
(6)	振替	備 品	5,000	未 払 金	5,000	振替	同 左			
	出金	未 払 金	3,000	現 金	3,000	出金	同 左			

(注) (6)は、仕入・売上とは無関係なので、3伝票制と5伝票制とで同じ処理となります。

11 組織再編
12 リース会計II
13 純資産会計II
14 連結会計
15 キャッシュ・フロー会計
16 デリバティブ
17 帳簿組織
18 伝票会計
19 総合問題

問題 1　　　　　　　　　　　　　　　　　　　　　　　　　　　　　　解答

貸借対照表

（単位：千円）

資 産 の 部			負 債 の 部		
科　　目	金　額		科　　目	金　額	
I 流 動 資 産	（	50,600 ）	I 流 動 負 債	（	37,586 ）
現 金 預 金	（	15,462 ）	支 払 手 形	（	7,890 ）
受 取 手 形	（	11,500 ）	買 掛 金		12,300
売 掛 金	（	15,350 ）	未 払 法 人 税 等	（	6,850 ）
商 品	（	5,500 ）	未 払 金	（	150 ）
短 期 貸 付 金	（	4,050 ）	前 受 収 益	（	96 ）
〔未 収 収 益〕	（	102 ）	賞 与 引 当 金	（	300 ）
貸 倒 引 当 金	（ △	1,364 ）	〔短期固定資産購入支払手形〕	（	10,000 ）
II 固 定 資 産	（	124,565 ）	II 固 定 負 債	（	5,645 ）
有 形 固 定 資 産	（	110,860 ）	長 期 借 入 金		5,000
建 物	（	50,000 ）	退 職 給 付 引 当 金	（	645 ）
器 具 備 品	（	5,000 ）	負 債 合 計	（	43,231 ）
車 両	（	10,000 ）	純 資 産 の 部		
減 価 償 却 累 計 額	（ △	19,140 ）	I 株 主 資 本	（	131,794 ）
土 地	（	65,000 ）	資 本 金		80,000
投資その他の資産	（	13,705 ）	利 益 剰 余 金	（	51,794 ）
投 資 有 価 証 券	（	11,194 ）	利 益 準 備 金		1,330
〔長 期 貸 付 金〕	（	1,800 ）	繰 越 利 益 剰 余 金	（	50,464 ）
繰 延 税 金 資 産	（	747 ）	II 評価・換算差額等	（	140 ）
貸 倒 引 当 金	（ △	36 ）	その他有価証券評価差額金	（	140 ）
			純 資 産 合 計	（	131,934 ）
資 産 合 計	（	175,165 ）	負 債 及 び 純 資 産 合 計	（	175,165 ）

※短期固定資産購入支払手形は「短期営業外支払手形」などでも可。

損 益 計 算 書　　　　（単位：千円）

科　　　目	金　　　額	
Ⅰ　売　　上　　高		（　　215,418　）
Ⅱ　売　上　原　価		
期首商品棚卸高	（　　4,800　）	
当期商品仕入高	（　　92,528　）	
合　　　　計	（　　97,328　）	
期末商品棚卸高	（　　5,500　）	（　　91,828　）
売　上　総　利　益		（　　123,590　）
Ⅲ　販売費及び一般管理費		（　　52,316　）
営　業　利　益		（　　71,274　）
Ⅳ　営　業　外　収　益		
受取利息及び配当金	183	
有　価　証　券　利　息	（　　396　）	
〔為　替　差　益〕	（　　194　）	（　　773　）
Ⅴ　営　業　外　費　用		
支　払　利　息	200	
〔貸倒引当金繰入額〕	（　　78　）	（　　278　）
経　常　利　益		（　　71,769　）
Ⅵ　特　別　損　失		
〔減　損　損　失〕		（　　24,000　）
税引前当期純利益		（　　47,769　）
法人税、住民税及び事業税	（　　14,200　）	
法人税等調整額	（　　138　）	（　　14,338　）
当　期　純　利　益		（　　33,431　）

解説

（仕訳の単位：千円）

1　現金預金

勘定科目を表示科目へ振り替えます。

（借）現 金 預 金 14,892　（貸）現　　　　金 5,382
　　　　　　　　　　　　　　　当 座 預 金 9,510

（1）未取付小切手（修正不要）

（2）未渡小切手

（借）現 金 預 金 150　（貸）未 払 金 150

（3）連絡未達

（借）現 金 預 金 600　（貸）売 掛 金 600

（4）誤処理の修正

①正しい仕訳

（借）現 金 預 金 570　（貸）売 掛 金 570

②当社が行った仕訳

（借）現 金 預 金 750　（貸）売 掛 金 750

③修正仕訳（①－②）

（借）売 掛 金 180　（貸）現 金 預 金 180

＜参考＞銀行残高調整表

当座預金帳簿残高		銀行の残高確認書	
	9,510		10,380
(2)未渡小切手	＋　150	(1)未取付小切手	△　300
(3)連絡未達	＋　600		
(4)誤記入の修正	△　180		
合　計	10,080	合　計	10,080

∴ B／S 現金預金：

14,892 千円 + 150 千円 + 600 千円 − 180 千円

= 15,462 千円

2 営業債権（受取手形、売掛金）

　修正仕訳等は特に不要です。ただし、小倉社に対する債権が「貸倒懸念債権」に分類されている点に注意が必要です（貸倒引当金の設定で影響します）。

3 貸付金

(1) 相武社に対するもの

　一年基準により、貸付金を長期貸付金に振り替えます。

（借）長期貸付金　1,800　　（貸）貸　付　金　1,800

(2) ＥＳ工業に対するもの

①科目の振替え

（借）短期貸付金　3,870[01]　（貸）貸　付　金　3,870

01）@ 129 円 × 30 千ユーロ＝ 3,870 千円

（または貸付金の差額）

②為替予約の処理（振当処理）

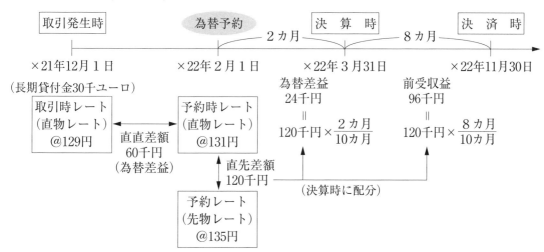

イ　直々差額の処理

（借）短期貸付金　　60　　（貸）為替差損益　　60

ロ　直先差額の処理

（借）短期貸付金　120　　（貸）前 受 収 益　120

ハ　直先差額の配分（決算時の処理）

（借）前 受 収 益　24　　（貸）為替差損益　24

∴ B／S 短期貸付金：

3,870 千円 + 60 千円 + 120 千円 = 4,050 千円

4 貸倒引当金

(1) 一般債権に対する繰入額の計算

受取手形：11,500 千円

売 掛 金：

$$\underbrace{7,770\,千円 - 600\,千円}_{相武社} + \underbrace{5,300\,千円 + 180\,千円}_{北川社}$$

= 12,650 千円

短期貸付金：4,050 千円

長期貸付金：1,800 千円

∴ 貸倒引当金繰入額：

（11,500 千円 + 12,650 千円 + 4,050 千円

+ 1,800 千円）× 0.02 − 200 千円

= 400 千円

　次に繰入額を営業債権（受取手形、売掛金）と営業外債権（短期貸付金、長期貸付金）の残高比率により按分します。

11 組織再編

12 リース会計 II

13 純資産会計 II

14 連結会計

15 キャッシュ・フロー会計

16 デリバティブ

17 帳簿組織

18 伝票会計

19 総合問題

① 営業債権の貸倒引当金繰入額

（販売費及び一般管理費）

$$400\,千円 \times \frac{11{,}500\,千円 + 12{,}650\,千円}{11{,}500\,千円 + 12{,}650\,千円 + 4{,}050\,千円 + 1{,}800\,千円}$$
$$= 322\,千円$$

(借) 貸倒引当金繰入額 （販売費及び一般管理費）	322	(貸) 貸倒引当金	322

② 営業外債権の貸倒引当金繰入額（営業外費用）

(借) 貸倒引当金繰入額 （営業外費用）	78 [02]	(貸) 貸倒引当金	78

02) 400 千円 − 322 千円 = 78 千円

(2) 貸倒懸念債権に対する繰入額の計算

(借) 貸倒引当金繰入額 （販売費及び一般管理費）	800 [03]	(貸) 貸倒引当金	800

03) (2,700 千円 − 1,100 千円) × 0.5 = 800 千円

(3) 貸倒引当金の計上額

① 流動資産計上分

受取手形、売掛金（貸倒懸念債権を含む）、短期貸付金に対するものを流動資産に計上します。

$$\underbrace{(11{,}500\,千円}_{受取手形} + \underbrace{12{,}650\,千円}_{売掛金（一般）} + \underbrace{4{,}050\,千円)}_{短期貸付金}$$
$$\times\,0.02 + \underbrace{(2{,}700\,千円 - 1{,}100\,千円)}_{売掛金（懸念）} \times 0.5$$
$$= 1{,}364\,千円$$

② 投資その他の資産計上分

1,800 千円 × 0.02 = 36 千円

5 有価証券

勘定科目から表示科目へ振り替えます（すべて投資有価証券に該当）。

(借) 投資有価証券	10,516	(貸) 有 価 証 券	10,516

(1) A社社債（外貨建満期保有目的の債券）

① 外貨による換算等

イ 外貨建償却額：

$$(50{,}000\,ユーロ - 47{,}000\,ユーロ) \times \frac{9\,カ月}{36\,カ月}$$
$$= 750\,ユーロ$$

ロ 円貨建償却額（有価証券利息）：

750 ユーロ × @ 132 円 = 99 千円

(借) 投資有価証券	99	(貸) 有価証券利息	99
(借) 投資有価証券	379	(貸) 為替差損益	379

∴ P / L 為替差損益：

$$\underbrace{\triangle\,269\,千円}_{} + \underbrace{60\,千円}_{3(2)②イ} + \underbrace{24\,千円}_{3(2)②ハ} + \underbrace{379\,千円}_{5(1)}$$
$$= 194\,千円\quad（為替差益）$$

② 未収収益の計上

(借) 未 収 収 益	102	(貸) 有価証券利息	102 [04]

04) 50,000 ユーロ × 0.06 × $\dfrac{3\,カ月}{12\,カ月}$ × @ 136 円
= 102 千円

∴ P / L 有価証券利息：

$$\underbrace{195\,千円}_{前T/B} + \underbrace{99\,千円}_{(1)①} + \underbrace{102\,千円}_{(1)②} = 396\,千円$$

(2) K社株式

市場価格なしのため、原価法により評価します。

(3) B社株式

時価評価を行い、全部純資産直入法（税効果会計を適用）で処理します。なお、実効税率は【資料2】11 に記載してあるので、さきに問題文を最後まで確認しましょう。

(借) 投資有価証券	200 [05]	(貸) 繰延税金負債	60 [06]
		その他有価証券評価差額金	140 [07]

05) 1,600 千円 − 1,400 千円 = 200 千円（評価益）
06) 200 千円 × 0.3 = 60 千円
07) 200 千円 − 60 千円 = 140 千円

∴ B / S 投資有価証券：

$$\underbrace{6{,}494\,千円}_{A社社債} + \underbrace{3{,}100\,千円}_{K社株式} + \underbrace{1{,}600\,千円}_{B社株式}$$
$$= 11{,}194\,千円$$

6 売上原価

(1) 期首商品棚卸高

(借) 売 上 原 価	4,800	(貸) 商　　品	4,800

(2) 当期商品仕入高

(借) 売 上 原 価	92,528	(貸) 商品仕入高	92,528

(3) 期末商品棚卸高

仕入の計上基準として検収基準を採用しているため、検収前の商品は帳簿上、棚卸資産には含まれません。よって、実地棚卸の方が誤りで、

帳簿棚卸の方が正しいことになります（不要な資料に惑わされないよう、注意しましょう）。

（借）商　　　　品　5,500　　（貸）売 上 原 価　5,500

7　有形固定資産

答案用紙より、減価償却累計額の表示は一括間接控除方式である点に注意します。

（借）建物減価償却累計額　16,500　　（貸）減価償却累計額　17,625
　　　器具備品減価償却累計額　1,125

(1)　器具備品

（借）減 価 償 却 費　900[08]　　（貸）減価償却累計額　900
　　（販売費及び一般管理費）

08）5,000 千円 × 0.9 × 0.200 ＝ 900 千円

(2)　車両
①支払手形の振替え

車両の購入のために振り出した手形は固定資産購入支払手形（営業外支払手形）として処理すべきなので、修正します。なお、決済日が翌期中に到来するため、流動負債に計上します。

（借）支 払 手 形　10,000　　（貸）短期固定資産購入支払手形[09]　10,000

09）短期営業外支払手形でも可

②減価償却費の計算

（借）減 価 償 却 費　615[10]　　（貸）減価償却累計額　615
　　（販売費及び一般管理費）

10）$10,000 千円 × 0.369 × \dfrac{2 カ月}{12 カ月} ＝ 615 千円$

(3)　土地

問題文の指示により、減損損失を計上します。なお、表示については特に指示がないため、有形固定資産から直接控除する方法によります。

（借）減 損 損 失　24,000　　（貸）土　　　地　24,000

8　退職給付

期中に支払った退職一時金は退職給付引当金の減額として処理すべきなので、修正します。
①正しい仕訳

（借）退職給付引当金　1,455　　（貸）現 金 預 金　1,455

②当社が行った仕訳

（借）退 職 給 付 費 用　1,455　　（貸）現 金 預 金　1,455
　　（販売費及び一般管理費）

③修正仕訳（①－②）

（借）退職給付引当金　1,455　　（貸）退 職 給 付 費 用　1,455
　　　　　　　　　　　　　　　　　（販売費及び一般管理費）

9　賞与引当金
(1)　当期の処理の修正

当期の賞与支払に備えて前期末に計上した引当金は支払時に取り崩すべきなので、修正します。

（借）賞 与 引 当 金　280[11]　　（貸）賞 与 手 当　280
　　　　　　　　　　　　　　　　　（販売費及び一般管理費）

11）前 T / B より

(2)　賞与引当金の計上（当期負担分は 5 カ月分）

（借）賞与引当金繰入額　300[12]　　（貸）賞 与 引 当 金　300
　　（販売費及び一般管理費）

12）$360 千円 × \dfrac{5 カ月}{6 カ月} ＝ 300 千円$

10　法人税等

確定年税額と仮払法人税等との差額を未払法人税等に計上します。

（借）法 人 税 等　14,200[13]　　（貸）仮払法人税等　7,350[14]
　　　　　　　　　　　　　　　　　　　未払法人税等　6,850

13）11,500 千円 ＋ 2,700 千円 ＝ 14,200 千円
14）5,970 千円 ＋ 1,290 千円 ＋ 90 千円
　　＝ 7,350 千円（または前 T / B より）

11　税効果会計

（借）法人税等調整額　138　　（貸）繰延税金資産　138[15]

15）（2,690 千円 － 3,150 千円）× 0.3 ＝ △ 138 千円
B / S 繰延税金資産：
　2,690 千円 × 0.3 － 60 千円 ＝ 747 千円
　　　　　　　　　　　　繰延税金負債

最後に、P / L で計算された当期純利益を、B / S 繰越利益剰余金に振り替えます。

（借）当 期 純 利 益　33,431　　（貸）繰越利益剰余金　33,431

11 組織再編
12 リース会計Ⅱ
13 純資産会計Ⅱ
14 連結会計
15 キャッシュ・フロー会計
16 デリバティブ
17 帳簿組織
18 伝票会計
19 総合問題

＜参考＞販売費及び一般管理費の計算

（単位：千円）

	摘　　　要	金　額
前 T／B		51,114
4	貸 倒 引 当 金 繰 入 額	322
	貸 倒 引 当 金 繰 入 額	800
7	減価償却費（器具備品）	900
	減価償却費（車　　　両）	615
8	退 職 給 付 費 用　△	1,455
9	賞　　与　　手　　当　△	280
	賞 与 引 当 金 繰 入 額	300
	合　　　　　　　計	52,316

問題2

解答

11 組織再編

12 リース会計Ⅱ

13 純資産会計Ⅱ

14 連結会計

15 キャッシュ・フロー会計

16 デリバティブ

17 帳簿組織

18 伝票会計

19 総合問題

ＮＳ商事株式会社（第10期）の貸借対照表および損益計算書

貸　借　対　照　表

（単位：千円）

資　産　の　部		負　債　の　部	
科　　　目	金　　額	科　　　目	金　　額
Ⅰ　流　動　資　産	（　659,150　）	Ⅰ　流　動　負　債	（　556,578　）
現　金　預　金	（　118,943　）	支　払　手　形	58,230
受　取　手　形	（　105,000　）	買　　掛　　金	（　234,567　）
売　　掛　　金	（　375,000　）	短　期　借　入　金	（　72,700　）
有　価　証　券	（　14,400　）	〔一年内償還社債〕	（　100,000　）
商　　　　品	（　48,200　）	未　払　法　人　税　等	（　13,455　）
貯　　蔵　　品	（　5,122　）	未　払　消　費　税　等	（　50,230　）
前　　渡　　金	1,600	預　　り　　金	（　2,196　）
未　収　収　益	485	未　払　費　用	（　1,200　）
貸　倒　引　当　金	（　△　9,600　）	賞　与　引　当　金	（　24,000　）
Ⅱ　固　定　資　産	（　1,560,105　）	Ⅱ　固　定　負　債	（　408,000　）
1　有形固定資産	（　1,104,000　）	社　　　　債	200,000
建　　　　物	（　716,500　）	〔長　期　借　入　金〕	（　90,000　）
備　　　　品	（　80,000　）	退　職　給　付　引　当　金	117,000
減価償却累計額	（　△　192,500　）	長　期　預　り　保　証　金	（　1,000　）
土　　　　地	（　500,000　）	負　債　合　計	（　964,578　）
2　無形固定資産	（　10,600　）	純　資　産　の　部	
〔ソフトウェア〕	（　10,600　）	Ⅰ　株　主　資　本	（　1,253,872　）
3　投資その他の資産	（　445,505　）	1　資　　本　　金	（　1,000,000　）
〔投資有価証券〕	（　89,950　）	2　資　本　剰　余　金	（　121,300　）
〔関係会社株式〕	（　230,000　）	資　本　準　備　金	（　120,000　）
長　期　性　預　金	（　82,000　）	その他資本剰余金	（　1,300　）
破　産　更　生　債　権　等	（　3,000　）	3　利　益　剰　余　金	（　132,572　）
繰　延　税　金　資　産	（　42,555　）	利　益　準　備　金	45,000
貸　倒　引　当　金	（　△　2,000　）	繰　越　利　益　剰　余　金	（　87,572　）
		Ⅱ　評価・換算差額等	（　805　）
		その他有価証券評価差額金	（　805　）
		純　資　産　合　計	（　1,254,677　）
資　産　合　計	（　2,219,255　）	負債及び純資産合計	2,219,255

損 益 計 算 書　　　（単位：千円）

科　　　　　目	金　　額	
Ⅰ　売　上　高		（　　4,044,000　）
Ⅱ　売　上　原　価		（　　2,200,000　）
売　上　総　利　益		（　　1,844,000　）
Ⅲ　販売費及び一般管理費		（　　1,720,000　）
営　業　利　益		（　　　124,000　）
Ⅳ　営　業　外　収　益		
受取利息配当金	（　　3,855　）	
雑　　収　　入	3,810	（　　　7,665　）
Ⅴ　営　業　外　費　用		
支　払　利　息	（　　8,950　）	
社　債　利　息	（　　12,000　）	
有価証券評価損	（　　500　）	
〔株　式　交　付　費〕	（　　2,400　）	
雑　　損　　失	6,415	（　　30,265　）
経　常　利　益		（　　101,400　）
Ⅵ　特　別　利　益		
投資有価証券売却益		6,300
Ⅶ　特　別　損　失		
〔貸倒引当金繰入額〕		（　　2,000　）
税引前当期純利益		（　　105,700　）
法人税、住民税及び事業税	（　　34,275　）	
法人税等調整額	（　△　1,275　）	（　　33,000　）
当　期　純　利　益		（　　72,700　）

貸借対照表等に関する注記事項

1　長期性預金の全額を当座借越契約の担保に供している。
2　ＵＡ社から同社の商標権の侵害を理由として、損害賠償請求額33,000千円の損害賠償請求を受けているが、現在係争中である。

損益計算書に関する注記事項

1　関係会社との営業取引高（売上高）が544,000千円ある。

11 組織再編

12 リース会計Ⅱ

13 純資産会計Ⅱ

14 連結会計

15 キャッシュ・フロー会計

16 デリバティブ

17 帳簿組織

18 伝票会計

19 総合問題

解説

（仕訳の単位：千円）

1 現金預金に関する事項

勘定科目を表示科目へ振り替えます。

（借）現 金 預 金 198,438 （貸）現 金 8,888
当 座 預 金 69,550
定 期 預 金 120,000

(1) ①新幹線回数券の期末未使用分（貯蔵品に該当）

（借）貯 蔵 品 122 （貸）旅費交通費 122
（販売費及び一般管理費）

②未渡小切手の修正

（借）現 金 預 金 255 （貸）買 掛 金 255

(2) ①未取付小切手（修正不要）

②誤記入の修正（売掛金の振込入金額）

（借）売 掛 金 450 （貸）現 金 預 金 450 [01]

01）5,830 千円 − 5,380 千円 = 450 千円

(3) 当座借越高は、B／S表示上『**短期借入金**』とします。

（借）現 金 預 金 2,700 （貸）短期借入金 2,700

(4) 定期預金のうち翌々期首（×23年4月1日）以後に満期日が到来するものは、『**長期性預金**』として処理します。なお、担保提供資産につきB／S等に関する注記が必要です。

（借）長期性預金 82,000 （貸）現 金 預 金 82,000

∴B／S現金預金：

198,438 千円 + 255 千円 − 450 千円 + 2,700 千円 − 82,000 千円 = 118,943 千円

2 営業債権に関する事項

(1) ①売掛債権の過大記帳の修正

（借）売 上 高 670 （貸）売 掛 金 670

②得意先の検収未了による差異（修正不要）

(2) 得意先ＰＡ物産（株）は銀行取引停止処分を受けていることから、同社に対する債権は破産更生債権等（長期性）に該当します。

（借）破産更生債権等 3,000 （貸）受 取 手 形 2,300
（投資その他の資産）
売 掛 金 700

なお、預り金のうち営業保証金（長期性）は『**長期預り保証金**』に振り替えます。

（借）預 り 金 1,000 （貸）長期預り保証金 1,000

3 貸倒引当金に関する事項

(1) 一般債権

①各期末残高

受取手形：

$$\underset{\text{前T/B}}{107,300\ \text{千円}} - \underset{\text{2 (2)}}{2,300\ \text{千円}} = 105,000\ \text{千円}$$

売掛金：

$$\underset{\text{前T/B}}{375,920\ \text{千円}} + \underset{\text{1 (2)}}{450\ \text{千円}} - \underset{\text{2 (1)}}{670\ \text{千円}}$$
$$- \underset{\text{2 (2)}}{700\ \text{千円}} = 375,000\ \text{千円}$$

②貸倒引当金繰入額の計算

$$(105,000\ \text{千円} + 375,000\ \text{千円}) \times 0.02$$
$$- \underset{\text{前T/B貸引}}{1,900\ \text{千円}} = 7,700\ \text{千円}$$

（借）貸倒引当金繰入額 7,700 （貸）貸倒引当金 7,700
（販売費及び一般管理費）

(2) 破産更生債権等

問題文の指示より、貸倒引当金繰入額は特別損失に表示します。

（借）貸倒引当金繰入額 2,000 [02] （貸）貸倒引当金 2,000
（特別損失）

02）3,000 千円 − 1,000 千円 = 2,000 千円
（預り保証金）

4 有価証券に関する事項

(1) ＡＡ社株式（売買目的有価証券）
⇒ 時価評価

（借）有価証券評価損 500 [03] （貸）有 価 証 券 500

03）14,400 千円 − 14,900 千円 = △500 千円（評価損）

(2) ＢＡ社株式（関連会社株式）⇒ 原価評価

株式の35％を保有していることから関連会社に該当します。B／S表示上は『**関係会社株式**』とします。

（借）関係会社株式 230,000 （貸）有 価 証 券 230,000

(3) ＣＡ社株式（その他有価証券）
⇒ 時価評価＋税効果

①科目の振替え（B／S表示上は『**投資有価証券**』とします）

（借）投資有価証券 89,600 （貸）有 価 証 券 89,600

②配当金の処理の修正

その他有価証券において「その他資本剰余金」を財源とする配当を受けた場合には、受取配当金（収益）とはせず、投資有価証券の減額として処理します。

また、受取利息配当金は、源泉所得税を含めた総額で処理し、源泉所得税は『仮払法人税等』（本問では前Ｔ／Ｂ科目より『法人税等』）で処理します。

イ　正しい仕訳

| （借）法人税等 | 520 | （貸）受取利息配当金 | 1,800 (04) |
| 現金預金 | 2,080 (06) | 投資有価証券 | 800 (05) |

04）その他利益剰余金を配当財源としている金額
05）その他資本剰余金を配当財源としている金額
06）貸借差額

ロ　当社が行った仕訳

| （借）現金預金 | 2,080 | （貸）受取利息配当金 | 2,080 |

ハ　修正仕訳（イ－ロ）

| （借）法人税等 | 520 | （貸）投資有価証券 | 800 |
| 受取利息配当金 | 280 | | |

（注）修正仕訳を「源泉所得税の修正」と「投資有価証券の修正」に分けて考えると、以下の修正仕訳となります（受取利息配当金を相殺すると上記と同じになります）。

| （借）法人税等 | 520 | （貸）受取利息配当金 | 520 |
| （借）受取利息配当金 | 800 | （貸）投資有価証券 | 800 |

③時価評価

②で投資有価証券の帳簿価額が修正されている点に注意して、時価評価を行います。

| （借）投資有価証券 | 1,150 (07) | （貸）繰延税金負債 | 345 (08) |
| | | その他有価証券評価差額金 | 805 (09) |

07）89,950千円－（89,600千円－800千円（上記②））＝1,150千円（評価益）
08）1,150千円×30％＝345千円
09）1,150千円－345千円＝805千円

（4）自己株式（以下「12 増資に関する事項」を参照）

| （借）自己株式 | 24,800 | （貸）有価証券 | 24,800 |

5　棚卸資産に関する事項
（1）商品の売上原価の算定

①期首商品棚卸高

| （借）売上原価 | 58,000 | （貸）商品 | 58,000 |

②当期商品仕入高

| （借）売上原価 | 2,192,700 | （貸）商品仕入高 | 2,192,700 |

③見本費振替高

帳簿棚卸高と実地棚卸高の差額のうち2,500千円を見本費に振り替えます。

| （借）見本費 | 2,500 | （貸）売上原価 | 2,500 |
| （販売費及び一般管理費） | | | |

④期末商品棚卸高

見本費を除いた帳簿棚卸高50,000千円が、期末商品棚卸高となります。

| （借）商品 | 50,000 | （貸）売上原価 | 50,000 (10) |

10）52,500千円－2,500千円＝50,000千円

⑤棚卸減耗

| （借）棚卸減耗損 | 1,800 (11) | （貸）商品 | 1,800 |
| （売上原価） | | | |

11）4,300千円－2,500千円＝1,800千円（差異から見本費を除いた残額）

∴Ｂ／Ｓ商品：
50,000千円－1,800千円＝48,200千円

<参考>売上原価の内訳

Ⅱ　売上原価		
期首商品棚卸高	58,000	
当期商品仕入高	2,192,700	
合計	2,250,700	
見本費振替高	2,500	
期末商品棚卸高	50,000	
差引	2,198,200	
棚卸減耗損	1,800	2,200,000

（2）貯蔵品の処理

①期首分の振替え

| （借）消耗品費 | 4,615 | （貸）貯蔵品 | 4,615 |
| （販売費及び一般管理費） | | | |

②期末未使用分の振替え

| （借）貯蔵品 | 5,000 | （貸）消耗品費 | 5,000 |
| | | （販売費及び一般管理費） | |

∴Ｂ／Ｓ貯蔵品：5,000千円＋122千円＝5,122千円
　　　　　　　　　　　　1 (1)

6　有形固定資産に関する事項
（1）土地取得原価の修正

更地を取得することを目的としているので、建物代金および取壊費用は、土地の取得原価に含めます。

(借)土　　　　地 1,400　　(貸)建　　　　物 320
　　　　　　　　　　　　　　仮 払 金 1,080

(2) 建設仮勘定の振替え

建設仮勘定を『建物』(商品倉庫)に振り替えます。なお、使用開始は翌期を予定しているため、当期の減価償却費は計上しません。

(借)建　　　　物 16,500　　(貸)建設仮勘定 16,500

∴B／S建物：

$$\underbrace{700,320 \text{千円}}_{\text{前T／B}} - \underbrace{320 \text{千円}}_{6(1)} + \underbrace{16,500 \text{千円}}_{6(2)}$$
　＝ 716,500 千円

(3) 減価償却

①建物

(借)減価償却費 31,500[12]　(貸)減価償却累計額 31,500
　(販売費及び一般管理費)

12) (700,320 千円 − 320 千円) × 0.9 × 0.050
　　＝ 31,500 千円

②備品

(借)減価償却費 15,000[13]　(貸)減価償却累計額 15,000
　(販売費及び一般管理費)

13) (80,000 千円 − 20,000 千円) × 0.250
　　＝ 15,000 千円

7 無形固定資産に関する事項

(1) ソフトウェアの計上

ソフトウェア代と修正作業費用がソフトウェアとして無形固定資産に計上されます。

(借)ソフトウェア 12,000[14]　(貸)仮 払 金 12,315
　　ソフトウェア導入費 315
　　(販売費及び一般管理費)

14) 8,760 千円 ＋ 3,240 千円 ＝ 12,000 千円

(2) 減価償却

(借)ソフトウェア償却 1,400[15]　(貸)ソフトウェア 1,400
　　(販売費及び一般管理費)

15) $12,000 \text{千円} \div 5 \text{年} \times \dfrac{7 \text{カ月}}{12 \text{カ月}} = 1,400$ 千円

8 借入金に関する事項

(1) 丙銀行からの借入金

①科目の振替え

翌期中に返済日が到来するので、『短期借入金』で処理します。

(借)借 入 金 30,000　　(貸)短期借入金 30,000

②利息の見越計上

(借)支 払 利 息 1,200[16]　(貸)未 払 費 用 1,200

16) $30,000 \text{千円} \times 0.060 \times \dfrac{8 \text{カ月}}{12 \text{カ月}} = 1,200$ 千円

(2) 丁銀行からの借入金

残りの返済回数：

$$\dfrac{39 \text{カ月 (} \times 22 \text{年4月1日} \sim \times 25 \text{年6月30日)}}{3 \text{カ月}}$$
　＝ 13 回

1 回あたりの返済額：

130,000 千円 ÷ 13 回 ＝ 10,000 千円

よって、翌期中に返済日が到来する 4 回分については『短期借入金』とし、それ以外は『長期借入金』で処理します。

(借)借 入 金 130,000　　(貸)短期借入金 40,000
　　　　　　　　　　　　　　長期借入金 90,000

∴B／S短期借入金：

$$\underbrace{2,700 \text{千円}}_{1(3)\text{当座借越}} + 30,000 \text{千円} + 40,000 \text{千円}$$
　＝ 72,700 千円

9 社債に関する事項

社債のうち、翌期中に償還期限が到来する第9期普通社債は『一年内償還社債』で処理します。

(借)社　　　　債 100,000　　(貸)一年内償還社債 100,000

10 退職給付引当金に関する事項

(1) 退職給付費用の算定

勤務費用：9,890 千円

利息費用：155,000 千円 × 0.03 ＝ 4,650 千円

期待運用収益：40,000 千円 × 0.026 ＝ 1,040 千円

以上より退職給付費用：

9,890 千円 ＋ 4,650 千円 − 1,040 千円
　＝ 13,500 千円

(借)退職給付費用 13,500　　(貸)退職給付引当金 13,500
　　(販売費及び一般管理費)

(2) 期中支払の処理の修正

(借)退職給付引当金 11,500[17]　(貸)仮 払 金 11,500

17) 5,150 千円 ＋ 6,350 千円 ＝ 11,500 千円

11 組織再編
12 リース会計Ⅱ
13 純資産会計Ⅱ
14 連結会計
15 キャッシュ・フロー会計
16 デリバティブ
17 帳簿組織
18 伝票会計
19 総合問題

11 従業員賞与に関する事項

(借)賞与引当金繰入額 24,000 [18]　(貸)賞与引当金 24,000
　　（販売費及び一般管理費）

18) $36,000 千円 \times \dfrac{4 カ月}{6 カ月} = 24,000 千円$

12 増資に関する事項

(1) 増資の処理

新株式と自己株式の株数で按分して、新株に対する払込金額および自己株式の処分対価を求めます。

新株に対する払込金額：

$125,000 千円 \times \dfrac{800 株}{1,000 株} = 100,000 千円$

自己株式の処分対価：

$125,000 千円 \times \dfrac{200 株}{1,000 株} = 25,000 千円$

その他資本剰余金（自己株式処分差損益）：

$25,000 千円 - 24,800 千円 = 200 千円（処分差益）$

(借)仮 受 金 125,000　(貸)資 本 金 50,000 [19]
　　　　　　　　　　　　　　資本準備金 50,000 [19]
　　　　　　　　　　　　　　自 己 株 式 24,800
　　　　　　　　　　　　　　その他資本剰余金 200

19) $100,000 千円 \times \dfrac{1}{2} = 50,000 千円$

(2) 株式交付費の処理

株式交付費は、原則費用処理となります。問題文に特に指示がないため、繰延資産としない点に注意が必要です。

(借)株式交付費 2,400　(貸)仮 払 金 2,400
　　（営業外費用）

13 諸税金に関する事項

(1) 法人税等の処理

確定年税額 34,275 千円と中間納付額および源泉徴収税額との差額を求め、未払法人税等を計上します。

(借)法 人 税 等 13,455　(貸)未払法人税等 13,455 [20]

20) $34,275 千円 - (\underset{前T/B}{20,300 千円} + \underset{4(3)}{520 千円})$
　　　$= 13,455 千円$

(2) 消費税等の処理

(借)仮受消費税 402,500　(貸)仮払消費税 352,270
　　　　　　　　　　　　　　未払消費税等 50,230

14 税効果会計に関する事項

(借)繰延税金資産 1,275 [21]　(貸)法人税等調整額 1,275

21) $(143,000 千円 - 138,750 千円) \times 0.3$
　　　$= 1,275 千円$

B/S繰延税金資産：

$143,000 千円 \times 0.3 - \underset{4(3)繰延税金負債}{345 千円} = 42,555 千円$

15 その他の事項

(1) 係争事項

現在係争中の事項につき、内容および損害賠償金額の注記が必要です。

(2) 関係会社との取引

ＢＡ社は「4 有価証券に関する事項 (2)」より関係会社に該当するため、ＢＡ社との取引につき内容および金額の注記が必要です。

最後に、P/Lで計算された当期純利益を、B/S繰越利益剰余金に振り替えます。

(借)当期純利益 72,700　(貸)繰越利益剰余金 72,700

＜参考＞販売費及び一般管理費の計算

（単位：千円）

	摘　　　要	金　　額
前T／B		1,624,592
1（1）	旅　費　交　通　費	△　　　122
3（1）	貸倒引当金繰入額	7,700
5（1）	見　　本　　費	2,500
5（2）	消　耗　品　費	4,615
	消　耗　品　費	△　5,000
6（3）	減価償却費（建物）	31,500
	減価償却費（備品）	15,000
7	ソフトウェア導入費	315
	ソフトウェア償却	1,400
10（1）	退　職　給　付　費　用	13,500
11	賞与引当金繰入額	24,000
	合　　　計	1,720,000

11 組織再編

12 リース会計Ⅱ

13 純資産会計Ⅱ

14 連結会計

15 キャッシュ・フロー会計

16 デリバティブ

17 帳簿組織

18 伝票会計

19 総合問題

········ *Memorandum Sheet* ········

········ *Memorandum Sheet* ········

税理士試験教材のラインナップ

● 税理士試験に合格するためのメイン教材

税理士試験教科書・問題集・理論集

ネットスクール税理士WEB講座の講師陣が自ら「確実に合格できる教材づくり」をコンセプトに執筆・監修した教材です。

税理士試験の合格に必要な内容を効率よく、かつ、挫折しないように工夫した『教科書』、計算力を身に付ける『問題集』、理論問題対策の『理論集』から構成されており、どの科目の教材も、豊富な図解と受験生がつまずきやすいポイントを押さえた、ネットスクール税理士WEB講座でも使用している教材です。

簿記論・財務諸表論の教材

税理士試験教科書	簿記論・財務諸表論I	基礎導入編【2025年度版】	3,630円（税込）	好評発売中
税理士試験問題集	簿記論・財務諸表論I	基礎導入編【2025年度版】	3,300円（税込）	好評発売中
税理士試験教科書	簿記論・財務諸表論II	基礎完成編【2025年度版】	3,630円（税込）	好評発売中
税理士試験問題集	簿記論・財務諸表論II	基礎完成編【2025年度版】	3,300円（税込）	好評発売中
税理士試験教科書	簿記論・財務諸表論III	応用編【2025年度版】	3,630円（税込）	好評発売中
税理士試験問題集	簿記論・財務諸表論III	応用編【2025年度版】	3,300円（税込）	好評発売中
税理士試験教科書	財務諸表論	理論編【2025年度版】	2024年12月発売	

☆簿記論・財務諸表論の方はこちらもオススメ！☆

穂坂式 つながる会計理論

税理士 財務諸表論 穂坂式 つながる会計理論【第2版】	2,640円（税込）	好評発売中

過去問ヨコ解き問題集

税理士試験過去問ヨコ解き問題集 簿記論【第4版】	3,850円（税込）	好評発売中
税理士試験過去問ヨコ解き問題集 財務諸表論【第6版】	3,850円（税込）	好評発売中

● 試験前の総仕上げには必須のアイテム！

ラストスパート模試　毎年5～6月ごろ発売予定

試験直前期は、出題予想に基づいた『ラストスパート模試』で総仕上げ！
全3回分の本試験さながらの模擬試験を収載。
分かりやすい解説とともに直前期の得点力UPをサポートします。

※ 画像や内容は2024年度版をベースにしたものです。変更となる場合もございます。

● 税理士試験の学習を本格的に始める前に…

知識ゼロでも大丈夫！ 税理士試験のための簿記入門
税理士試験向けの独自の内容で簿記の基本が学習できる1冊です。
本書を読むことで、税理士試験の簿記論に直結した基礎学習が可能なので、簿記の学習経験が無い方や基礎が不安な方にオススメです。
2,640円（税込）好評発売中！

法人税法の教材

税理士試験教科書・問題集　法人税法Ⅰ　基礎導入編【2025年度版】	3,300円（税込）	好評発売中
税理士試験教科書　法人税法Ⅱ　基礎完成編【2025年度版】	3,630円（税込）	好評発売中
税理士試験問題集　法人税法Ⅱ　基礎完成編【2025年度版】	3,300円（税込）	好評発売中
税理士試験教科書　法人税法Ⅲ　応用編【2025年度版】	2024年12月発売	
税理士試験問題集　法人税法Ⅲ　応用編【2025年度版】	2024年12月発売	
税理士試験理論集　法人税法【2025年度版】	2,420円（税込）	好評発売中

相続税法の教材

税理士試験教科書・問題集　相続税法Ⅰ　基礎導入編【2025年度版】	3,300円（税込）	好評発売中
税理士試験教科書　相続税法Ⅱ　基礎完成編【2025年度版】	3,630円（税込）	好評発売中
税理士試験問題集　相続税法Ⅱ　基礎完成編【2025年度版】	3,300円（税込）	好評発売中
税理士試験教科書　相続税法Ⅲ　応用編【2025年度版】	2024年12月発売	
税理士試験問題集　相続税法Ⅲ　応用編【2025年度版】	2024年12月発売	
税理士試験理論集　相続税法【2025年度版】	2,420円（税込）	好評発売中

消費税法の教材

税理士試験教科書・問題集　消費税法Ⅰ　基礎導入編【2025年度版】	3,300円（税込）	好評発売中
税理士試験教科書　消費税法Ⅱ　基礎完成編【2025年度版】	3,630円（税込）	好評発売中
税理士試験問題集　消費税法Ⅱ　基礎完成編【2025年度版】	3,300円（税込）	好評発売中
税理士試験教科書　消費税法Ⅲ　応用編【2025年度版】	2024年12月発売	
税理士試験問題集　消費税法Ⅲ　応用編【2025年度版】	2024年12月発売	
税理士試験理論集　消費税法【2025年度版】	2,420円（税込）	好評発売中

国税徴収法の教材

税理士試験教科書　国税徴収法【2025年度版】	4,620円（税込）	好評発売中
税理士試験理論集　国税徴収法【2025年度版】	2,420円（税込）	好評発売中

書籍のお求めは全国の書店・インターネット書店、またはネットスクールWEB-SHOPをご利用ください。

ネットスクール WEB-SHOP

https://www.net-school.jp/

ネットスクール WEB-SHOP　検索

※ 書名・価格・発行年月は変更する場合もございますので、予めご了承ください。（2024年11月現在）

本書の発行後に公表された法令等及び試験制度の改正情報、並びに判明した誤りに関する訂正情報については、弊社WEBサイト内の『読者の方へ』にてご案内しておりますので、ご確認下さい。

https://www.net-school.co.jp/

なお、万が一、誤りではないかと思われる箇所のうち、弊社WEBサイトにて掲載がないものにつきましては、**書名（ISBNコード）と誤りと思われる内容**のほか、お客様の**お名前及び郵送の場合はご返送先の郵便番号とご住所**を明記の上、弊社まで**郵送またはe-mail**にてお問い合わせ下さい。

<郵送先>　〒101-0054
　　　　　　東京都千代田区神田錦町3-23 神田錦町安田ビル3階
　　　　　　ネットスクール株式会社　正誤問い合わせ係
<e-mail>　seisaku@net-school.co.jp

※正誤に関するもの以外のご質問、本書に関係のないご質問にはお答えできません。
※**お電話によるお問い合わせはお受けできません。**ご了承下さい。

税理士試験　問題集

簿記論・財務諸表論Ⅲ　応用編　【2025年度版】

2024年11月14日　初版　第1刷

著　　　　　者	ネットスクール株式会社	
発　行　者	桑原知之	
発　行　所	ネットスクール株式会社　出版本部	
	〒101-0054　東京都千代田区神田錦町3-23	
	電　話　03（6823）6458（営業）	
	FAX　03（3294）9595	
	https://www.net-school.co.jp	
執 筆 総 指 揮	熊取谷貴志	
表紙デザイン	株式会社オセロ	
編　　　　集	吉川史織　安倍淳	
DTP制作	中嶋典子　石川祐子　吉永絢子	
	有限会社ドアーズ本舎　長谷川正晴	
印 刷 ・ 製 本	日経印刷株式会社	

©Net-School 2024　Printed in Japan　ISBN 978-4-7810-3824-7

落丁・乱丁本はお取り替えいたします。

〈別冊〉答案用紙

ご利用方法

以下の答案用紙は、この紙を残したまま
ていねいに抜き取りご利用ください。
なお、抜取りのさいの損傷によるお取替
えはご遠慮願います。

解き直しのさいには…
答案用紙ダウンロードサービス

ネットスクール HP（https://www.net-school.co.jp/）➡ 読者の方へ
をクリック

Chapter 1　特殊商品売買

➡問題 P.1-2　　➡解答・解説 P.1-1

問題 1　割賦販売 1　簿B（5分）　　基本

損　益　計　算　書　　　　（単位：千円）

科　　目	金　　額	
I　売　上　高		
1　一　般　売　上　高	（　　　　　）	
2　割　賦　売　上　高	（　　　　　）	（　　　　　　　）
II　売　上　原　価		
1　期首商品棚卸高	（　　　　　）	
2　当期商品仕入高	（　　　　　）	
合　　計	（　　　　　）	
3　期末商品棚卸高	（　　　　　）	（　　　　　　　）
売　上　総　利　益		（　　　　　　　）

➡問題 P.1-3　　➡解答・解説 P.1-2

問題 2　割賦販売 2　簿B（8分）　　基本

(1)　定額法によった場合　　　　　　　　　　（単位：千円）

	×2年3月期	×3年3月期	×4年3月期
割　賦　売　上			
売　上　原　価			
受　取　利　息			
割　賦　売　掛　金			0

(2)　利息法によった場合　　　　　　　　　　（単位：千円）

	×2年3月期	×3年3月期	×4年3月期
割　賦　売　上			
売　上　原　価			
受　取　利　息			
割　賦　売　掛　金			0

問 題 3　割賦販売 3　簿B（8分）

(1) 定額法によった場合　　　　　　　　　　　　　　　　（単位：千円）

	×2年3月期	×3年3月期	×4年3月期
割 賦 売 上			
売 上 原 価			
受 取 利 息			
割 賦 売 掛 金			0
利 息 調 整 勘 定			0

(2) 利息法によった場合　　　　　　　　　　　　　　　　（単位：千円）

	×2年3月期	×3年3月期	×4年3月期
割 賦 売 上			
売 上 原 価			
受 取 利 息			
割 賦 売 掛 金			0
利 息 調 整 勘 定			0

問題 4　**割賦販売4**　簿 B （10分）　　　　　　　　応用

損 益 計 算 書　　　　（単位：円）

Ⅰ 売　　上　　高

  1　一 般 売 上 高　（　　　　　）

  2　割 賦 売 上 高　（　　　　　）　（　　　　　　）

Ⅱ 売　上　原　価

  1　期首商品棚卸高　（　　　　　）

  2　当期商品仕入高　（　　　　　）

    合　　　　計　（　　　　　）

  3　期末商品棚卸高　（　　　　　）　（　　　　　　）

    売 上 総 利 益　　　　　　　　　（　　　　　　）

Ⅲ　販売費及び一般管理費

  1　戻 り 商 品 損 失　（　　　　　）

  2　貸倒引当金繰入　（　　　　　）　（　　　　　　）

    営 業 利 益　　　　　　　　　　（　　　　　　）

Ⅳ 営 業 外 収 益

  1　受 取 利 息　　　　　　　　　　（　　　　　　）

    経 常 利 益　　　　　　　　　　（　　　　　　）

問 題 5　**試用販売 1**　簿B（5分）　基本

1 特殊商品売買

2 退職給付会計Ⅱ

3 資産除去債務

4 収益認識

5 本支店会計

6 商的工業簿記

7 本社工場会計

8 建設業会計

9 無形固定資産Ⅱ

10 過年度遡及会計

損 益 計 算 書　　　　　　（単位：千円）

Ⅰ　売 上 高

　1　一 般 売 上 高　　　　　　　　（　　　　　）

　2　試 用 品 売 上 高　　　　　　（　　　　　）　（　　　　　）

Ⅱ　売 上 原 価

　1　期首商品棚卸高　　　　　　　（　　　　　）

　2　当期商品仕入高　　　　　　　（　　　　　）

　　　　合　　　計　　　　　　　　（　　　　　）

　3　期末商品棚卸高　　　　　　　（　　　　　）　（　　　　　）

　　　売 上 総 利 益　　　　　　　　　　　　　　（　　　　　）

問題 6　試用販売 2　薄 B　（10分）　基本

問1　対照勘定法

(単位：円)

	借 方 科 目	金 額	貸 方 科 目	金 額
(1)				
(2)				
(3)				
(4)				
(5)				

問2　期末一括法

(単位：円)

	借 方 科 目	金 額	貸 方 科 目	金 額
(1)				
(2)				
(3)				
(4)				
(5)				

問3　売上の都度、仕入に売上原価を振替える方法（その都度法）

(単位：円)

	借 方 科 目	金 額	貸 方 科 目	金 額
(1)				
(2)				
(3)				
(4)				
(5)				

問題 7 　試用販売3 　[棚計C]（3分）　　　　　　　　　　　基本

損 益 計 算 書 　　　　　　（単位：千円）

科　　目	金　　額	
Ⅰ　売　上　高		
一　般　売　上　高	2,000,000	
〔　　　　　　　〕	（　　　　　）	（　　　　　）
Ⅱ　売　上　原　価		
期首商品棚卸高	（　　　　　）	
当期商品仕入高	（　　　　　）	
合　　　計	（　　　　　）	
期末商品棚卸高	（　　　　　）	（　　　　　）
売　上　総　利　益		（　　　　　）

問題 8 　試用販売4 　[棚計C]（5分）　　　　　　　　　　　基本

損 益 計 算 書 　　　　　　（単位：千円）

科　　目	金　　額	
Ⅰ　売　上　高		
一　般　売　上　高	2,000,000	
〔　　　　　　　〕	（　　　　　）	（　　　　　）
Ⅱ　売　上　原　価		
期首商品棚卸高	（　　　　　）	
当期商品仕入高	（　　　　　）	
合　　　計	（　　　　　）	
期末商品棚卸高	（　　　　　）	（　　　　　）
売　上　総　利　益		（　　　　　）

1 特殊商品売買
2 退職給付会計Ⅱ
3 資産除去債務
4 収益認識
5 本支店会計
6 商的工業簿記
7 本社工場会計
8 建設業会計
9 無形固定資産Ⅱ
10 過年度遡及会計

問題 9 委託販売 1 簿 B (15分) 基本

（A）手許商品区分法・その都度法

問1

(単位：千円)

取引	借 方 科 目	金 額	貸 方 科 目	金 額
①				
②				
③				
④				
⑤				

問2

決算整理前残高試算表（一部）

(単位：千円)

勘 定 科 目	金 額	勘 定 科 目	金 額
繰 越 商 品	（　　　　　）	一 般 売 上	（　　　　　）
積 送 品	（　　　　　）	積 送 品 売 上	（　　　　　）
仕 入	（　　　　　）		

問3

(単位：千円)

借 方 科 目	金 額	貸 方 科 目	金 額

問4

決算整理後残高試算表（一部）

(単位：千円)

勘 定 科 目	金 額	勘 定 科 目	金 額
繰 越 商 品	（　　　　　）	一 般 売 上	（　　　　　）
積 送 品	（　　　　　）	積 送 品 売 上	（　　　　　）
仕 入	（　　　　　）		

（B）手許商品区分法・期末一括法
問1

（単位：千円）

取引	借 方 科 目	金 額	貸 方 科 目	金 額
①				
②				
③				
④				
⑤				

問2

決算整理前残高試算表（一部）　　　　（単位：千円）

勘 定 科 目	金 額	勘 定 科 目	金 額
繰 越 商 品	（　　　　　　）	一 般 売 上	（　　　　　　）
積 送 品	（　　　　　　）	積 送 品 売 上	（　　　　　　）
仕 入	（　　　　　　）		

問3

（単位：千円）

借 方 科 目	金 額	貸 方 科 目	金 額

問4

決算整理後残高試算表（一部）　　　　（単位：千円）

勘 定 科 目	金 額	勘 定 科 目	金 額
繰 越 商 品	（　　　　　　）	一 般 売 上	（　　　　　　）
積 送 品	（　　　　　　）	積 送 品 売 上	（　　　　　　）
仕 入	（　　　　　　）		

1 特殊商品売買
2 退職給付会計Ⅱ
3 資産除去債務
4 収益認識
5 本支店会計
6 商的工業簿記
7 本社工場会計
8 建設業会計
9 無形固定資産Ⅱ
10 過年度遡及会計

問題 ⑩　**委託販売2**　簿B （12分）　　　　　基本

損　益　計　算　書　　　　（単位：千円）

Ⅰ　売　上　高

　　　　一　般　売　上　高　　〔　　　　　　　〕

　　　　積　送　品　売　上　高　〔　　　　　　　〕　　〔　　　　　　　　〕

Ⅱ　売　上　原　価

　　　　期　首　商　品　棚　卸　高　〔　　　　　　　〕

　　　　当　期　商　品　仕　入　高　〔　　　　　　　〕

　　　　　　合　　　　計　　　〔　　　　　　　〕

　　　　期　末　商　品　棚　卸　高　〔　　　　　　　〕　　〔　　　　　　　　〕

　　　　　　売　上　総　利　益　　　　　　　　　　　〔　　　　　　　　〕

Ⅲ　販売費及び一般管理費

　　　　営　　業　　費　　〔　　　　　　　〕

　　　　積　送　諸　掛　費　　〔　　　　　　　〕

　　　　棚　卸　減　耗　損　　〔　　　　　　　〕

整理後　　　　　　残　高　試　算　表　　　　　（単位：千円）

委 託 売 掛 金		一 般 売 上	
繰 越 商 品		積 送 品 売 上	
積 　 送 　 品		⋮	
仕 　 　 入			
⋮			

問題 11　**委託販売3**　難易度 C （10分）　基本

1 特殊商品売買

2 退職給付会計Ⅱ

3 資産除去債務

4 収益認識

5 本支店会計

6 商的工業簿記

7 本社工場会計

8 建設業会計

9 無形固定資産Ⅱ

10 過年度遡及会計

損　益　計　算　書　　　　（単位：千円）

科　　目	金　　額	
Ⅰ　売　上　高		
〔　　　　　　　　〕	（　　　　　　　）	
〔　　　　　　　　〕	（　　　　　　　）	（　　　　　　　）
Ⅱ　売　上　原　価		
期首商品棚卸高	（　　　　　　　）	
当期商品仕入高	（　　　　　　　）	
合　　　計	（　　　　　　　）	
期末商品棚卸高	（　　　　　　　）	（　　　　　　　）
売　上　総　利　益		（　　　　　　　）

問題 **12　受託販売** 薄C（3分）　基本

	借　方　科　目	金　　額	貸　方　科　目	金　　額
(1)				
(2)				
(3)				
(4)				

問題 **13　未着品売買 1** 薄B（5分）　基本

(1)

（単位：千円）

借　方　科　目	金　　額	貸　方　科　目	金　　額

(2)

決算整理後残高試算表　　（単位：千円）

勘　定　科　目	金　　額	勘　定　科　目	金　　額
繰　越　商　品	（　　　　）	一　般　売　上	（　　　　）
未　着　品	（　　　　）	未　着　品　売　上	（　　　　）
仕　入	（　　　　）		

問題 14　未着品売買 2　簿B（10分）　応用

(1) [　　　　　　　] ％

(2)

決算整理後残高試算表　　　（単位：千円）

勘　定　科　目	金　　額	勘　定　科　目	金　　額
繰　越　商　品	（　　　　　　　）	一　般　売　上	（　　　　　　　）
未　　着　　品	（　　　　　　　）	未　着　品　売　上	（　　　　　　　）
仕　　　　　入	（　　　　　　　）		
棚　卸　減　耗　損	（　　　　　　　）		

問題 15　未着品売買 3　簿B（10分）　応用

決算整理後残高試算表　　　（単位：千円）

勘　定　科　目	金　　額	勘　定　科　目	金　　額
繰　越　商　品	（　　　　　　　）	売　　　　　　上	（　　　　　　　）
未　　着　　品	（　　　　　　　）	未　着　品　売　上	（　　　　　　　）
仕　　　　　入	（　　　　　　　）	仕　入　割　引	（　　　　　　　）
棚　卸　減　耗　損	（　　　　　　　）		

問題 16　委託・受託・試用の複合問題　簿B（15分）（本試験問題改題）　応用

（単位：千円）

①	②	③	④

問題 17　一般・委託・試用の複合問題　薄B（12分）　応用

損益計算書　　　　　（単位：円）

Ⅰ　売　上　高

1. 一般売上高　　〔　　　　　〕

2. 積送品売上高　〔　　　　　〕

3. 試用売上高　　〔　　　　　〕　〔　　　　　　　〕

Ⅱ　売上原価

1. 期首商品棚卸高　〔　　　　　〕

2. 当期商品仕入高　〔　　　　　〕

計　　〔　　　　　〕

3. 期末商品棚卸高　〔　　　　　〕　〔　　　　　　　〕

売上総利益　　　　　〔　　　　　　　〕

決算整理後残高試算表　　　　　（単位：円）

売　　掛　　金	（　　　　）	貸倒引当金	（　　　　　）
委託売掛金	（　　　　）	試用仮売上	（　　　　　）
試用未収金	（　　　　）	一　般　売　上	（　　　　　）
繰　越　商　品	（　　　　）	積送品売上	（　　　　　）
積　　送　　品	（　　　　）	試　用　売　上	（　　　　　）
仕　　　　入	（　　　　）		
貸倒引当金繰入	（　　　　）		

問題 18　一般・試用・未着の複合問題　簿B（12分）　応用

問1　決算整理仕訳（単位：円）

(1) 試用販売の売上原価算定

借　方　科　目	金　　額	貸　方　科　目	金　　額

(2) 未着品売買の売上原価算定

借　方　科　目	金　　額	貸　方　科　目	金　　額

問2　決算整理後残高試算表（一部）

残　高　試　算　表　　　　　（単位：円）

繰　越　商　品		試　用　仮　売　上	30,000
繰　越　試　用　品		一　　般　　売　　上	800,000
未　　着　　品		試　用　売　上	398,000
試　用　未　収　金	30,000	未　着　品　売　上	200,000
仕　　　　　入			

問3　損益計算書（売上原価の内訳）

損　益　計　算　書　　　　　（単位：円）

期首商品棚卸高			
当期商品仕入高		期末商品棚卸高	

問題 19　一般・試用・委託の複合問題　簿B（10分）　応用

（単位：千円）

借　方　科　目	金　　額	貸　方　科　目	金　　額

Chapter 2　退職給付会計Ⅱ

➡問題 P.2-2　　➡解答・解説 P.2-1

問題 1　退職給付引当金と前払年金費用　簿B（5分）　基本

問1	(1)	千円	(2)	千円
問2	(1)	千円	(2)	千円

1 特殊商品売買
2 退職給付会計Ⅱ
3 資産除去債務
4 収益認識
5 本支店会計
6 商的工業簿記
7 本社工場会計
8 建設業会計
9 無形固定資産Ⅱ
10 過年度遡及会計

Chapter 3　資産除去債務

➡問題 P.3-2　　➡解答・解説 P.3-1

問題 1　資産除去債務1　薄A（5分）　基本

（単位：千円）

	借　方　科　目	金　　額	貸　方　科　目	金　　額
(1)				
(2)				
(3)				
(4)				

➡問題 P.3-2　　➡解答・解説 P.3-1

問題 2　資産除去債務2　財計A（5分）　基本

（単位：千円）

	借　方　科　目	金　　額	貸　方　科　目	金　　額
(1)				
(2)				
(3)				
(4)				

Chapter 4 収益認識

➡問題 P.4-2　➡解答・解説 P.4-1

問題 1　空欄補充　【財】A（5分）　基本

①	②	③
④	⑤	⑥
⑦	⑧	⑨

➡問題 P.4-3　➡解答・解説 P.4-3

問題 2　収益認識の基本問題　【簿】B（5分）　基本

貸 借 対 照 表

流動資産
　売　掛　金　（　　　　　）
　貸 倒 引 当 金　（　　　　　）
　　　　　：
流動負債
　契　約　負　債　（　　　　　）

損 益 計 算 書

売　上　高　（　　　　　）
　　　　　：
販売費及び一般管理費
　貸倒引当金繰入　（　　　　　）

➡問題 P.4-4　➡解答・解説 P.4-4

問題 3　変動対価（リベート）　【簿】B（4分）　基本

貸 借 対 照 表

流動資産
　売　掛　金　（　　　　　）
　貸 倒 引 当 金　（　　　　　）
　　　　　：
流動負債
　返　金　負　債　（　　　　　）

損 益 計 算 書

売　上　高　（　　　　　）
　　　　　：
販売費及び一般管理費
　貸倒引当金繰入　（　　　　　）

1 特殊商品売買
2 退職給付会計Ⅱ
3 資産除去債務
4 収益認識
5 本支店会計
6 商的工業簿記
7 本社工場会計
8 建設業会計
9 無形固定資産Ⅱ
10 過年度遡及会計

問題 4 返品権付き販売 薄B（4分） 応用

貸借対照表

流動資産

売　掛　金	（　　　　　）	
貸倒引当金	（　　　　　）	
⋮		⋮
商　　　品	（　　　　　）	
返　品　資　産	（　　　　　）	

流動負債

返　金　負　債	（　　　　　）

損益計算書

売　上　高	（　　　　　）
売　上　原　価	（　　　　　）
⋮	⋮

販売費及び一般管理費

貸倒引当金繰入	（　　　　　）

問題 5 重要な金融要素 薄B（4分） 基本

貸借対照表

流動資産

売　掛　金	（　　　　　）
貸倒引当金	（　　　　　）

損益計算書

売　上　高	（　　　　　）
⋮	⋮

販売費及び一般管理費

貸倒引当金繰入	（　　　　　）
⋮	⋮

営業外収益

受　取　利　息	（　　　　　）

問題 6 　代理人取引 　簿B （4分）　応用

<table>
<tr><th colspan="2">貸　借　対　照　表</th><th colspan="2">損　益　計　算　書</th></tr>
<tr><td>流動資産</td><td></td><td>売　上　高</td><td></td></tr>
<tr><td>　現　金　預　金</td><td>（　　　　）</td><td>　商 品 売 上 高</td><td>（　　　　）</td></tr>
<tr><td>　売　　掛　　金</td><td>（　　　　）</td><td>　手 数 料 収 入</td><td>（　　　　）</td></tr>
<tr><td>　貸 倒 引 当 金</td><td>（　　　　）</td><td>売　上　原　価</td><td>（　　　　）</td></tr>
<tr><td>　商　　　　　品</td><td>（　　　　）</td><td>　売 上 総 利 益</td><td>（　　　　）</td></tr>
<tr><td>流動負債</td><td></td><td>販売費及び一般管理費</td><td></td></tr>
<tr><td>　買　　掛　　金</td><td>（　　　　）</td><td>　貸倒引当金繰入</td><td>（　　　　）</td></tr>
</table>

問題 7 　契約資産が計上される場合 　簿B （4分）　基本

<table>
<tr><th colspan="2">貸　借　対　照　表</th><th colspan="2">損　益　計　算　書</th></tr>
<tr><td>流動資産</td><td></td><td>売　上　高</td><td>（　　　　）</td></tr>
<tr><td>　売　　掛　　金</td><td>（　　　　）</td><td>：</td><td>：</td></tr>
<tr><td>　契　約　資　産</td><td>（　　　　）</td><td>販売費及び一般管理費</td><td></td></tr>
<tr><td>　貸 倒 引 当 金</td><td>（　　　　）</td><td>　貸倒引当金繰入</td><td>（　　　　）</td></tr>
</table>

問題 1　本支店間取引1　簿A（5分）

基本

（単位：円）

		借 方 科 目	金 額	貸 方 科 目	金 額
(1)	本店				
	支店				
(2)	本店				
	支店				
(3)	本店				
	支店				
(4)	本店				
	支店				

問題 2　支店間取引　簿B（5分）　基本

①支店分散計算制度

（単位：円）

		借　方　科　目	金　　額	貸　方　科　目	金　　額
(1)	本　店				
	A支店				
	B支店				
(2)	本　店				
	A支店				
	B支店				

②本店集中計算制度

（単位：円）

		借　方　科　目	金　　額	貸　方　科　目	金　　額
(1)	本　店				
	A支店				
	B支店				
(2)	本　店				
	A支店				
	B支店				

問題 3　決算整理後残高試算表の作成　簿B（20分）　応用

①		②		③	
④		⑤			

1 特殊商品売買
2 退職給付会計II
3 資産除去債務
4 収益認識
5 本支店会計
6 商的工業簿記
7 本社工場会計
8 建設業会計
9 無形固定資産II
10 過年度遡及会計

問題 4　勘定記入　（12分）　基本

（単位：千円）

本店元帳

損　益

摘　要	金　額	摘　要	金　額
仕　　入		売　　上	10,000
営 業 費	3,750	支 店 売 上	33,000
雑 損 失	250	雑 収 入	400
	43,400		43,400

支店元帳

損　益

摘　要	金　額	摘　要	金　額
仕　　入		売　　上	50,000
本 店 仕 入		雑 収 入	300
営 業 費			
	50,300		50,300

本店元帳

総 合 損 益

摘　要	金　額	摘　要	金　額
繰延内部利益控除		損　　　　益	
		支　　　　店	
		繰延内部利益戻入	

本店元帳

閉 鎖 残 高

摘　要	金　額	摘　要	金　額
現 金 預 金	800	買 掛 金	3,500
売 掛 金	1,000	繰延内部利益	
繰 越 商 品		資 本 金	
備　　品	1,800	利益準備金	1,550
支　　店		繰越利益剰余金	

支店元帳

閉 鎖 残 高

摘　要	金　額	摘　要	金　額
現 金 預 金	9,950	買 掛 金	700
売 掛 金		未払営業費	
繰 越 商 品		本　　店	
備　　品	4,300		

問題 5　決算手続・帳簿の締切り　簿Ａ　（20分）　応用

問1

支店損益　　　　　　（単位：千円）

期首商品棚卸高		売　　　上	
仕　　　入		期末商品棚卸高	
本店仕入		有価証券売却益	
販　売　費		有価証券評価益	
貸倒引当金繰入額			
減価償却費			
〔　　　　　〕			
（　　　　　）		（　　　　　）	

問2

本店勘定 ［　　　　　千円］　支店勘定 ［　　　　　千円］

問3

総合損益　　　　　　（単位：千円）

〔　　　　　〕		本店損益	
法人税等		支　　　店	
繰越利益剰余金		〔　　　　　〕	
（　　　　　）		（　　　　　）	

1 特殊商品売買

2 退職給付会計Ⅱ

3 資産除去債務

4 収益認識

5 本支店会計

6 商的工業簿記

7 本社工場会計

8 建設業会計

9 無形固定資産Ⅱ

10 過年度遡及会計

問 題 6 **本支店合併財務諸表1** 薄A (12分) 基本

問1

合併損益計算書 （単位：千円）

費 用	金 額	収 益	金 額
期 首 商 品 棚 卸 高		売 上 高	
当 期 商 品 仕 入 高		期 末 商 品 棚 卸 高	
営 業 費		雑 収 入	
雑 損 失			
当 期 純 利 益			
合 計		合 計	

合併貸借対照表 （単位：千円）

資 産	金 額	負債・純資産	金 額
現 金 預 金		買 掛 金	
売 掛 金		未 払 費 用	
商 品		資 本 金	
備 品		利 益 準 備 金	
		繰 越 利 益 剰 余 金	
合 計		合 計	

問2

（単位：千円）

借 方 科 目	金 額	貸 方 科 目	金 額

問題 7 　本支店合併財務諸表２　簿A（20分）　応用

問1

未達取引整理後の

支 店 勘 定 [　　　　　　　千円]　　支店売上勘定 [　　　　　　　千円]

未達取引整理前の

本 店 勘 定 [　　　　　　　千円]　　本店仕入勘定 [　　　　　　　千円]

問2

合 併 損 益 計 算 書
自×2年4月1日　至×3年3月31日　（単位：千円）

科　　　目	金　　　額	
Ⅰ　売　上　高		（　　　　　　）
Ⅱ　売　上　原　価		
1　期首商品棚卸高	（　　　　　）	
2　当期商品仕入高	（　　　　　）	
合　　計	（　　　　　）	
3　期末商品棚卸高	（　　　　　）	（　　　　　　）
売 上 総 利 益		（　　　　　　）
Ⅲ　販売費及び一般管理費		
1　販　　売　　費	（　　　　　）	
2　棚 卸 減 耗 損	（　　　　　）	
3　貸倒引当金繰入額	（　　　　　）	
4　減 価 償 却 費	（　　　　　）	（　　　　　　）
営 業 利 益		（　　　　　　）
Ⅳ　営 業 外 費 用		
1　支 払 利 息		（　　　　　　）
税引前当期純利益		（　　　　　　）
法 人 税 等		（　　　　　　）
当 期 純 利 益		（　　　　　　）

合　併　貸　借　対　照　表
×3年3月31日

(単位：千円)

科　　　　　目	金　　　額		科　　　　　目	金　　　額	
現　金　預　金		（　　　　　）	買　　掛　　金		（　　　　　）
売　　掛　　金	（　　　　）		借　　入　　金		（　　　　　）
貸　倒　引　当　金	（△　　　）	（　　　　　）	未　払　法　人　税　等		（　　　　　）
商　　　　　品		（　　　　　）	資　　本　　金		（　　　　　）
建　　　　　物	（　　　　）		繰　越　利　益　剰　余　金		（　　　　　）
減　価　償　却　累　計　額	（△　　　）	（　　　　　）			
土　　　　　地		（　　　　　）			
資　　産　　合　　計		（　　　　　）	負債及び純資産合計		（　　　　　）

➡問題 P.5-8　　➡解答・解説 P.5-13

問 題 8　総合問題　簿C　（30分）　　　（本試験問題改題）応用

問1

（a）	千円	（b）	千円

問2

(単位：千円)

【資料5】5 の仕訳	借　方　科　目	金　　　額	貸　方　科　目	金　　　額

問3

（a）	千円	（b）	千円	（c）	千円	（d）	千円
（e）	千円	（f）	千円	（g）	千円		

問　題　9　**本支店間取引2**　曜計C　（3分）　基本

（単位：千円）

		借　方　科　目	金　額	貸　方　科　目	金　額
(1)	本　店				
	支　店				
(2)	本　店				
	支　店				
(3)	本　店				
	支　店				

問題 10　本支店合併財務諸表3　計C （30分）　応用

貸借対照表

（単位：千円）

資　産　の　部		負　債　の　部	
科　　　　目	金　　額	科　　　　目	金　　額
Ⅰ　流　動　資　産	（　　　　　）	Ⅰ　流　動　負　債	（　　　　　）
現　金　預　金	（　　　　　）	支　払　手　形	（　　　　　）
受　取　手　形	（　　　　　）	買　　掛　　金	（　　　　　）
売　　掛　　金	（　　　　　）	短　期　借　入　金	（　　　　　）
有　価　証　券	（　　　　　）	未　払　法　人　税　等	（　　　　　）
商　　　　品	（　　　　　）	預　り　保　証　金	（　　　　　）
貸　倒　引　当　金	（△　　　　）	〔　　　　　　　　　〕	（　　　　　）
Ⅱ　固　定　資　産	（　　　　　）	Ⅱ　固　定　負　債	（　　　　　）
1　有　形　固　定　資　産	（　　　　　）	長　期　借　入　金	（　　　　　）
建　　　　物	（　　　　　）	退　職　給　付　引　当　金	（　　　　　）
器　具　備　品	（　　　　　）	負　債　合　計	（　　　　　）
減　価　償　却　累　計　額	（△　　　　）	純　資　産　の　部	
土　　　　地	（　　　　　）	Ⅰ　株　主　資　本	（　　　　　）
2　無　形　固　定　資　産	（　　　　　）	1　資　　本　　金	（　　　　　）
〔　　　　　　　　〕	（　　　　　）	2　資　本　剰　余　金	（　　　　　）
3　投資その他の資産	（　　　　　）	資　本　準　備　金	（　　　　　）
〔　　　　　　　　〕	（　　　　　）	3　利　益　剰　余　金	（　　　　　）
長　期　性　預　金	（　　　　　）	利　益　準　備　金	（　　　　　）
長　期　貸　付　金	（　　　　　）	繰　越　利　益　剰　余　金	（　　　　　）
〔　　　　　　　　〕	（　　　　　）	Ⅱ　評価・換算差額等	（　　　　　）
破　産　更　生　債　権　等	（　　　　　）	〔　　　　　　　　〕	（　　　　　）
繰　延　税　金　資　産	（　　　　　）	純　資　産　合　計	（　　　　　）
貸　倒　引　当　金	（△　　　　）		
資　産　合　計	（　　　　　）	負債及び純資産合計	（　　　　　）

※（　　　）には各区分の合計額を記入すること。

　たとえば、「Ⅰ流動資産（　　　）」には、（　　　）内に流動資産の合計額を記入する。

損 益 計 算 書　　　　　（単位：千円）

科　　目	金　　額	
Ⅰ　売　上　高		（　　　　　　）
Ⅱ　売　上　原　価		
期首商品棚卸高	（　　　　　）	
当期商品仕入高	（　　　　　）	
合　　計	（　　　　　）	
期末商品棚卸高	（　　　　　）	（　　　　　　）
売上総利益		（　　　　　　）
Ⅲ　販売費及び一般管理費		（　　　　　　）
営　業　利　益		（　　　　　　）
Ⅳ　営　業　外　収　益		
受取利息配当金	（　　　　　）	
受　取　地　代	（　　　　　）	
〔　　　　　　　〕	（　　　　　）	
雑　　収　　入	（　　　　　）	（　　　　　　）
Ⅴ　営　業　外　費　用		
〔　　　　　　　〕	（　　　　　）	
支　払　利　息	（　　　　　）	
雑　　損　　失	（　　　　　）	（　　　　　　）
経　常　利　益		（　　　　　　）
Ⅵ　特　別　損　失		
〔　　　　　　　〕		（　　　　　　）
税引前当期純利益		（　　　　　　）
法人税、住民税及び事業税	（　　　　　）	
法人税等調整額	（　　　　　）	（　　　　　　）
当　期　純　利　益		（　　　　　　）

貸借対照表等に関する注記事項

1　　長期性預金の全額を
2　　取締役に対する

1 特殊商品売買
2 退職給付会計Ⅱ
3 資産除去債務
4 収益認識
5 本支店会計
6 商的工業簿記
7 本社工場会計
8 建設業会計
9 無形固定資産Ⅱ
10 過年度遡及会計

Chapter 6　商的工業簿記

➡️問題 P.6-2　　➡️解答・解説 P.6-1

問題 1　製造勘定の作成　簿B（10分）　基本

<table>
<tr><th colspan="3" style="text-align:center">製</th><th colspan="2" style="text-align:center">造</th><th>（単位：千円）</th></tr>
<tr><td>仕 掛 品</td><td></td><td></td><td>製　　品</td><td></td><td></td></tr>
<tr><td>材 料 仕 入</td><td></td><td></td><td>仕 掛 品</td><td></td><td></td></tr>
<tr><td>賃　　金</td><td></td><td></td><td></td><td></td><td></td></tr>
<tr><td>製 造 経 費</td><td></td><td></td><td></td><td></td><td></td></tr>
<tr><td>（　　　　　　）</td><td></td><td></td><td>（　　　　　　）</td><td></td><td></td></tr>
</table>

➡️問題 P.6-3　　➡️解答・解説 P.6-2

問題 2　勘定記入　簿B（12分）　基本

<table>
<tr><th colspan="3" style="text-align:center">製</th><th colspan="2" style="text-align:center">造</th><th>（単位：千円）</th></tr>
<tr><td>仕 掛 品</td><td></td><td></td><td>製　　品</td><td></td><td></td></tr>
<tr><td>材 料 仕 入</td><td></td><td></td><td>仕 掛 品</td><td></td><td></td></tr>
<tr><td>賃　　金</td><td></td><td></td><td></td><td></td><td></td></tr>
<tr><td>給　　料</td><td></td><td></td><td></td><td></td><td></td></tr>
<tr><td>従 業 員 賞 与</td><td></td><td></td><td></td><td></td><td></td></tr>
<tr><td>賞与引当金繰入</td><td></td><td></td><td></td><td></td><td></td></tr>
<tr><td>外 注 加 工 賃</td><td></td><td></td><td></td><td></td><td></td></tr>
<tr><td>水 道 光 熱 費</td><td></td><td></td><td></td><td></td><td></td></tr>
<tr><td>保 険 料</td><td></td><td></td><td></td><td></td><td></td></tr>
<tr><td>材料棚卸減耗損</td><td></td><td></td><td></td><td></td><td></td></tr>
<tr><td>減 価 償 却 費</td><td></td><td></td><td></td><td></td><td></td></tr>
<tr><td></td><td></td><td></td><td></td><td></td><td></td></tr>
</table>

| | 損　　　　益 | （単位：千円） |

売 上 原 価		製 品 売 上	
給　　　料		受 取 利 息	
従 業 員 賞 与			
賞与引当金繰入			
水 道 光 熱 費			
保　険　料			
減 価 償 却 費			
貸倒引当金繰入			
支 払 利 息			
繰越利益剰余金			

1 特殊商品売買
2 退職給付会計Ⅱ
3 資産除去債務
4 収益認識
5 本支店会計
6 商的工業簿記
7 本社工場会計
8 建設業会計
9 無形固定資産Ⅱ
10 過年度遡及会計

問題 3　期末仕掛品の評価　簿B（10分）　基本

（設問1）

① 平　均　法　　期末仕掛品原価 [　　　　] 円　　完成品原価 [　　　　] 円

② 先入先出法　　期末仕掛品原価 [　　　　] 円　　完成品原価 [　　　　] 円

（設問2）

① 平　均　法　　期末仕掛品原価 [　　　　] 円　　完成品原価 [　　　　] 円

② 先入先出法　　期末仕掛品原価 [　　　　] 円　　完成品原価 [　　　　] 円

➡️問題 P.6-4　➡️解答・解説 P.6-5

問題 4　総合問題1　簿A（15分）　（本試験問題改題）応用

①		②		③		④	

➡️問題 P.6-6　➡️解答・解説 P.6-5

問題 5　総合問題2　簿B（30分）　（本試験問題改題）応用

①		②		③		④	
⑤		⑥					

問 題 6　製造原価報告書の作成 1　財計 A （8分）　基本

製 造 原 価 報 告 書　　　（単位：千円）

科　　　　目	金　　　　額	
Ⅰ　材　料　費		
期首材料棚卸高	（　　　　　　　）	
当期材料仕入高	（　　　　　　　）	
合　　　計	（　　　　　　　）	
期末材料棚卸高	（　　　　　　　）	
当 期 材 料 費		（　　　　　　　）
Ⅱ　労　務　費		
賃　金　給　料	（　　　　　　　）	
〔　　　　　　　〕	（　　　　　　　）	
当 期 労 務 費		（　　　　　　　）
Ⅲ　経　　　　費		
〔　　　　　　　〕	（　　　　　　　）	
〔　　　　　　　〕	（　　　　　　　）	
〔　　　　　　　〕	（　　　　　　　）	
当 期 経 費		（　　　　　　　）
当 期 総 製 造 費 用		（　　　　　　　）
期首仕掛品棚卸高		（　　　　　　　）
合　　　計		（　　　　　　　）
期末仕掛品棚卸高		（　　　　　　　）
当期製品製造原価		（　　　　　　　）

問題 7　製造原価報告書の作成2　計A （10分）　基本

製造原価報告書　　　　（単位：千円）

科　目	金	額
Ⅰ 材　料　費		
期首材料棚卸高	（　　　　　）	
当期材料仕入高	（　　　　　）	
合　計	（　　　　　）	
〔　　　　　　　〕	（　　　　　）	
期末材料棚卸高	（　　　　　）	
当　期　材　料　費		（　　　　　　　）
Ⅱ 労　務　費		
賃　金　給　料	（　　　　　）	
〔　　　　　　　　〕	（　　　　　）	
〔　　　　　　　　〕	（　　　　　）	
当　期　労　務　費		（　　　　　　　）
Ⅲ 経　費		
〔　　　　　　　　〕	（　　　　　）	
〔　　　　　　　　〕	（　　　　　）	
当　期　経　費		（　　　　　　　）
当期総製造費用		（　　　　　　　）
期首仕掛品棚卸高		（　　　　　　　）
合　計		（　　　　　　　）
期末仕掛品棚卸高		（　　　　　　　）
当期製品製造原価		（　　　　　　　）

➡問題 P.6-11　➡解答・解説 P.6-10

問題 8　製造原価報告書の作成3　[難易度]A（15分）　応用

製 造 原 価 報 告 書　　（単位：千円）

科　　　目	金　　　額	
Ⅰ　材　料　費		
期首材料棚卸高	（　　　　　　）	
当期材料仕入高	（　　　　　　）	
合　　計	（　　　　　　）	
期末材料棚卸高	（　　　　　　）	
当　期　材　料　費		（　　　　　　　　）
Ⅱ　労　務　費		
賃　金　給　料	（　　　　　　）	
〔　　　　　　　　〕	（　　　　　　）	
〔　　　　　　　　〕	（　　　　　　）	
当　期　労　務　費		（　　　　　　　　）
Ⅲ　経　　　　費		
減　価　償　却　費	（　　　　　　）	
水　道　光　熱　費	（　　　　　　）	
〔　　　　　　　　〕	（　　　　　　）	
材料棚卸減耗損	（　　　　　　）	
当　期　経　費		（　　　　　　　　）
当期総製造費用		（　　　　　　　　）
期首仕掛品棚卸高		（　　　　　　　　）
合　　計		（　　　　　　　　）
期末仕掛品棚卸高		（　　　　　　　　）
〔　　　　　　　　〕		（　　　　　　　　）

損 益 計 算 書　　　　（単位：千円）

科　　　目	金　　　額	
Ⅰ　売　　上　　高		（　　　　　　　　）
Ⅱ　売　上　原　価		
期首製品棚卸高	（　　　　　　　）	
〔　　　　　　　　〕	（　　　　　　　）	
合　　　計	（　　　　　　　）	
期末製品棚卸高	（　　　　　　　）	（　　　　　　　　）
売　上　総　利　益		（　　　　　　　　）
Ⅲ　販売費及び一般管理費		
給　料　手　当	（　　　　　　　）	
〔　　　　　　　　〕	（　　　　　　　）	
〔　　　　　　　　〕	（　　　　　　　）	
〔　　　　　　　　〕	（　　　　　　　）	
減　価　償　却　費	（　　　　　　　）	
水　道　光　熱　費	（　　　　　　　）	（　　　　　　　　）
営　業　利　益		（　　　　　　　　）
：		
Ⅶ　特　別　損　失		
〔　　　　　　　　〕		（　　　　　　　　）
：		

貸借対照表に記載される金額

製　　　　　品	千円
仕　　掛　　品	千円
材　　　　　料	千円

Chapter 7　本社工場会計

➡問題 P.7-2　➡解答・解説 P.7-1

問題 1　本社と工場の期中取引1　簿B（8分）　基本

（単位：千円）

		借　方　科　目	金　額	貸　方　科　目	金　額
(1)	本　社				
	工　場				
(2)	本　社				
	工　場				
(3)	本　社				
	工　場				
(4)	本　社				
	工　場				
(5)	本　社				
	工　場				
(6)	本　社				
	工　場				
(7)	本　社				
	工　場				

➡問題 P.7-2　➡解答・解説 P.7-1

問題 2　本社と工場の未達取引1　簿B（5分）　基本

（単位：千円）

		借　方　科　目	金　額	貸　方　科　目	金　額
(1)	本　社				
	工　場				
(2)	本　社				
	工　場				
(3)	本　社				
	工　場				
(4)	本　社				
	工　場				
(5)	本　社				
	工　場				

1 特殊商品売買／2 退職給付会計Ⅱ／3 資産除去債務／4 収益認識／5 本支店会計／6 商的工業簿記／7 本社工場会計／8 建設業会計／9 無形固定資産Ⅱ／10 過年度遡及会計

問題 3　決算整理仕訳・決算振替仕訳　簿C（12分）　基本

（単位：千円）

	借　方　科　目	金　額	貸　方　科　目	金　額
(1)				
(2)				
(3)				
(4)				
(5)				
(6)				
(7)				
(8)				
(9)				

問題 4　内部利益の算定　簿C（5分）　基本

	本　社	工　場
材　料	千円	千円
仕　掛　品	－	千円
製　品	千円	千円

問題 5　合併財務諸表の作成1　簿B（12分）　応用

製造原価報告書　　　　　　　　（単位：千円）

Ⅰ　材　料　費

　　期首材料棚卸高　　　　（　　　　　）

　　当期材料仕入高　　　　（　　　　　）

　　　合　計　　　　　　　（　　　　　）

　　期末材料棚卸高　　　　（　　　　　）　（　　　　　）

Ⅱ　労　務　費　　　　　　　　　　　　　（　　　　　）

Ⅲ　経　　　費　　　　　　　　　　　　　（　　　　　）

　　当期総製造費用　　　　　　　　　　　（　　　　　）

　　期首仕掛品棚卸高　　　　　　　　　　（　　　　　）

　　　合　計　　　　　　　　　　　　　　（　　　　　）

　　期末仕掛品棚卸高　　　　　　　　　　（　　　　　）

　　当期製品製造原価　　　　　　　　　　（　　　　　）

損　益　計　算　書　　　　　　　（単位：千円）

Ⅰ　売　上　高　　　　　　　　　　　　　（　　　　　）

Ⅱ　売　上　原　価

　　期首製品棚卸高　　　　（　　　　　）

　　当期製品製造原価　　　（　　　　　）

　　　合　計　　　　　　　（　　　　　）

　　期末製品棚卸高　　　　（　　　　　）　（　　　　　）

　　　売　上　総　利　益　　　　　　　　（　　　　　）

1 特殊商品売買
2 退職給付会計Ⅱ
3 資産除去債務
4 収益認識
5 本支店会計
6 商的工業簿記
7 本社工場会計
8 建設業会計
9 無形固定資産Ⅱ
10 過年度遡及会計

問題 6　合併財務諸表の作成2　簿B（20分）　応用

(1)

①	千円	②	千円	③	千円

(2)

製造原価報告書　　　（単位：千円）

科　　　目	金　　　額	
Ⅰ　材　料　費		
1　期首材料棚卸高	（　　　　　）	
2　当期材料仕入高	（　　　　　）	
合　計	（　　　　　）	
3　期末材料棚卸高	（　　　　　）	
当　期　材　料　費		（　　　　　）
Ⅱ　労　　務　　費		（　　　　　）
Ⅲ　経　　　　費		（　　　　　）
当　期　総　製　造　費　用		（　　　　　）
期首仕掛品棚卸高		（　　　　　）
合　計		（　　　　　）
期末仕掛品棚卸高		（　　　　　）
当期製品製造原価		（　　　　　）

(3)

損　益　計　算　書　　　（単位：千円）

科　　　目	金　　　額	
Ⅰ　売　　上　　高		（　　　　　）
Ⅱ　売　　上　　原　　価		
1　期首製品棚卸高	（　　　　　）	
2　当期製品製造原価	（　　　　　）	
計	（　　　　　）	
3　期末製品棚卸高	（　　　　　）	（　　　　　）
売　上　総　利　益		（　　　　　）

問題 7　本社と工場の期中取引2　 （5分）　基本

（単位：千円）

		借 方 科 目	金 額	貸 方 科 目	金 額
(1)	本社				
	工場				
(2)	本社				
	工場				
(3)	本社				
	工場				
(4)	本社				
	工場				

問題 8　本社と工場の未達取引2　（5分）　基本

（単位：千円）

		借 方 科 目	金 額	貸 方 科 目	金 額
(1)	本社				
	工場				
(2)	本社				
	工場				
(3)	本社				
	工場				
(4)	本社				
	工場				

1 特殊商品売買
2 退職給付会計Ⅱ
3 資産除去債務
4 収益認識
5 本支店会計
6 商的工業簿記
7 本社工場会計
8 建設業会計
9 無形固定資産Ⅱ
10 過年度遡及会計

問題 9 合併財務諸表の作成3 計C（30分） 応用

貸 借 対 照 表

（単位：千円）

資　産　の　部		負　債　の　部	
科　　目	金　額	科　　目	金　額
Ⅰ 流 動 資 産	（　　　　　）	Ⅰ 流 動 負 債	（　　　　　）
現 金 預 金	（　　　　　）	支 払 手 形	（　　　　　）
受 取 手 形	（　　　　　）	買 掛 金	（　　　　　）
売 掛 金	（　　　　　）	短 期 借 入 金	（　　　　　）
製 　　　 品	（　　　　　）	未 払 法 人 税 等	（　　　　　）
材 　　　 料	（　　　　　）	Ⅱ 固 定 負 債	（　　　　　）
短 期 貸 付 金	（　　　　　）	〔　　　　　　　〕	（　　　　　）
貸 倒 引 当 金	（△　　　　）	負 債 合 計	（　　　　　）
Ⅱ 固 定 資 産	（　　　　　）	純　資　産　の　部	
1 有 形 固 定 資 産	（　　　　　）	Ⅰ 株 主 資 本	（　　　　　）
建 　　　 物	（　　　　　）	1 資 　 本 　 金	（　　　　　）
器 具 備 品	（　　　　　）	2 資 本 剰 余 金	（　　　　　）
機 　　　 械	（　　　　　）	資 本 準 備 金	（　　　　　）
車 両 運 搬 具	（　　　　　）	3 利 益 剰 余 金	（　　　　　）
2 無 形 固 定 資 産	（　　　　　）	利 益 準 備 金	（　　　　　）
特 　 許 　 権	（　　　　　）	繰 越 利 益 剰 余 金	（　　　　　）
3 投資その他の資産	（　　　　　）	Ⅱ 評価・換算差額等	（　　　　　）
投 資 有 価 証 券	（　　　　　）	その他有価証券評価差額金	（　　　　　）
関 係 会 社 株 式	（　　　　　）	純 資 産 合 計	（　　　　　）
繰 延 税 金 資 産	（　　　　　）		
資 産 合 計	（　　　　　）	負債及び純資産合計	（　　　　　）

※（　　　　　）には各区分の合計額を記入すること。

　たとえば、「Ⅰ流動資産（　　　）」には、（　　　）内に流動資産の合計額を記入する。

科　　　　目	金　　　額	
Ⅰ　売　　上　　高		（　　　　　　　）
Ⅱ　売　上　原　価		
期首製品棚卸高	（　　　　　　　）	
当期製品製造原価	（　　　　　　　）	
合　　　　計	（　　　　　　　）	
期末製品棚卸高	（　　　　　　　）	（　　　　　　　）
売　上　総　利　益		（　　　　　　　）
Ⅲ　販売費及び一般管理費		（　　　　　　　）
営　業　利　益		（　　　　　　　）
Ⅳ　営　業　外　収　益		
受取利息配当金	（　　　　　　　）	
〔　　　　　　　〕	（　　　　　　　）	（　　　　　　　）
Ⅴ　営　業　外　費　用		
貸倒引当金繰入額	（　　　　　　　）	
支　払　利　息	（　　　　　　　）	
〔　　　　　　　〕	（　　　　　　　）	（　　　　　　　）
税引前当期純利益		（　　　　　　　）
法人税、住民税及び事業税	（　　　　　　　）	
法人税等調整額	（　　　　　　　）	（　　　　　　　）
当　期　純　利　益		（　　　　　　　）

製造原価報告書 (単位：千円)

科　　　目	金　　　額
Ⅰ　材　料　費	（　　　　　　　）
Ⅱ　労　務　費	（　　　　　　　）
Ⅲ　経　　　費	（　　　　　　　）
当期総製造費用	（　　　　　　　）
期首仕掛品棚卸高	（　　　　　　　）
合　　　計	（　　　　　　　）
期末仕掛品棚卸高	（　　　　　　　）
当期製品製造原価	（　　　　　　　）

貸借対照表等に関する注記事項

1　有形固定資産から減価償却累計額	千円が控除されている。
2　関係会社に対する	

損益計算書に関する注記事項

Chapter 8　建設業会計

➡️問題 P.8-2　　➡️解答・解説 P.8-1

問題 1　工事収益の認識 1　簿A（5分）　基本

(1)　進捗度にもとづき収益を認識する場合　　　　　　　　（単位：万円）

	第1期	第2期	第3期
工事収益			
工事原価			
工事利益			

(2)　原価回収基準により収益を認識する場合　　　　　　　（単位：万円）

	第1期	第2期	第3期
工事収益			
工事原価			
工事利益			

➡️問題 P.8-3　　➡️解答・解説 P.8-2

問題 2　工事収益の認識 2　簿B（8分）　基本

	×1年度	×2年度	×3年度
(1)	千円	千円	千円
(2)	千円	千円	千円

1 特殊商品売買
2 退職給付会計II
3 資産除去債務
4 収益認識
5 本支店会計
6 商的工業簿記
7 本社工場会計
8 建設業会計
9 無形固定資産II
10 過年度遡及会計

➡問題 P.8-4　　➡解答・解説 P.8-3

問題 ③ 工事収益の認識3 簿A (8分) 基本

A工事完成工事高	千円
B工事完成工事高	千円
C工事完成工事高	千円

➡問題 P.8-5　　➡解答・解説 P.8-3

問題 ④ 工事損失引当金1 簿B (10分) 基本

×2年度の工事損失引当金	千円
×3年度の工事利益	千円

➡問題 P.8-6　　➡解答・解説 P.8-5

問題 ⑤ 建設業会計の処理 簿B (12分) 応用

問1　　　　　　　　　　　　　　　　　　　　　　　（単位：千円）

	第1期	第2期	第3期
完成工事高			
完成工事原価			
完成工事総利益			

問2　　　　　　　　　　　　　　　　　　　　　　　（単位：千円）

	第1期	第2期	第3期
未成工事受入金			
完成工事未収入金			

問題 6　工事収益の認識4　財計B（8分）　基本

第15期（決算日：×22年3月31日）

貸借対照表　　（単位：千円）

資　産　の　部		負　債　の　部	
科　　目	金　　額	科　　目	金　　額
Ⅰ　流　動　資　産		Ⅰ　流　動　負　債	
完成工事未収入金	（　　　　　）	未成工事受入金	（　　　　　　）
未成工事支出金	（　　　　　）		

〈損益項目に関する事項〉

完 成 工 事 高	千円
完 成 工 事 原 価	千円

問題 7　工事損失引当金2　財計C（12分）　応用

第10期

貸借対照表　　（単位：千円）

資　産　の　部		負　債　の　部	
科　　目	金　　額	科　　目	金　　額
Ⅰ　流　動　資　産		Ⅰ　流　動　負　債	
完成工事未収入金	（　　　　　）	工事損失引当金	（　　　　　　）

〈損益項目に関する事項〉

完 成 工 事 高	千円
完 成 工 事 原 価	千円

〈損益計算書関係の注記〉

1 特殊商品売買
2 退職給付会計Ⅱ
3 資産除去債務
4 収益認識
5 本支店会計
6 商的工業簿記
7 本社工場会計
8 建設業会計
9 無形固定資産Ⅱ
10 過年度会計遡及会計

Chapter 9　無形固定資産Ⅱ

➡問題 P.9-2　➡解答・解説 P.9-1

問題 1　研究開発費　簿B（3分）　基本

決算整理後残高試算表　　　　　　　　（単位：千円）

特　許　権	☐	
給　　　料	☐	
研 究 開 発 費	☐	
特 許 権 償 却	☐	

➡問題 P.9-3　➡解答・解説 P.9-1

問題 2　市場販売目的のソフトウェア　簿B（8分）　応用

問1　　　　☐　円

問2　×1年度：☐　円

　　　×2年度：☐　円

　　　×3年度：☐　円

問3　×1年度：☐　円

　　　×2年度：☐　円

　　　×3年度：☐　円

問題 3　無形固定資産の償却（ソフトウェア含む）　財計 A（8分）基本

【P/Lに計上される金額】

（単位：千円）

の れ ん 償 却 額	
権 利 金 償 却	
研 究 開 発 費	
ソフトウェア償却	
特 許 権 使 用 料	

【B/Sに表示される金額】

（単位：千円）

前 払 費 用	
の れ ん	
権 利 金	
敷 金	
ソフトウェア	
長 期 前 払 費 用	

重要な会計方針に係る注記事項

・

・

・

・

研究開発費に係る注記事項

・

1 特殊商品売買

2 退職給付会計II

3 資産除去債務

4 収益認識

5 本支店会計

6 商的工業簿記

7 本社工場会計

8 建設業会計

9 無形固定資産II

10 過年度遡及会計

問題 1　会計方針の変更　難易度 C（8分）　応用

<u>貸　借　対　照　表</u>　（単位：円）

	×2年度	×3年度
資　産　の　部		
商　　　　品	（　　）	（　　　）
繰延税金資産	（　　）	××
純　資　産　の　部		
繰越利益剰余金	（　　）	××

<u>損　益　計　算　書</u>　（単位：円）

	×2年度	×3年度
売　　上　　高	（　　）	××
売　上　原　価	（　　）	（　　　）
販売費及び一般管理費	（　　）	××
税引前当期純利益	（　　）	××
法　人　税　等	（　　）	××
法人税等調整額	（　　）	××
当　期　純　利　益	（　　）	××

<u>株主資本等変動計算書（繰越利益剰余金のみ）</u>　（単位：円）

	×2年度	×3年度
株　主　資　本		
繰越利益剰余金		
当　期　首　残　高	（　　）	（　　　）
会計方針の変更による累積的影響額	（　　）	―
遡及処理後当期首残高	（　　）	―
当　期　変　動　額		
当　期　純　利　益	（　　）	××
当　期　末　残　高	（　　）	××

問 題 ② 　**過去の誤謬の訂正**　簿記 C　（5分）　　　　　**基本**

損 益 計 算 書　（単位：千円）

	×3年度	×4年度
⋮		
減 価 償 却 費	（　　　　）	×××
⋮		
営 業 利 益	（　　　　）	×××
⋮		
当 期 純 利 益	（　　　　）	×××

貸 借 対 照 表　（単位：千円）

	×3年度	×4年度		×3年度	×4年度
資 産 の 部			負 債 の 部		
⋮			⋮		
建 　 物	100,000	×××	純 資 産 の 部		
減価償却累計額	（　　　　）	×××	⋮		
⋮			繰越利益剰余金	（　　　　）	×××
⋮			⋮		

株主資本等変動計算書　（単位：千円）

	×3年度	×4年度
⋮		
繰越利益剰余金		
当 期 首 残 高	54,000	×××
当 期 変 動 額		
当 期 純 利 益	（　　　　）	×××
当 期 末 残 高	（　　　　）	×××

1 特殊商品売買
2 退職給付会計Ⅱ
3 資産除去債務
4 収益認識
5 本支店会計
6 商的工業簿記
7 本社工場会計
8 建設業会計
9 無形固定資産Ⅱ
10 過年度遡及会計

Chapter11　組織再編

➡問題 P.11-2　➡解答・解説 P.11-1

問題 1　合併1　簿A（8分）　基本

(1)合併仕訳

（単位：円）

借　方　科　目	金　　額	貸　方　科　目	金　　額

(2)合併後貸借対照表

A社 　　　　　　　　　貸 借 対 照 表　　　　　　　（単位：円）

科　　目	金　　額	科　　目	金　　額
諸　　資　　産	(　　　　　)	諸　　負　　債	(　　　　　)
〔　　　　　　　〕	(　　　　　)	資　　本　　金	(　　　　　)
		資　本　準　備　金	(　　　　　)
		利　益　準　備　金	(　　　　　)
		繰 越 利 益 剰 余 金	(　　　　　)
合　　　　計	(　　　　　)	合　　　　計	(　　　　　)

➡問題 P.11-2　➡解答・解説 P.11-1

問題 2　合併2　簿B（8分）　応用

(1)合併仕訳

（単位：円）

借　方　科　目	金　　額	貸　方　科　目	金　　額

(2)合併後貸借対照表

A社 　　　　　　　　　　　　貸 借 対 照 表 　　　　　　　　　（単位：円）

科　　　　目	金　　額	科　　　　目	金　　額
諸　資　産	（　　　　　）	諸　負　債	（　　　　　）
〔　　　　　　〕	（　　　　　）	資　本　金	（　　　　　）
		資 本 準 備 金	（　　　　　）
		利 益 準 備 金	（　　　　　）
		繰 越 利 益 剰 余 金	（　　　　　）
		自 己 株 式	（　　　　　）
合　　計	（　　　　　）	合　　計	（　　　　　）

➡問題 P.11-3 　➡解答・解説 P.11-2

問 題 3 　合併3 　簿B （8分） 　　　　　　　　　応用

(1)合併仕訳

（単位：円）

借 方 科 目	金　　額	貸 方 科 目	金　　額

(2)合併後貸借対照表

A社 　　　　　　　　　　　　貸 借 対 照 表 　　　　　　　　　（単位：円）

科　　　　目	金　　額	科　　　　目	金　　額
諸　資　産	（　　　　　）	諸　負　債	（　　　　　）
〔　　　　　　〕	（　　　　　）	資　本　金	（　　　　　）
		資 本 準 備 金	（　　　　　）
		利 益 準 備 金	（　　　　　）
		繰 越 利 益 剰 余 金	（　　　　　）
合　　計	（　　　　　）	合　　計	（　　　　　）

11 組織再編

12 リース会計II

13 純資産会計II

14 連結会計

15 キャッシュ・フロー会計

16 デリバティブ

17 帳簿組織

18 伝票会計

19 総合問題

問題 4 合併4 薄B（12分） 応用

1．個別貸借対照表の修正仕訳（単位：円）

借 方 科 目	金　　額	貸 方 科 目	金　　額

2．合併交付株式数

	株

3．合併（引継）仕訳（単位：円）

借 方 科 目	金　　額	貸 方 科 目	金　　額
流 動 資 産	3,000	諸 　 負 　 債	2,800

4．債権債務の相殺仕訳（単位：円）

借 方 科 目	金　　額	貸 方 科 目	金　　額

5．合併後の貸借対照表

H社　　　　　　　　　貸 借 対 照 表　　　　　　（単位：円）

流 動 資 産		諸 　 負 　 債	
有 形 固 定 資 産		減 価 償 却 累 計 額	
の 　 れ 　 ん		資 　 本 　 金	
		資 本 準 備 金	
		利 益 準 備 金	
		繰 越 利 益 剰 余 金	

問題 5　企業評価　簿c（12分）　応用

	G社企業評価額	Y社企業評価額	合併比率
帳簿価額法	千円	千円	G社：Y社＝　　：
時価純資産法	千円	千円	G社：Y社＝　　：
収益還元価値法	千円	千円	G社：Y社＝　　：
株式市価法	千円	千円	G社：Y社＝　　：
折衷法	千円	千円	G社：Y社＝　　：

問題 6　合併比率、交付株式数の決定　簿c（10分）　基本

(1)合併比率		(2)交付株式数	株

問題 7　事業分離1（分割会社の処理）　簿B（10分）　応用

(1)子会社・関連会社となった場合

① (単位：千円)

借 方 科 目	金 額	貸 方 科 目	金 額

②

A社　　　　　　　　貸 借 対 照 表　　　　　(単位：千円)

科　　　　目	金 額	科　　　　目	金 額
そ の 他 の 資 産	( )	そ の 他 の 負 債	( )
〔　　　　　　　〕	( )	資 本 金	( )
		繰 越 利 益 剰 余 金	( )
合　　　計	( )	合　　　計	( )

(2)子会社・関連会社とならなかった場合

① (単位：千円)

借 方 科 目	金 額	貸 方 科 目	金 額

②

A社　　　　　　　　貸 借 対 照 表　　　　　(単位：千円)

科　　　　目	金 額	科　　　　目	金 額
そ の 他 の 資 産	( )	そ の 他 の 負 債	( )
〔　　　　　　　〕	( )	資 本 金	( )
		繰 越 利 益 剰 余 金	( )
合　　　計	( )	合　　　計	( )

→問題 P.11-7　→解答・解説 P.11-6

11 組織再編
12 リース会計Ⅱ
13 純資産会計Ⅱ
14 連結会計
15 キャッシュ・フロー会計
16 デリバティブ
17 帳簿組織
18 伝票会計
19 総合問題

問題 8　事業分離2（承継会社の処理）　簿B （5分）　応用

（単位：千円）

借 方 科 目	金 額	貸 方 科 目	金 額

→問題 P.11-7　→解答・解説 P.11-6

問題 9　株式交換1　簿B （8分）　基本

(1) 株式交換仕訳

（単位：円）

借 方 科 目	金 額	貸 方 科 目	金 額

(2) 株式交換後貸借対照表

A社　　　　　　　　　　貸 借 対 照 表　　　　　　（単位：円）

科　　　　目	金　　額	科　　　　目	金　　額
諸　　資　　産	（　　　　　）	諸　　負　　債	（　　　　　）
〔　　　　　　　〕	（　　　　　）	資　　本　　金	（　　　　　）
		資　本　準　備　金	（　　　　　）
		利　益　準　備　金	（　　　　　）
		繰 越 利 益 剰 余 金	（　　　　　）
合　　　　計	（　　　　　）	合　　　　計	（　　　　　）

→問題 P.11-8　→解答・解説 P.11-7

問題 10　株式交換2　簿C （10分）　応用

(1) 株式交換仕訳

（単位：円）

借 方 科 目	金 額	貸 方 科 目	金 額

(2)株式交換後貸借対照表

A社

貸 借 対 照 表　　　　　　（単位：円）

科　　目	金　　額	科　　　目	金　　額
諸　資　産	（　　　　　）	諸　負　債	（　　　　　）
〔　　　　　〕	（　　　　　）	資　本　金	（　　　　　）
		資 本 準 備 金	（　　　　　）
		利 益 準 備 金	（　　　　　）
		繰 越 利 益 剰 余 金	（　　　　　）
		自 己 株 式	（　　　　　）
合　　　　計	（　　　　　）	合　　　　計	（　　　　　）

➡問題 P.11-8　➡解答・解説 P.11-7

問題 11　合併5　財計B（8分）　　　　　　基本

A社

貸 借 対 照 表　　　　　　（単位：円）

科　　目	金　　額	科　　　目	金　　額
諸　資　産	（　　　　　）	諸　負　債	（　　　　　）
〔　　　　　〕	（　　　　　）	資　本　金	（　　　　　）
		資 本 準 備 金	（　　　　　）
		利 益 準 備 金	（　　　　　）
		繰 越 利 益 剰 余 金	（　　　　　）
合　　　　計	（　　　　　）	合　　　　計	（　　　　　）

➡問題 P.11-9　➡解答・解説 P.11-8

問題 12　のれんを含む減損処理　簿B（5分）　　　　　　応用

（単位：円）

借 方 科 目	金　　額	貸 方 科 目	金　　額

Chapter12　リース会計Ⅱ

➡問題 P.12-2　➡解答・解説 P.12-1

問題 1　セール・アンド・リースバック取引 薄B（8分）　応用

問1

（単位：千円）

借　方　科　目	金　　額	貸　方　科　目	金　　額

問2

（単位：千円）

借　方　科　目	金　　額	貸　方　科　目	金　　額

11 組織再編

12 リース会計Ⅱ

13 純資産会計Ⅱ

14 連結会計

15 キャッシュ・フロー会計

16 デリバティブ

17 帳簿組織

18 伝票会計

19 総合問題

Chapter13 純資産会計Ⅱ

➡問題 P.13-2 ➡解答・解説 P.13-1

問題 1 ストック・オプション1 薄B（5分） 基本

×2年3月31日	千円
×3年3月31日	千円
×3年6月30日	千円

➡問題 P.13-2 ➡解答・解説 P.13-2

問題 2 ストック・オプション2 会計B（5分） 基本

問1

（単位：千円）

借 方 科 目	金 額	貸 方 科 目	金 額

損益計算書における計上区分

問2

（単位：千円）

借 方 科 目	金 額	貸 方 科 目	金 額

問題 3　ストック・オプション3　補計 B（10分）　応用

株主資本等変動計算書

（単位：千円）

| | 株　主　資　本 | | | | | 新　　　株 | 純　資　産 |
| | 資本金 | 資本剰余金 | 利益剰余金 | | 株主資本 | 予　約　権 | 合　　　計 |
		資　　本 準　備　金	利　　益 準　備　金	繰越利益 剰　余　金	合　　　計		
当 期 首 残 高	600,000	200,000	100,000	300,000	1,200,000	38,500	1,238,500
当 期 変 動 額							
新 株 の 発 行	(　　　　)	(　　　　)			(　　　　)		(　　　　)
当 期 純 利 益				50,000	50,000		50,000
株主資本以外の項目 の当期変動額（純額）						(　　　　)	(　　　　)
当 期 変 動 額 合 計	(　　　　)	(　　　　)	—	50,000	(　　　　)	(　　　　)	(　　　　)
当 期 末 残 高	(　　　　)	(　　　　)	100,000	350,000	(　　　　)	(　　　　)	(　　　　)

問題 4　株式の無償交付（株式引受権）　簿 B（5分）　基本

（単位：円）

	借　方　科　目	金　　額	貸　方　科　目	金　　額
(1)				
(2)				
(3)				
(4)				
(5)				

11 組織再編

12 リース会計Ⅱ

13 純資産会計Ⅱ

14 連結会計

15 キャッシュ・フロー会計

16 デリバティブ

17 帳簿組織

18 伝票会計

19 総合問題

→問題 P.13-4　→解答・解説 P.13-5

問題 5　分配可能額の計算 1　財計B（10分）　基本

問1 〔　　　　　　　　　〕千円　　　　問2 〔　　　　　　　　　〕千円

→問題 P.13-5　→解答・解説 P.13-6

問題 6　分配可能額の計算 2　財計B（10分）　応用

内　　容	金　　額
(1) 最終事業年度の末日における剰余金の額	千円
(2) 最終事業年度の末日後の剰余金の変動額	千円
(3) 配当の効力発生日における剰余金の額	千円
(4) 分配可能額の計算上控除すべき額	千円
(5) 配当の効力発生日における分配可能額	千円

Chapter14 連結会計

➡問題 P.14-2 ➡解答・解説 P.14-1

問題 1　資本連結　簿B（5分）　基本

連結貸借対照表　　　　（単位：千円）

科　　目	金　　額	科　　目	金　　額
諸　資　産	（　　　　　）	諸　負　債	（　　　　　）
		資　本　金	（　　　　　）
		利　益　剰　余　金	（　　　　　）
合　　計	（　　　　　）	合　　計	（　　　　　）

➡問題 P.14-2 ➡解答・解説 P.14-1

問題 2　子会社貸借対照表の評価替え　簿B（8分）　基本

(1)

（単位：千円）

借　方　科　目	金　　額	貸　方　科　目	金　　額

(2)

連結貸借対照表　　　　（単位：千円）

科　　目	金　　額	科　　目	金　　額
現　金　預　金	（　　　　　）	借　入　金	（　　　　　）
備　　品	（　　　　　）	資　本　金	（　　　　　）
土　　地	（　　　　　）	資　本　剰　余　金	（　　　　　）
		利　益　剰　余　金	（　　　　　）
合　　計	（　　　　　）	合　　計	（　　　　　）

11 組織再編
12 リース会計Ⅱ
13 純資産会計Ⅱ
14 連結会計
15 キャッシュ・フロー会計
16 デリバティブ
17 帳簿組織
18 伝票会計
19 総合問題

➡問題 P.14-3　➡解答・解説 P.14-2

問題 3 　のれんの処理　簿B （5分）　基本

(1)

（単位：千円）

借　方　科　目	金　　額	貸　方　科　目	金　　額

(2)

のれんの金額	千円

➡問題 P.14-3　➡解答・解説 P.14-2

問題 4 　のれん償却と子会社純利益の振替え　簿B （8分）基本

(1)

（単位：千円）

借　方　科　目	金　　額	貸　方　科　目	金　　額

(2)

（単位：千円）

借　方　科　目	金　　額	貸　方　科　目	金　　額

➡問題 P.14-4　➡解答・解説 P.14-2

問題 5 　貸付金・借入金　簿B （3分）　基本

（単位：千円）

借　方　科　目	金　　額	貸　方　科　目	金　　額

問題 6 　売掛金・貸倒引当金 B（3分） 基本

（単位：千円）

	借 方 科 目	金 額	貸 方 科 目	金 額
債権債務の相殺				
期末貸倒引当金				

問題 7 　手形取引 B（5分） 基本

当期末保有

（単位：千円）

借 方 科 目	金 額	貸 方 科 目	金 額

期中割引

（単位：千円）

借 方 科 目	金 額	貸 方 科 目	金 額

問題 8 　未実現利益の消去（棚卸資産）簿B（3分） 基本

（単位：千円）

借 方 科 目	金 額	貸 方 科 目	金 額

11 組織再編

12 リース会計II

13 純資産会計II

14 連結会計

15 キャッシュ・フロー会計

16 デリバティブ

17 帳簿組織

18 伝票会計

19 総合問題

問題 9　連結財務諸表　簿B（10分）　応用

連結貸借対照表　（単位：千円）

資　　産	金　額	負債・純資産	金　額
諸　資　産		諸　負　債	
		資　本　金	
		利　益　剰　余　金	

連結損益計算書　（単位：千円）

費　　用	金　額	収　　益	金　額
売　上　原　価		売　上　高	
販　売　費　管　理　費			
非支配株主に帰属する当期純利益			
親会社株主に帰属する当期純利益			

連結株主資本等変動計算書　（単位：千円）

	資　本　金	利　益　剰　余　金	非支配株主持分
当期首残高			
当期変動額			
剰余金の配当			
親会社株主に帰属する当期純利益			
株主資本以外の項目の当期変動額（純額）			
当期変動額合計	0		
当期末残高			

問 題 10 総合問題 簿B （20分） （本試験問題改題） 応用

11 組織再編
12 リース会計Ⅱ
13 純資産会計Ⅱ
14 連結会計
15 キャッシュ・フロー会計
16 デリバティブ
17 帳簿組織
18 伝票会計
19 総合問題

連結貸借対照表

関東交易株式会社　　　　　　　　×19年12月31日　　　　　　　（単位：千円）

（資　産　の　部）			（負　債　の　部）		
科　　　目	金　　　額		科　　　目	金　　　額	
Ⅰ流 動 資 産			Ⅰ流 動 負 債		
現 金 預 金		（　　　　）	支 払 手 形		（　　　　）
受 取 手 形	（　　　　）		買 掛 金		（　　　　）
貸 倒 引 当 金	（△　　　）	（　　　　）	短 期 借 入 金		（　　　　）
売 掛 金	（　　　　）		未 払 法 人 税 等		（　　　　）
貸 倒 引 当 金	（△　　　）	（　　　　）	前 受 金		（　　　　）
有 価 証 券		（　　　　）	Ⅱ固 定 負 債		
商 品		（　　　　）	長 期 借 入 金		（　　　　）
前 払 費 用		（　　　　）	（純 資 産 の 部）		
Ⅱ固 定 資 産			Ⅰ株 主 資 本		
建 物	（　　　　）		資 本 金		（　　　　）
減価償却累計額	（△　　　）	（　　　　）	資 本 剰 余 金		（　　　　）
備 品	（　　　　）		利 益 剰 余 金		（　　　　）
減価償却累計額	（△　　　）	（　　　　）			
土 地		（　　　　）			
投 資 有 価 証 券		（　　　　）			
賃 貸 用 建 物	（　　　　）				
減価償却累計額	（△　　　）	（　　　　）			
資 産 合 計		（　　　　）	負債及び純資産合計		（　　　　）

連結損益計算書

関東交易株式会社　　自×19年1月1日　至×19年12月31日　　　　（単位：千円）

科　　目	金　　額	
I 売　　上　　高		（　　　　　　　）
II 売　上　原　価		（　　　　　　　）
売　上　総　利　益		（　　　　　　　）
III 販売費及び一般管理費		
給　料　手　当	（　　　　　　）	
貸倒引当金繰入額	（　　　　　　）	
減　価　償　却　費	（　　　　　　）	
広　告　宣　伝　費	（　　　　　　）	
その他営業経費	（　　　　　　）	（　　　　　　　）
営　業　利　益		（　　　　　　　）
IV 営　業　外　収　益		
受　取　配　当　金	（　　　　　　）	
受　取　利　息	（　　　　　　）	
有　価　証　券　利　息	（　　　　　　）	
売買目的有価証券評価益	（　　　　　　）	（　　　　　　　）
V 営　業　外　費　用		
支　払　利　息		（　　　　　　　）
経　常　利　益		（　　　　　　　）
VI 特　別　利　益		
固　定　資　産　売　却　益		（　　　　　　　）
VII 特　別　損　失		
減　損　損　失		（　　　　　　　）
税引前当期純利益		（　　　　　　　）
法　人　税　等		（　　　　　　　）
当　期　純　利　益		（　　　　　　　）

問題 11 持分法 簿B（5分） 基本

(1)

（単位：千円）

借　方　科　目	金　　額	貸　方　科　目	金　　額

(2)

（単位：千円）

借　方　科　目	金　　額	貸　方　科　目	金　　額

問題 12 連結包括利益計算書1 簿C（10分） 基本

連結包括利益計算書　（単位：千円）

当期純利益

その他の包括利益：

その他有価証券評価差額金

包括利益

（内訳）

親会社株主に係る包括利益　　　　　　　　　千円

非支配株主に係る包括利益　　　　　　　　　千円

問題 13　連結包括利益計算書2　財計C（10分）　基本

連結損益及び包括利益計算書　（単位：千円）

諸収益	1,204,000
諸費用	914,000
税金等調整前当期純利益	290,000
法人税等	90,000
当期純利益	200,000

（内訳）

親会社株主に帰属する当期純利益	175,000
非支配株主に帰属する当期純利益	

その他の包括利益：

その他有価証券評価差額金　□

包括利益　□

（内訳）

親会社株主に係る包括利益　□

非支配株主に係る包括利益　□

問題 14　組替調整（リサイクリング）　財計C（5分）　応用

注記）組替調整額　（単位：円）

その他有価証券評価差額金：

当期発生額	（　　　）
組替調整額	（　　　）
税効果調整前	（　　　）
税効果額	（　　　）
その他の包括利益合計	（　　　）

Chapter15　キャッシュ・フロー会計

➡️問題 P.15-2　➡️解答・解説 P.15-1

問題 1　営業収入 簿B（4分）　基本

営業収入：　□　千円

➡️問題 P.15-2　➡️解答・解説 P.15-1

問題 2　商品の仕入れによる支出 簿B（4分）　基本

商品の仕入れによる支出：　□　千円

➡️問題 P.15-3　➡️解答・解説 P.15-1

問題 3　人件費の支出・その他の営業支出 簿B（4分）　基本

人件費の支出　：　□　千円

その他の営業支出：　□　千円

➡️問題 P.15-3　➡️解答・解説 P.15-2

問題 4　投資活動・財務活動以外 簿B（4分）　基本

営業活動によるキャッシュ・フロー（単位：千円）

⋮	⋮
小　計	10,000
利息の受取額	(　　　　)
利息の支払額	(　　　　)
法人税等の支払額	(　　　　)
営業活動によるキャッシュ・フロー	(　　　　)

11 組織再編

12 リース会計Ⅱ

13 純資産会計Ⅱ

14 連結会計

15 キャッシュ・フロー会計

16 デリバティブ

17 帳簿組織

18 伝票会計

19 総合問題

問題 5　営業活動によるキャッシュ・フロー 1　薄A（15分）基本

問1　直接法

キャッシュ・フロー計算書　（単位：千円）

I　営業活動によるキャッシュ・フロー	
営　業　収　入	（　　　　　　　）
商 品 の 仕 入 に よ る 支 出	（　　　　　　　）
人　件　費　支　出	（　　　　　　　）
そ の 他 の 営 業 支 出	（　　　　　　　）
小　　　　計	（　　　　　　　）
利 息 及 び 配 当 金 の 受 取 額	（　　　　　　　）
利　息　の　支　払　額	（　　　　　　　）
法 人 税 等 の 支 払 額	（　　　　　　　）
営業活動によるキャッシュ・フロー	（　　　　　　　）

問2　間接法

キャッシュ・フロー計算書　（単位：千円）

I　営業活動によるキャッシュ・フロー	
税 引 前 当 期 純 利 益	（　　　　　　　）
減　価　償　却　費	（　　　　　　　）
減　損　損　失	（　　　　　　　）
貸倒引当金の〔　　　　〕額	（　　　　　　　）
受 取 利 息 及 び 配 当 金	（　　　　　　　）
支　払　利　息	（　　　　　　　）
固 定 資 産 売 却 益	（　　　　　　　）
売上債権の〔　　　　〕額	（　　　　　　　）
棚卸資産の〔　　　　〕額	（　　　　　　　）
仕入債務の〔　　　　〕額	（　　　　　　　）
未払費用の〔　　　　〕額	（　　　　　　　）
小　　　　計	（　　　　　　　）
利 息 及 び 配 当 金 の 受 領 額	（　　　　　　　）
利　息　の　支　払　額	（　　　　　　　）
法 人 税 等 の 支 払 額	（　　　　　　　）
営業活動によるキャッシュ・フロー	（　　　　　　　）

問題 6　営業活動によるキャッシュ・フロー 2　薄A (20分) 応用

①	千円	②	千円	③	千円
④	千円	⑤	千円	⑥	千円
⑦	千円	⑧	千円	⑨	千円

問題 7　投資活動・財務活動によるキャッシュ・フロー 1　薄A (15分) 基本

キャッシュ・フロー計算書　　　（単位：千円）

II 投資活動によるキャッシュ・フロー	
有形固定資産の取得による支出	(　　　　　　)
有形固定資産の売却による収入	(　　　　　　)
投資有価証券の取得による支出	(　　　　　　)
投資有価証券の売却による収入	(　　　　　　)
投資活動によるキャッシュ・フロー	(　　　　　　)
III 財務活動によるキャッシュ・フロー	
長 期 借 入 れ に よ る 収 入	(　　　　　　)
社 債 の 償 還 に よ る 支 出	(　　　　　　)
株 式 の 発 行 に よ る 収 入	(　　　　　　)
自 己 株 式 の 取 得 に よ る 支 出	(　　　　　　)
配 当 金 の 支 払 額	(　　　　　　)
財務活動によるキャッシュ・フロー	(　　　　　　)

11 組織再編
12 リース会計II
13 純資産会計II
14 連結会計
15 キャッシュ・フロー会計
16 デリバティブ
17 帳簿組織
18 伝票会計
19 総合問題

問題 8　キャッシュ・フロー計算書　簿B（20分）　応用

キャッシュ・フロー計算書 （単位：千円）

I 営業活動によるキャッシュ・フロー	
税 引 前 当 期 純 利 益	（　　　　　　）
減 価 償 却 費	（　　　　　　）
減 損 損 失	（　　　　　　）
貸 倒 引 当 金 の 増 加 額	（　　　　　　）
有 価 証 券 評 価 益	（　　　　　　）
為 替 差 益	（　　　　　　）
支 払 利 息	（　　　　　　）
有 価 証 券 売 却 損	（　　　　　　）
固 定 資 産 売 却 損	（　　　　　　）
売 上 債 権 の 増 加 額	（　　　　　　）
棚 卸 資 産 の 減 少 額	（　　　　　　）
仕 入 債 務 の 減 少 額	（　　　　　　）
未 払 費 用 の 増 加 額	（　　　　　　）
小 計	（　　　　　　）
利 息 の 支 払 額	（　　　　　　）
法 人 税 等 の 支 払 額	（　　　　　　）
営業活動によるキャッシュ・フロー	（　　　　　　）
II 投資活動によるキャッシュ・フロー	
有 価 証 券 の 取 得 に よ る 支 出	（　　　　　　）
有 価 証 券 の 売 却 に よ る 収 入	（　　　　　　）
有形固定資産の取得による支出	（　　　　　　）
有形固定資産の売却による収入	（　　　　　　）
投資活動によるキャッシュ・フロー	（　　　　　　）
III 財務活動によるキャッシュ・フロー	
短 期 借 入 れ に よ る 収 入	（　　　　　　）
短 期 借 入 金 の 返 済 に よ る 支 出	（　　　　　　）
配 当 金 の 支 払 額	（　　　　　　）
財務活動によるキャッシュ・フロー	（　　　　　　）
IV 現金及び現金同等物に係る換算差額	（　　　　　　）
V 現金及び現金同等物の増加額	（　　　　　　）
VI 現金及び現金同等物の期首残高	（　　　　　　）
VII 現金及び現金同等物の期末残高	（　　　　　　）

問題 ⑨ 総合問題 薄B (30分)　　　　　　(本試験問題改題) 応用

①	千円	②	千円	③	千円
④	千円	⑤	千円	⑥	千円
⑦	千円	⑧	千円	⑨	千円
⑩	千円	⑪	千円		

問題 ⑩ 営業活動によるキャッシュ・フロー3 財計A (20分) 基本

問1　直接法

キャッシュ・フロー計算書　　　　(単位：千円)

Ⅰ　営業活動によるキャッシュ・フロー	
営　業　収　入	(　　　　　　)
商品の仕入支出	(　　　　　　)
人　件　費　支　出	(　　　　　　)
その他の営業支出	(　　　　　　)
小　　　　計	(　　　　　　)
利息の受取額	(　　　　　　)
損害賠償金の支払額	(　　　　　　)
法人税等の支払額	(　　　　　　)
営業活動によるキャッシュ・フロー	(　　　　　　)

11 組織再編

12 リース会計Ⅱ

13 純資産会計Ⅱ

14 連結会計

15 キャッシュ・フロー会計

16 デリバティブ

17 帳簿組織

18 伝票会計

19 総合問題

問2 間接法

キャッシュ・フロー計算書　　　　（単位：千円）

I 営業活動によるキャッシュ・フロー	
税 引 前 当 期 純 利 益	（　　　　　　　　　　）
減 価 償 却 費	（　　　　　　　　　　）
貸 倒 引 当 金 の 増 加 額	（　　　　　　　　　　）
受 取 利 息	（　　　　　　　　　　）
損 害 賠 償 損 失	（　　　　　　　　　　）
売上債権の〔　　　　〕額	（　　　　　　　　　　）
棚卸資産の〔　　　　〕額	（　　　　　　　　　　）
仕入債務の〔　　　　〕額	（　　　　　　　　　　）
小 計	（　　　　　　　　　　）
⋮	⋮

→問題 P.15-16　→解答・解説 P.15-14

11 組織再編

12 リース会計Ⅱ

13 純資産会計Ⅱ

14 連結会計

15 キャッシュ・フロー会計

16 デリバティブ

17 帳簿組織

18 伝票会計

19 総合問題

問題 11　投資活動・財務活動によるキャッシュ・フロー2　時計A (15分) 基本

キャッシュ・フロー計算書　　　　（単位：千円）

⋮	⋮
営業活動によるキャッシュ・フロー	（　　　　　）
Ⅱ　投資活動によるキャッシュ・フロー	
有 価 証 券 の 取 得 に よ る 支 出	（　　　　　）
有 価 証 券 の 売 却 に よ る 収 入	（　　　　　）
有 形 固 定 資 産 の 売 却 に よ る 収 入	（　　　　　）
貸 付 け に よ る 支 出	（　　　　　）
貸 付 金 の 回 収 に よ る 収 入	（　　　　　）
投資活動によるキャッシュ・フロー	（　　　　　）
Ⅲ　財務活動によるキャッシュ・フロー	
短 期 借 入 れ に よ る 収 入	（　　　　　）
短 期 借 入 金 の 返 済 に よ る 支 出	（　　　　　）
株 式 の 発 行 に よ る 収 入	（　　　　　）
配 当 金 の 支 払 額	（　　　　　）
財務活動によるキャッシュ・フロー	（　　　　　）
Ⅳ　現金及び現金同等物に係る換算差額	（　　　　　）
Ⅴ　現金及び現金同等物の増加額	（　　　　　）
Ⅵ　現金及び現金同等物の期首残高	（　　　　　）
Ⅶ　現金及び現金同等物の期末残高	（　　　　　）

Chapter16 デリバティブ

➡問題 P.16-2　➡解答・解説 P.16-1

問題 1　先物取引 1　簿B（3分）　基本

（単位：円）

	借　方　科　目	金　　額	貸　方　科　目	金　　額
(1)				
(2)				
(3)				
(4)				

➡問題 P.16-2　➡解答・解説 P.16-1

問題 2　先物取引 2　簿B（3分）　基本

（単位：円）

	借　方　科　目	金　　額	貸　方　科　目	金　　額
(1)				
(2)				
(3)				
(4)				

問題 3 先物取引・ヘッジ会計 簿B（5分） 応用

（単位：千円）

	借　方　科　目	金　　額	貸　方　科　目	金　　額
(1)				
(2)				
(3)				
(4)				

問題 4 予定取引 簿B（8分） 応用

（単位：円）

			借　方　科　目	金　　額	貸　方　科　目	金　　額
(1)	①	3 / 1				
	②	3 /31				
	③	4 / 1				
	④	6 /10				
	⑤	6 /30				
(2)	①	3 / 1				
	②	3 /31				
	③	4 / 1				
	④	6 /10				
	⑤	6 /30				

問題 5　税効果会計　簿A（15分）　応用

決算整理後残高試算表 （単位：千円）

勘 定 科 目	金　額	勘 定 科 目	金　額
現 金 預 金	(　　　　　)	機械減価償却累計額	(　　　　　)
先物取引差入証拠金	(　　　　　)	退 職 給 付 引 当 金	(　　　　　)
機　　　　　械	(　　　　　)	先 物 取 引 差 金	(　　　　　)
投 資 有 価 証 券	(　　　　　)	繰 延 税 金 負 債	(　　　　　)
繰 延 税 金 資 産	(　　　　　)	その他有価証券評価差額金	(　　　　　)
繰 延 ヘ ッ ジ 損 益	(　　　　　)	法 人 税 等 調 整 額	(　　　　　)
減 価 償 却 費	(　　　　　)		
減 損 損 失	(　　　　　)		
退 職 給 付 費 用	(　　　　　)		

Chapter17 帳簿組織

→問題 P.17-2　→解答・解説 P.17-1

問題 1 普通仕訳帳と特殊仕訳帳　簿 C （10分）　基本

※　元帳には日付と金額を記入すればよい（単位：千円）。必要な行数のみ使用しなさい。
　　4月1日の前期繰越高は、準大陸式によりすべて記入済である。

当 座 預 金

月	日	借 方	月	日	貸 方
4	1	500			

買 掛 金

月	日	借 方	月	日	貸 方
			4	1	250

資 本 金

月	日	借 方	月	日	貸 方
			4	1	570

未 払 給 料

月	日	借 方	月	日	貸 方
			4	1	10

売 掛 金

月	日	借 方	月	日	貸 方
4	1	330			

売 上

月	日	借 方	月	日	貸 方

仕 入

月	日	借 方	月	日	貸 方

貸 倒 損 失

月	日	借 方	月	日	貸 方

給 料

月	日	借 方	月	日	貸 方

前 受 金

月	日	借 方	月	日	貸 方

普通仕訳帳合計額：（　　　　　　　　　） 千円

11 組織再編
12 リース会計Ⅱ
13 純資産会計Ⅱ
14 連結会計
15 キャッシュ・フロー会計
16 デリバティブ
17 帳簿組織
18 伝票会計
19 総合問題

問題 2　普通仕訳帳の締切と合計試算表　簿C（10分）　基本

※　普通仕訳帳の元丁欄には、転記先の番号以外に、必要に応じて✓を記入すること。

（問1）

普 通 仕 訳 帳

月	日	摘　　　要	元丁	借　方	貸　方
4	1	諸　　口　　　諸　　　口			
		（当 座 預 金）	1	4,000	
		（受 取 手 形）	2	2,000	
		（土　　　　地）	3	1,000	
		（支 払 手 形）	4		1,000
		（資　本　金）	5		6,000
		開始仕訳			
	25	諸　　　口　（土　　　地）			100
		（当 座 預 金）		90	
		（土地売却損）		10	
		土地の売却			
	30	（当 座 預 金）　諸　　　口		46,090	
		（売　　　上）			46,000
		（諸　　　口）			90
		当座預金出納帳預入欄合計仕訳			
	〃	（仕　　　入）		42,000	
		（当 座 預 金）			42,000
		当座預金出納帳引出欄合計仕訳			
	〃	諸　　　口　（売　　　上）			74,000
		（当 座 預 金）		46,000	
		（受 取 手 形）		28,000	
		売上帳合計仕訳			
	〃	（仕　　　入）　諸　　　口		67,000	
		（当 座 預 金）			42,000
		（支 払 手 形）			25,000
		仕入帳合計仕訳			
	〃	（受 取 手 形）		28,000	
		（売　　　上）			28,000
		受取手形記入帳合計仕訳			
	〃	（仕　　　入）		25,000	
		（支 払 手 形）			25,000
		支払手形記入帳合計仕訳			
	〃	仮　　　計			
	〃	二重仕訳削除金額			
	〃	合　　　計			

（問2）

総 勘 定 元 帳

当　座　預　金		1
4／1　　4,000		

受　取　手　形		2
4／1　　2,000		

土　　　　　地		3
4／1　　1,000		

支　払　手　形		4
	4／1　　1,000	

資　　本　　金		5
	4／1　　6,000	

売　　　　　上		6

仕　　　　　入		7

土 地 売 却 損		8

（問3）

合 計 試 算 表

借方合計	勘定科目	貸方合計
	当　座　預　金	
	受　取　手　形	
	土　　　　　地	
	支　払　手　形	
	資　　本　　金	
	売　　　　　上	
	仕　　　　　入	
	土　地　売　却　損	
	合　　　計	

問題 3　合計転記仕訳の合計額と二重仕訳削除金額　簿 C（10分）基本

（問1）　[　　　　　　]　円

（問2）　[　　　　　　]　円

（問3）　[　　　　　　]　円

問題 4　特殊仕訳帳制度 1　簿 C（15分）基本

問1

当 座 預 金 出 納 帳

日付	勘定科目	摘　要	元丁	売掛金	諸　口	日付	勘定科目	摘　要	元丁	買掛金	諸　口

売 上 帳

日付	勘定科目	摘　　要	元丁	売 掛 金	諸　　口

仕　入　帳

日付	勘定科目	摘　　要	元丁	買　掛　金	諸　　口

受取手形記入帳

日付	勘定科目	摘　　要	元丁	売　掛　金	諸　　口

支払手形記入帳

日付	勘定科目	摘　　要	元丁	買　掛　金	諸　　口

11 組織再編

12 リース会計Ⅱ

13 純資産会計Ⅱ

14 連結会計

15 キャッシュ・フロー会計

16 デリバティブ

17 帳簿組織

18 伝票会計

19 総合問題

普通仕訳帳

日付	摘　　要	元丁	借　方	貸　方
	（　　　　　　）			
	（　　　　　　）			
	（　　　　　）			
	（　　　　　　）			

総　勘　定　元　帳

当　座　預　金　　　　　12

4/ 1 前 月 繰 越　520

買　　掛　　金　　　　　22

4/ 1 前 月 繰 越　900

借　　入　　金　　　　　23

4/ 1 前 月 繰 越 1,200

仕　　　入　　　　　51

問2　[　　　　　　　]　円

➡問題 P.17-6　　➡解答・解説 P.17-9

問題 5　特殊仕訳帳制度2　簿 C（15分）　応用

①	②	③	④	⑤
⑥	⑦	⑧	⑨	⑩

Chapter18　伝票会計

 ➡問題 P.18-2　➡解答・解説 P.18-1

問題 1　伝票会計と仕訳週計表　簿C（15分）　基本

問1

入金伝票	出金伝票	振替伝票	仕入伝票	売上伝票
枚	枚	枚	枚	枚

問2

仕 訳 週 計 表　　（単位：円）

借　　　方	勘 定 科 目	貸　　　方
	現　　　　　金	
	受　取　手　形	
	売　　掛　　金	
	貸　　付　　金	
	土　　　　　地	
	支　払　手　形	
	買　　掛　　金	
	未　　払　　金	
	売　　　　　上	
	受　取　利　息	
	仕　　　　　入	
	支　払　家　賃	

問(題)2　**3伝票制と5伝票制1**　簿C（10分）　応用

問1

a	b	c	d	e
f	g	h	i	j

問2　伝票の枚数の増加　　　　　　　　　　　　枚

　　　仕訳日計表の合計額の増加　　　　　　　　　円

問(題)3　**3伝票制と5伝票制2**　簿C（10分）　応用

（ケース1）　3伝票制

仕 訳 日 計 表

借 方 合 計	勘 定 科 目	貸 方 合 計
	現　　　　　金	
	備　　　　　品	
	支 払 手 形	
	買 　掛　 金	
	未 　払　 金	
	仕　　　　　入	
	合　　　　　計	

（ケース2）　5伝票制

仕 訳 日 計 表

借 方 合 計	勘 定 科 目	貸 方 合 計
	現　　　　　金	
	備　　　　　品	
	支 払 手 形	
	買 　掛　 金	
	未 　払　 金	
	仕　　　　　入	
	合　　　　　計	

11 組織再編
12 リース会計II
13 純資産会計II
14 連結会計
15 キャッシュ・フロー会計
16 デリバティブ
17 帳簿組織
18 伝票会計
19 総合問題

問題 1　総合問題 1　財計B（40分）　応用

貸 借 対 照 表

（単位：千円）

資　産　の　部		負　債　の　部	
科　　目	金　額	科　　目	金　額
I　流　動　資　産	（　　　　）	I　流　動　負　債	（　　　　）
現　金　預　金	（　　　　）	支　払　手　形	（　　　　）
受　取　手　形	（　　　　）	買　掛　金	12,300
売　掛　金	（　　　　）	未　払　法　人　税　等	（　　　　）
商　　品	（　　　　）	未　払　金	（　　　　）
短　期　貸　付　金	（　　　　）	前　受　収　益	（　　　　）
〔　　　　　〕	（　　　　）	賞　与　引　当　金	（　　　　）
貸　倒　引　当　金	（△　　　）	〔　　　　　〕	（　　　　）
II　固　定　資　産	（　　　　）	II　固　定　負　債	（　　　　）
有　形　固　定　資　産	（　　　　）	長　期　借　入　金	5,000
建　　物	（　　　　）	退　職　給　付　引　当　金	（　　　　）
器　具　備　品	（　　　　）	負　債　合　計	（　　　　）
車　　両	（　　　　）	純　資　産　の　部	
減　価　償　却　累　計　額	（△　　　）	I　株　主　資　本	（　　　　）
土　　地	（　　　　）	資　本　金	80,000
投　資　そ　の　他　の　資　産	（　　　　）	利　益　剰　余　金	（　　　　）
投　資　有　価　証　券	（　　　　）	利　益　準　備　金	1,330
〔　　　　　〕	（　　　　）	繰　越　利　益　剰　余　金	（　　　　）
繰　延　税　金　資　産	（　　　　）	II　評価・換算差額等	（　　　　）
貸　倒　引　当　金	（△　　　）	その他有価証券評価差額金	（　　　　）
		純　資　産　合　計	（　　　　）
資　産　合　計	（　　　　）	負債及び純資産合計	（　　　　）

損 益 計 算 書　　　　　（単位：千円）

科　　　　目	金　　額	
Ⅰ　売　　上　　高		（　　　　　　　　）
Ⅱ　売　上　原　価		
期首商品棚卸高	（　　　　　　　）	
当期商品仕入高	（　　　　　　　）	
合　　　　計	（　　　　　　　）	
期末商品棚卸高	（　　　　　　　）	（　　　　　　　　）
売　上　総　利　益		（　　　　　　　　）
Ⅲ　販売費及び一般管理費		（　　　　　　　　）
営　業　利　益		（　　　　　　　　）
Ⅳ　営　業　外　収　益		
受取利息及び配当金	183	
有　価　証　券　利　息	（　　　　　　　）	
〔　　　　　　　　　〕	（　　　　　　　）	（　　　　　　　　）
Ⅴ　営　業　外　費　用		
支　払　利　息	200	
〔　　　　　　　　　〕	（　　　　　　　）	（　　　　　　　　）
経　常　利　益		（　　　　　　　　）
Ⅵ　特　別　損　失		
〔　　　　　　　　　〕		（　　　　　　　　）
税引前当期純利益		（　　　　　　　　）
法人税、住民税及び事業税	（　　　　　　　）	
法人税等調整額	（　　　　　　　）	（　　　　　　　　）
当　期　純　利　益		（　　　　　　　　）

11 組織再編

12 リース会計Ⅱ

13 純資産会計Ⅱ

14 連結会計

15 キャッシュ・フロー会計

16 デリバティブ

17 帳簿組織

18 伝票会計

19 総合問題

問題 2　総合問題 2　贈B（60分）　応用

NS商事株式会社（第10期）の貸借対照表および損益計算書

貸借対照表
（単位：千円）

資　産　の　部			負　債　の　部		
科　　目	金　額		科　　目	金　額	
I　流　動　資　産	(	)	I　流　動　負　債	(	)
現　金　預　金	(	)	支　払　手　形	58,230	
受　取　手　形	(	)	買　掛　金	(	)
売　掛　金	(	)	短　期　借　入　金	(	)
有　価　証　券	(	)	〔　　　　　　　〕	(	)
商　　　品	(	)	未　払　法　人　税　等	(	)
貯　蔵　品	(	)	未　払　消　費　税　等	(	)
前　渡　金	1,600		預　り　金	(	)
未　収　収　益	485		未　払　費　用	(	)
貸　倒　引　当　金	(△	)	賞　与　引　当　金	(	)
II　固　定　資　産	(	)	II　固　定　負　債	(	)
1　有形固定資産	(	)	社　　　債	(	)
建　　　物	(	)	〔　　　　　　　〕	(	)
備　　　品	(	)	退　職　給　付　引　当　金	(	)
減価償却累計額	(△	)	長　期　預　り　保　証　金	(	)
土　　　地	(	)	負　債　合　計	(	)
2　無形固定資産	(	)	純　資　産　の　部		
〔　　　　　〕	(	)	I　株　主　資　本	(	)
3　投資その他の資産	(	)	1　資　本　金	(	)
〔　　　　　〕	(	)	2　資　本　剰　余　金	(	)
〔　　　　　〕	(	)	資　本　準　備　金	(	)
長　期　性　預　金	(	)	その他資本剰余金	(	)
破　産　更　生　債　権　等	(	)	3　利　益　剰　余　金	(	)
繰　延　税　金　資　産	(	)	利　益　準　備　金	45,000	
貸　倒　引　当　金	(△	)	繰　越　利　益　剰　余　金	(	)
			II　評価・換算差額等	(	)
			その他有価証券評価差額金	(	)
			純　資　産　合　計	(	)
資　産　合　計	(	)	負債及び純資産合計	(	)

損 益 計 算 書　　　　　（単位：千円）

科　　目	金　　額	
Ⅰ　売　上　高		（　　　　　　）
Ⅱ　売　上　原　価		（　　　　　　）
売　上　総　利　益		（　　　　　　）
Ⅲ　販売費及び一般管理費		（　　　　　　）
営　業　利　益		（　　　　　　）
Ⅳ　営　業　外　収　益		
受　取　利　息　配　当　金	（　　　　　　）	
雑　　収　　入	3,810	（　　　　　　）
Ⅴ　営　業　外　費　用		
支　払　利　息	（　　　　）	
社　債　利　息	（　　　　）	
有　価　証　券　評　価　損	（　　　　）	
〔　　　　　　　　　〕	（　　　　）	
雑　　損　　失	6,415	（　　　　　　）
経　常　利　益		（　　　　　　）
Ⅵ　特　別　利　益		
投資有価証券売却益		6,300
Ⅶ　特　別　損　失		
〔　　　　　　　〕		（　　　　　　）
税引前当期純利益		（　　　　　　）
法人税、住民税及び事業税	（　　　　）	
法　人　税　等　調　整　額	（△　　　　）	（　　　　　　）
当　期　純　利　益		（　　　　　　）

貸借対照表等に関する注記事項

1
2　　ＵＡ社から同社の商標権の侵害を理由として、

損益計算書に関する注記事項

1

········ *Memorandum Sheet* ········

········· *Memorandum Sheet* ········

········ *Memorandum Sheet* ········

ネットスクール出版